Jasmine Guillory

Aliança de Casamento

Tradução
Carolina Huang

essência

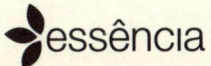

Copyright © Jasmine Guillory, 2018
Copyright © Editora Planeta do Brasil, 2019
Publicado em acordo com a autora, representada por Baron International, Inc., Armonk, Nova York, EUA.
Todos os direitos reservados.
Título original: *The Wedding Date*

Preparação: Roberta Pantoja
Revisão: Erika Nogueira e Olívia Tavares
Diagramação: Departamento de criação da Editora Planeta do Brasil
Capa: Adaptação do projeto original de Vikki Chu
Imagens de miolo: Jason Stitt/ Shutterstock
Letterings de capa: Estúdio Chaleira – Cris Viana

DADOS INTERNACIONAIS DE CATALOGAÇÃO NA PUBLICAÇÃO (CIP)
ANGÉLICA ILACQUA CRB-8/7057

Guillory, Jasmine
　　Aliança de casamento / Jasmine Guillory ; tradução Carolina Huang. – São Paulo: Planeta do Brasil, 2019.
　　256 p.

　　ISBN: 978-85-422-1643-1
　　Título original: The Wedding Date

　　1. Ficção norte-americana I. Título II. Huang, Carolina

19-0831　　　　　　　　　　　　　　　　　　　　　　　　　　CDD 813.6

2019
Todos os direitos desta edição reservados à
EDITORA PLANETA DO BRASIL LTDA.
Rua Bela Cintra, 986 – 4º andar
01415-002 – Consolação – São Paulo-SP
www.planetadelivros.com.br
faleconosco@editoraplaneta.com.br

Para Donna Louis Guillory, a melhor mãe que alguém poderia ter.

Alexa Monroe entrou no hotel Fairmont, em São Francisco, naquela noite de quinta, usando seus sapatos vermelhos de salto preferidos, agitada por causa do café e carregando uma garrafa de champanhe Veuve Clicquot na bolsa. Ela pegou o celular para mandar uma mensagem para a irmã, Olivia, que estava em um dos quartos.

Entrando no elevador!!!

Olivia não era como as outras pessoas: era sempre bom deixá-la bem avisada. Não fazia diferença se havia acabado de virar sócia do escritório de advocacia onde trabalhava em Nova York; certas coisas não mudavam.

Ah, não, ia entrar no banho agora.

Alexa recebeu a mensagem de Olivia assim que entrou no elevador. Deu uma risada alta enquanto apertava o número do andar, o riso acalmando seu nervosismo. Ela estava ansiosa para comemorar com a irmã mais velha, apesar de... não, talvez porque a relação ainda fosse complicada depois de todos esses anos.

O elevador deslizou daquele jeito suave e silencioso que os elevadores de hotéis de luxo fazem, enquanto Alexa verificava a bolsa pela terceira vez para confirmar se tinha mesmo jogado os biscoitos chiques e o queijo brie lá dentro. Afinal, elas iam precisar beliscar algo antes do jantar para acompanhar todo aquele champanhe. Ela queria ter tido tempo de fazer brownies na noite anterior. Olivia adorava seus brownies.

Alexa avistou o queijo e os biscoitos no canto da bolsa, protegidos da pesada garrafa de champanhe. Naquele momento, o elevador parou de repente e, em seguida, as luzes se apagaram.

— O que está acontecendo? — perguntou em voz alta.

Alguns segundos depois, uma luz fraca se acendeu, mas o elevador permaneceu estático. Ela olhou para cima e para os lados e levou um susto ao ver um homem com uma mala no canto oposto.

— Você estava aqui o tempo todo? — perguntou.

— Está achando que sou o gênio da lâmpada mágica? — respondeu o homem, sorrindo.

— Acho que você não tem cara de gênio.

Ele era branco e alto, de pele bronzeada, cabelo castanho-escuro despenteado e uma barba rala. Alexa teve uma vontade repentina de roçar a mão na bochecha dele para ver quão áspera era. Como foi que ela não viu *esse* homem entrar junto com ela no elevador?

— Obrigado, eu acho. Mas não é isso que um gênio diria? — perguntou ele. — Você não é claustrofóbica, é?

— Hum... acho que não. Por quê? Você nos libertaria daqui com seus poderes de gênio se eu dissesse que sim?

Ele riu.

— Acho que agora você jamais saberá se sou mesmo um gênio — respondeu ele.

— Bem, uma vez tive que fazer uma tomografia. Não foi muito divertido ficar dentro daquela maquininha. Talvez eu seja claustrofóbica.

— Sinto muito, mas você já perdeu sua chance de ver meus poderes.

Ele foi até a porta do elevador e pegou o interfone de emergência.

— Vamos ver se podem nos dizer em quanto tempo sairemos daqui.

Alexa tentou não ficar olhando para ele sob a luz fraca, mas não podia perder a oportunidade de dar uma conferida em sua bunda perfeitamente ajustada à calça jeans. Era tão agradável quanto o resto. Alexa disfarçou o sorriso estampado no rosto, para o caso de ele se virar.

Coisas desse tipo nunca aconteciam com ela. Não que não ficasse presa em elevadores: a vida dela era cheia de pequenas crises como essa. Não, ficar presa em um elevador com um cara lindo é que era a parte inusitada. Ela era sempre a pessoa que se sentava no avião ao lado de um bebê tagarela, ou da senhorinha do tricô, ou de um universitário entediado, nunca de um cara sexy.

Depois de um minuto de "está bem... está bem" em tons de voz cada vez mais tensos, ele desligou o interfone.

— Bem... — disse ele, depois fez uma pausa, sorrindo para ela. — Peraí, ainda nem sei seu nome, minha nova amiga de elevador.

— Alexa. E você, gênio?

— Drew. Prazer em conhecê-la, Alexa.

— Drew, é um prazer, mas...

— Sim, esta situação não é a ideal. Então, a má notícia é que faltou luz no hotel inteiro.

Nessa hora, o celular dela se acendeu com uma mensagem de Olivia.

Faltou luz aqui. Onde você está??

— Ah, sim, acabei de ficar sabendo.

Alexa mostrou o celular antes de responder.

Foi no hotel inteiro, estou presa no elevador.

— Pelo menos, isso significa que estavam falando a verdade — disse Drew. — A boa notícia, ou pelo menos foi o que me falaram, é que há geradores, então, os elevadores irão voltar a funcionar logo.

Alexa deslizou até o chão, pousando a bolsa ao seu lado com cuidado. Seria uma tragédia quebrar aquela garrafa de champanhe.

— É melhor nos acomodarmos para esperar — sugeriu ela. Seus saltos vermelhos preferidos eram relativamente confortáveis pelas primeiras cinco horas, mas estava usando-os havia mais de nove.

Drew tirou o casaco de couro, deixando-a ver de relance os músculos do abdômen quando a camiseta cinza subiu. Hummm. Um cara lindo e divertido que mostra o abdômen de vez em quando. Por acaso era aniversário dela?

— Você está hospedado aqui, Drew? De onde veio? — perguntou Alexa para não ficar encarando.

— Acabei de chegar de Los Angeles. E você? — respondeu ele, sentando-se ao lado dela.

— Ah, eu moro aqui. Bem, na verdade, em Berkeley. Só estou no hotel para visitar uma pessoa.

Ele olhou para o celular dela, para os sapatos e para ela novamente.

— Uma pessoa muito especial, a julgar por esses sapatos e todos os seus sorrisos, sem sequer notar que havia outra pessoa no elevador com você.

— Uma pessoa muito especial — disse ela; ele sorriu mais. — Peraí, não, não é *esse* tipo de pessoa especial! É minha irmã mais velha! Ela veio de Nova York a trabalho.

Pois é, era desse jeito que Alexa costumava agir com caras lindos: com medo de fazer contato visual, olhando fixamente para o abdômen, fazendo comentários esquisitos.

— Ahhh... — Ele deu uma gargalhada. — Entendi, achei que fosse *aquele* tipo de pessoa especial. Vocês duas estão planejando uma noitada na cidade?

Ela cruzou as pernas e ajeitou o vestido preto para não acabar mostrando a calcinha sem querer e piorar as coisas.

— Mais ou menos. Vamos comemorar. Ela acabou de virar sócia no escritório de advocacia onde trabalha — explicou Alexa, com um sorriso, encarando a bolsa cheia de petiscos antes de voltar a olhar para ele. Nem mesmo queijo podia competir com esse cara.

Drew olhou desconfiado para ela. Ele tinha olhos castanho-claros com um contorno bem escuro ao redor. Eles eram tão bonitos que ela desviou o olhar mais uma vez. Ainda bem que a pele negra dela não deixaria as bochechas ficarem muito rosadas, senão ele as veria brilhando no escuro.

— Tudo bem, fico feliz por sua irmã, mas o que tem na bolsa? Você fica olhando para ela como se guardasse o Santo Graal.

Ela deu risada.

— Só champanhe e alguns petiscos. O plano é beber o champanhe e sair para jantar... bem, esse era o plano, mas teremos que ver quanto tempo vamos ficar presos neste elevador.

Drew se aproximou e espiou dentro da bolsa. Alexa a empurrou até ele para que enxergasse melhor sob a luz fraca. Ela nunca deixava as pessoas mexerem em sua bolsa, mas ele era um cara bonito e a situação era incomum.

— Muito bem, temos mantimentos para o caso de ficarmos presos por horas. Champanhe é muito conveniente porque não requer um abridor, e temos também... olha só, queijo e biscoitos, o lanche perfeito para quem está preso em um elevador.

Ela se recostou na parede revestida de madeira.

— Você já ficou preso em um elevador antes com uma variedade de petiscos e conseguiu definir quais eram os melhores para essa situação? — perguntou Alexa.

— Não, mas, convenhamos, queijo e biscoitos são claramente a melhor opção neste caso. Primeiro, você teve a lucidez de trazer um queijo cremoso, assim não precisaremos de uma faca para cortá-lo. Podemos usar os biscoitos para tirar pedacinhos e espalhá-los com os dedos. Em segundo lugar, alguma vez você já deixou de gostar de queijo e biscoitos?

"Puxa, queijo e biscoitos são exatamente o que preciso agora" não é sempre o que vem à cabeça?

Alexa ficou pensando por um instante.

— Pare, não, nem pense — disse ele. — Você sabe que a resposta é "sim". Queijo e biscoitos são sem dúvida o lanche perfeito.

Ela riu e empurrou os dedos dele para afastá-los da caixa de biscoitos.

— Está bem, você tem razão, mas não conseguiu me convencer a dividir os biscoitos e o queijo da comemoração de Olivia com você, sabia?

Drew esticou as pernas no chão e deu outra olhada na bolsa.

— Era o que temia. Bem, a minha única esperança é que fiquemos aqui por tempo suficiente para você ter pena de mim.

Alexa afrouxou um pouco os saltos, o bastante para aliviar a pressão nos dedos.

— Não é pessoal, Drew, mas meu objetivo é não ficar presa neste elevador com você a noite inteira.

Apesar de que esse abdômen... Não, lembra da Olivia? Sua irmã? Claro, Olivia, sim, sim, Olivia. Hora de fazer outra pergunta a ele, para não ficar encarando.

— E *você*, não tem planos para hoje à noite? Afinal, o que está fazendo aqui em São Francisco no fim de semana?

Ele fez uma careta.

— Casamento.

Ela fez outra careta.

— Não diga isso como se fosse uma condenação.

Drew se encostou na parede e escorregou.

— Se as condenações tivessem a duração de um fim de semana, este se qualificaria como uma. Está bem, está bem, a prisão é um hotel chique, mas mesmo assim...

Ela deu uma olhada pelo elevador estático e mal-iluminado.

—Agora não parece tão chique. O que há de tão terrível nesse casamento?

Ele ergueu as mãos.

— Vou contar o que há de errado. — Ele levantou um dedo. — Primeiro: é o casamento da minha ex-namorada.

Alexa torceu o nariz. Ela já havia passado por isso. Casamentos de ex são sempre uma provação, mesmo nas melhores circunstâncias. Drew levantou mais um dedo.

— Segundo: ela está se casando com um dos meus melhores amigos da faculdade de Medicina.

Alexa tapou os olhos. Bem, talvez ele tivesse razão.

— Eles estavam...

— Não, ela não estava me traindo, mas... digamos que não fiquei muito contente com a forma como aconteceu. Vamos continuar?

— Ai. Bem, entendo por que você...

Ele levantou outro dedo.

— TERCEIRO.

Ela endireitou a postura.

— Tem mais? Um outro dedo?

— Tem, sim. — Ele abanou o dedo médio no ar. — Aliás, este é o pior dedo. Terceiro: eu sou um dos padrinhos.

Ela balançou a cabeça e o encarou, boquiaberta.

— Está de brincadeira? Padrinho? O quê? Por quê? Como?

— Sim, você está fazendo as perguntas importantes, aquelas que Josh, Molly e eu tínhamos que ter feito antes desse pesadelo em forma de casamento ter começado. Realmente, o que e por quê. *O que* deu na cabeça dele para me pedir para ser seu padrinho? *Por que* ele faria isso? *Por que* ela o deixaria fazer isso? *POR QUE* eu aceitaria? *Como* isso aconteceu? Todas essas perguntas deveriam ter sido feitas antes, mas cá estamos nós.

— Meu Deus, Drew. Isso é quase o suficiente para eu oferecer um pouco de queijo para você.

Ele deu uns tapinhas no ombro dela. Queijo? Nossa, se ele deixasse essa mão ali por mais um tempo, ela teria dado muito mais do que queijo.

— Alexa, fico tocado, mesmo. E aí — ele levantou outro dedo —, tem o número quatro.

— Ai, meu Deus do céu, o que o número quatro poderia ser? Por acaso, seus pais divorciados estão vindo para o casamento com seus respectivos companheiros?

Ele deu risada.

— Não, mas foi um bom chute. Isso seria um grande pesadelo. Não, o número quatro é que não sou apenas padrinho no casamento da minha ex-namorada e do meu ex-melhor amigo, mas sou um padrinho sem par no casamento da minha ex-namorada e do meu ex-melhor amigo. Minha acompanhante deu para trás na última hora, por isso vou parecer patético e, provavelmente, vou ficar bêbado e dar em cima de uma madrinha... Essa história toda vai ser um pesadelo.

Ela fez um gesto mostrando que aquilo era bobagem.

— Pare com isso, vai dar tudo certo. Casamentos são ótimas ocasiões para conhecer pessoas. É melhor que você esteja sem acompanhante. Como minha amiga Colleen costuma dizer: "Não leve um sanduíche para um bufê".

Ele soltou uma gargalhada alta.

— Eu vou roubar essa frase com certeza. E, embora na maioria das situações, eu diria que sua amiga Colleen tem toda a razão, este caso está entre aqueles cinco por cento em que um sanduíche me salvaria de uma infecção intestinal no bufê. Tanta gente vai me olhar com pena, você não faz ideia. E a pior parte é que confirmei que iria com uma pessoa, então, vai ter uma cadeira vazia na ponta da mesa. E muita gente perguntando: "O que aconteceu com a sua namorada, Drew, ela não pôde vir?". E vou ter que sorrir e aguentar, mas haverá uns trinta por cento de possibilidade de eu me exceder no uísque e soltar a franga.

Alexa tocou a mão dele e tentou não se estender muito.

— Tudo bem, às vezes, um sanduíche é uma precaução necessária. Lamento que o seu tenha dado para trás.

Ele voltou a olhar para dentro de sua bolsa.

— Alexa, vou pedir para você parar de falar de sanduíches se não quiser que eu roube esse queijo.

Ela agarrou a bolsa e colocou-a do outro lado.

— Agora a tentação está mais longe. Não ficou melhor?

Ele olhou para ela, para a bolsa e depois para ela novamente. Ela sorriu e manteve a mão sobre a alça.

— Então, Drew, o que aconteceu com a sua namorada?

Ele apertou os olhos e ela deu outra risada.

— Está bem. Em primeiro lugar, Emma não era minha namorada. A gente ficava, só isso.

Alexa franziu a testa. Assim como ela, esse cara devia ter uns trinta anos. Com essa idade, as pessoas já não tinham parado de "só ficar"?

— Não me olhe desse jeito! Não sou o tipo de cara que namora! E, quando percebi que ela queria algo mais sério, terminei. Fui legal! Não gosto de namorar. Minha última namorada foi... — Ele suspirou.

— Molly. Não importa. Só que esqueci que precisava de uma acompanhante para essa droga de casamento.

Alexa apontou para o quarto dedo que ele havia levantado.

— Peraí — disse ela. — De que forma exatamente sua acompanhante está "dando para trás"?

Ele abanou o dedo para ela.

— Não faça isso! Não ponha a culpa em mim. A culpa não é minha. Também não é culpa dela. Ela viria para o casamento comigo de qualquer jeito, mas o pai dela vai fazer uma cirurgia amanhã, por isso ela não pôde vir — explicou. Os músculos de seu abdômen se mexiam de um jeito adorável quando ele suspirava. — E, é claro, sinto muito pelo pai dela. Não acho que a culpa seja dela, mas acho, sim, que isso é mais uma prova de que fui amaldiçoado nesse casamento.

Alexa riu e relaxou contra a parede. Se, por acaso, ela se aproximasse de Drew fazendo isso, seria um bônus. Afinal, ela não corria o risco de se tornar uma "não namorada" desse cara. Ela podia, pelo menos, encostar algumas vezes no braço dele sem querer antes de o elevador voltar a funcionar.

— Talvez você tenha feito algo para merecer.

Drew desviou dela e pegou a bolsa.

— É mesmo? Faço o maior desabafo para você sobre esse pesadelo em forma de casamento e sobre não ter uma acompanhante e todas as coisas ruins que irão acontecer comigo por causa disso e, ao ouvir minha triste história, você me diz que fiz algo para merecer?

Ele enfiou a mão na bolsa, mas hesitou por um instante e lançou um olhar indagador. Ela suspirou e assentiu.

— Está bem, está bem, você pode comer um pouco de queijo, mas é melhor deixar um pouco para Olivia. E nada de partir com os dedos. Que tipo de selvagem você acha que eu sou? Tem uma faca aí dentro.

Ele sorriu contente. Deus do céu, que sorriso perigoso. Alexa desviou o olhar para achar a faca e não se atirar em cima dele.

Drew tinha acabado de morder um pedaço de biscoito com queijo quando as luzes do teto se acenderam, e o elevador começou a se mover com um solavanco.

— Uau, estamos mesmo saindo do lugar? — perguntou ela, sentando-se direito.

— Parece que não vou precisar brigar pelo champanhe.

Drew ficou de pé e estendeu a mão para ajudá-la a se levantar. Foi imaginação ou a mão dele demorou-se um pouco na dela?

Provavelmente, sim. Ela tinha uma imaginação muito fértil, o que compensava a atual ausência de vida romântica.

Em pouco tempo, chegaram ao décimo sexto andar. Alexa conseguiu dar mais uma olhada no abdômen de Drew enquanto ele vestia o casaco.

— Parece que sua irmã e eu estamos no mesmo andar — disse ele ao saírem juntos do elevador.

— Parece que sim — respondeu ela, sorrindo por um momento antes de desviar daquele olhar outra vez.

— De que lado ela está?

Ambos olharam para as setas próximas ao hall de elevadores.

— Daquele lado — disse ela, apontando para a esquerda.

Ele consultou a chave de seu quarto.

— Ah, vou para lá — afirmou ele, apontando para a direita.

Eles sorriram e não falaram nada por um momento.

— Sinceramente, nunca me diverti tanto em um elevador. Obrigado. — agradeceu ele, estendendo a mão.

— Digo o mesmo — respondeu Alexa, apertando a mão dele. — Boa sorte no casamento.

Drew riu e fez uma careta.

— Não precisa me lembrar disso. Dê meus parabéns à sua irmã.

Ela agradeceu e se dirigiu ao corredor do quarto de Olivia, querendo saber o que mais poderia ou deveria ter dito para continuar a conversa por mais tempo. Ela suspirou e continuou andando.

— Alexa, espere.

Que loucura. Drew sem dúvida sabia que o que estava prestes a fazer era loucura. Quando Alexa se virou para seguir seu caminho, ele gritou para que parasse um milésimo de segundo depois.

— Sim? — respondeu ela, virando-se. — Não, você não pode ficar com o resto do queijo, nem como presente de despedida.

Bem, aí estava a chance de ele reagir, fingir que era isso que queria, brincar pela última vez com essa mulher bonita e divertida com um lindo decote e depois dar meia-volta e ir para o quarto se arrumar para seu fim de semana cruel... pensando bem, talvez não fosse uma loucura tão grande.

— Você... você por acaso está livre este fim de semana? Até quando sua irmã vai ficar aqui?

Agora não tinha volta.

— Ela vai embora amanhã depois de um depoimento. Vou trabalhar no sábado e tenho um evento no...

— Vai trabalhar no sábado? E no sábado à noite? E... sexta à noite?

Ai, tomara que ela esteja livre, agora que ele tinha chegado tão longe.

— Bem, tenho que...

— Quer ser minha acompanhante este fim de semana? Por favor? O casamento é só no sábado à noite, então daria certo, não? Se você não puder na sexta à noite, eu entendo, mas se houver algum jeito de você vir comigo ao jantar de ensaio, eu poderia... não sei o que poderia. Ficar muito agradecido? Comprar todo queijo que você quisesse?

Como é que ele foi de calado a tagarela, implorando para essa mulher em apenas trinta segundos?

— Drew, eu... você tem certeza?

Ele sorriu. Com essa pergunta, ele sabia que já estava quase convencida.

— Absoluta. Vá comigo ao casamento, seja meu sanduíche, proteja-me da intoxicação e do desastre. Será sua boa ação do ano e ainda estamos em maio... veja só, fazer sua boa ação do ano já no primeiro semestre! — Ele estava muito perto da vitória, já podia perceber pelo sorriso nos olhos dela quando ela o encarou. — Vamos, Alexa. — Ele tocou o ombro dela. — Me salve.

Ela respirou fundo; ele aguardou com ansiedade.

— Do jeito que você está me pedindo, o que mais posso dizer? Eu topo.

Ele a puxou para dar um abraço. A bolsa com o champanhe dentro se chocou contra a bunda dele, e os dois deram risada.

— Você não vai se arrepender — disse ele, afastando-se e tirando o celular do bolso. — Peraí, me passe seu número.

Ela ditou o número; ele o digitou.

— Pronto, mandei uma mensagem para que você tenha o meu. Envio os detalhes mais tarde.

Drew se virou para ir embora antes que ela pudesse dizer mais alguma coisa.

— Tudo bem, mas Drew, você tem...

— Vejo você amanhã, Alexa. Não esqueça de dar meus parabéns à sua irmã!

Ele avançou pelo corredor com a mala, sem dar a ela a chance de mudar de ideia.

Alexa ficou olhando para as costas de Drew por alguns segundos. Aquilo tinha acontecido mesmo? Um desconhecido gato havia acabado de convidá-la para ser sua acompanhante em um casamento? E ela tinha mesmo aceitado?

Ela se virou, saiu correndo até o quarto da irmã e bateu à porta. Olivia a abriu e deu um grande abraço bem apertado.

— Entre logo aqui!

Elas sorriram e se abraçaram de novo. Era ótimo ver a irmã, de verdade.

— Seu cabelo está lindo — disse Alexa. — As fotos no Facebook não fazem jus a esses cachos.

Olivia olhou para ela e torceu o nariz de um jeito que só as irmãs mais velhas conseguem.

— A roupa está ótima e adorei os sapatos, mas achei que você ia fazer luzes. O que aconteceu?

Alexa deu de ombros.

— Desculpe, fiquei com medo. Achei que eu não ficaria bem loira.

Olivia fez uma careta.

— Já não conversamos sobre isso? Veja a Beyoncé!

Alexa deu uma risada.

— Sei que tenho a mesma cor de pele da Beyoncé, mas não sei se aquela cabeleira loira combinaria com as minhas reuniões na Câmara Municipal. Mesmo que trabalhe em Berkeley, sou funcionária da Prefeitura, sabe como é.

Olivia se sentou na cama.

— Ah, qual é, algumas mechas loiras não fariam mal. Mas também, você nunca gostou de correr riscos.

Alexa abriu a boca para retrucar, mas achou melhor deixar para lá. Ela estava ali para melhorar a relação com a irmã, não é mesmo? Em vez disso, ela disse:

— Olhe o que trouxe para você!

Ela tirou o champanhe, o queijo e os biscoitos da bolsa.

— Não sei se o champanhe ainda está gelado, mas temos que bebê-lo de qualquer jeito. E salvei heroicamente a maior parte do queijo e dos biscoitos do cara com quem fiquei presa no elevador, então, é melhor aproveitarmos.

— Claro que vamos ter que beber esse champanhe! Passe para cá.

Olivia pegou as taças do hotel enquanto Alexa removia o papel-alumínio da garrafa.

— Não acredito que você ficou presa no elevador esse tempo todo. E por que você não respondeu minhas mensagens? Sua bateria acabou?

— Olhe, tem uma história por trás disso, mas vamos fazer um brinde a você antes de eu começar a contá-la — disse Alexa, soltando o lacre de arame e empurrando a rolha com um leve estampido.

Depois de servir uma boa quantidade em cada uma das taças, ela ergueu a sua.

— A Olivia Monroe, a primeira sócia negra da Palmer, Young e Stewart em mais de dez anos. A uma advogada brilhante, mas, acima de tudo, a melhor irmã que uma garota poderia ter.

— Está tentando me fazer chorar? — perguntou Olivia. — Não está dando certo. Não ligo se você está vendo água nos meus olhos, é só porque sou alérgica ao carpete.

Alexa sorriu e bateu levemente sua taça na de Olivia.

— Parabéns!

As duas beberam, abraçaram-se outra vez e beberam mais.

— Que horas é nossa reserva? Estamos atrasadas?

Alexa tomou mais um gole e viu as horas.

— A reserva é para às oito, e não são nem sete ainda. Coma um pouco de queijo.

Olivia pegou a garrafa de champanhe e encheu as taças novamente.

— Espere, e a história do elevador? Por que você não respondeu às minhas mensagens? Fiquei preocupada achando que você tivesse sido devorada pelo monstro do elevador ou coisa parecida.

— Monstro do elevador? Olivia Grace não conseguiu pensar em uma falsa preocupação melhor do que "monstro do elevador"?

— O champanhe já está fazendo efeito, e enfrentei um voo de seis horas hoje, então, me dá um desconto. Conte a história agora — disse Olivia, descansando a taça na mesa de cabeceira e lançando um olhar sério.

— Puxa, pobre da pessoa que irá depor amanhã. Será que todos os alvos desse seu olhar acabam abrindo a boca? — perguntou Alexa, tomando um grande gole de champanhe.

A verdadeira Olivia surgiu de trás da cara de advogada quando ela sorriu.

— Praticamente isso, então, comece.

Alexa respirou fundo. Aquilo havia ocorrido há poucos minutos, e ainda parecia que a história não tinha acontecido com ela.

— Bem, a outra pessoa que estava no elevador era um cara.

Olivia assentiu com a cabeça.

— Óbvio, senão você teria respondido à minha mensagem.

Alexa continuou falando para não perder a coragem.

— Um cara gato.

— Qual é, acha que sou idiota? Claro que era bonito. Ele nem saberia da existência do queijo e dos biscoitos na bolsa se não fosse. Porém, acho que não é só isso. Espere. — Olivia olhou Alexa de cima a baixo. — Esse vestido parece fácil de tirar e vestir. Vou ficar MUITO orgulhosa se você deu uma rapidinha no elevador do hotel Fairmont!

Alexa engasgou.

— OLIVIA, eca, não.

Olivia soltou um suspiro.

— Eu sabia que era bom demais para ser verdade. Essa é minha irmã pudica.

A mão de Alexa enrijeceu em volta da taça. Agora era considerada pudica por não tirar a roupa para um estranho dentro de um elevador?

— Não sou pudica, mas obrigada.

Isso sempre tinha que acontecer, não? Sempre que se encontravam, ela tinha muitas expectativas, mas, nos primeiros cinco minutos, acabava falando algum desaforo para a irmã, ou a irmã a fazia se sentir desconfortável de alguma forma.

Olivia cutucou Alexa, já que ela não levantava o olhar.

— Não estou julgando, Lexie. Você sabe que sempre foi a comportada.

Olivia não a chamava de Lexie há muito tempo. Ela forçou um sorriso.

— Bom — disse Alexa, levantando-se e servindo o resto do champanhe nas taças. As bolhas a alegrariam. — Você precisa se arrumar. Mesmo que esteja em São Francisco, acho que não vai querer ir jantar com esse roupão.

— Aposto que viraria a última moda — falou Olivia, tirando um vestido da mala e colocando-o. — Feche o zíper. — Alexa deu um pulinho atrás dela. — Você me distraiu com o lance do sexo no elevador. E o resto da história?

— Como é? *Eu* distraí *você*?

— É uma questão de interpretação. Continue.

Olivia enfiou a mão na bolsa para procurar um batom. Alexa pegou sua bolsa, agora bem mais vazia, e deslizou o pé direito em um dos sapatos.

— Para resumir, vou ser a acompanhante dele em um casamento neste fim de semana.

— O QUÊ??

Olivia congelou com o batom no lábio inferior.

— Bem... — disse Alexa, sorrindo — agora eu deixei *você* chocada. A primeira vez a gente nunca esquece.

Drew atirou a mala em cima da cama e sorriu para a vista da janela. Ele pegou o celular e mandou uma mensagem para o amigo Carlos, de Los Angeles, que sabia tudo sobre a saga do casamento.

Achei uma acompanhante para o casamento.

Trinta segundos depois, o celular vibrou.

Você não tava com raiva das mulheres? Principalmente, por causa desse casamento?

É mesmo, ele estava, não?

Sim, mas essa é uma exceção.

Drew examinou os itens do frigobar, que com certeza eram caros. Dane-se. Ele abriu uma cerveja e deitou-se na cama.

Ah, tá. Onde você a encontrou? Entre o aeroporto e o hotel? Nada do que você faz me surpreende. Ainda assim...

Ele sabia que Carlos iria gostar disso.

DENTRO do hotel, acredite. No elevador.

Drew tomou um grande gole da cerveja e tirou a camisa.

Deixa eu adivinhar: alta, loira, seios de silicone.

Bem, isso certamente iria deixar Carlos surpreso.

Baixa, negra, seios naturais.

Drew tirou a roupa e entrou no banho, levando junto o resto da cerveja. No início do dia, ele estava furioso com o café da manhã em Oakland com o seu orientador, que o havia obrigado a ir a São Francisco na quinta à noite. Agora, estava agradecendo a qualquer deus que tivesse inspirado o dr. Davis a agendar aquela reunião tão cedo. E também ao deus que o havia feito seguir Alexa até o elevador.

Embora estivesse paranoico, com medo de encontrar outro convidado do casamento Rogers-Allen, ele arriscou e saiu do quarto para comer um burrito em sua taqueria preferida de São Francisco. Ele colocou o capuz para cobrir a cabeça ao atravessar o saguão do hotel. Não podia correr muitos riscos. Por sorte, ele foi e voltou sem problemas.

Já o destino não foi tão gentil com Drew na manhã seguinte. Ao sair do elevador no saguão, ele quase topou com ninguém menos que Josh Rogers, que estava segurando uma bandeja de papelão com dois copos grandes do Starbucks em uma mão e um saco de papel na outra.

— Drew! Cara, que legal ver você! — disse Josh, com um grande sorriso no rosto.

— É, cara, digo o mesmo — mentiu Drew, contente que as mãos de Josh estavam ocupadas, sem poder dar aquele abraço que ele visivelmente queria.

— Você chegou agora? Acabei de comprar café para mim e para Molly. Suba lá para dar um alô. O lance do casamento está uma loucura, mas adoraríamos colocar a conversa em dia!

— Cara, pena que não posso — disse Drew. Josh estava sendo tão legal e gentil que mentir para ele era como mentir para um cachorrinho. Fácil e cruel ao mesmo tempo. — Estou com pressa, vou tomar café com o dr. Davis. Ele está no Hospital Infantil em Oakland, sabe.

— Uau, que legal! Quero saber mais sobre o que você...

— Desculpa, Josh, não quero me atrasar. A gente se fala depois?

— Claro, claro. Vejo você hoje à noite no ensaio. Ah, a Molly disse que você confirmou presença com acompanhante? Namorada nova ou...?

— É, namorada nova. Ela vai estar lá hoje.

— Legal, cara! Estou ansioso para conhecê-la. Você poderia mandar uma mensagem com o nome dela? Para marcar os lugares — explicou Josh, sorrindo com um olhar maravilhado. — A Molly tem perguntado.

— Ah, claro, claro. Eu mando. Tenho que ir. Vejo você à noite!

Drew já estava no meio da Bay Bridge quando ele se deu conta. Namorada nova. Merda.

Alexa entrou tropeçando na Prefeitura sexta, às sete e vinte e cinco, de ressaca por aquela garrafa de champanhe e todos os drinques que ela e Olivia tomaram no jantar. Ao abrir a porta do escritório, o telefone do trabalho e o celular tocaram ao mesmo tempo.

Ela largou a bolsa no chão, colocou o copo cheio de café na mesa e balançou a cabeça.

— Hoje não, Satanás. Não vou cair nos seus truques hoje. Meu café nem esfriou ainda.

— Falando com seu café de novo?

Alexa viu Theo, o diretor de comunicação do prefeito e um de seus melhores amigos, parado na porta.

— Não devem esperar que eu converse com mais ninguém além do meu café a essa hora da manhã. E culpo você — disse ela, soprando o café com a esperança inútil de que fosse esfriá-lo mais rápido.

— Sei que culpa. Desculpa pela reunião tão cedo, mas o chefe tem um voo para San Diego às onze e temos que...

Ela abanou com a mão e o fez parar.

— Tá, tá, tá. Você me trouxe donuts, né?

Ele sorriu.

— Eu não trouxe donuts para *você*, mas para seu chefe, o prefeito, que não deveria comê-los, mas os adora tanto quanto você.

Ela tirou algumas pastas da bolsa, pegou o notebook e o café, e os dois foram para a sala de reuniões.

— Tá, tá, mas você...

— Sim, guardei um com granulado colorido para você. Por acaso ainda tem seis anos? Você é a chefe de gabinete do prefeito, deveria estar comendo croissant de chocolate, salada de frutas com granola ou coisa do tipo.

— Os meus seis anos foram uma maravilha. Tento manter a memória viva a qualquer custo, para o seu governo — disse ela. — Já falei que você parece um Clark Kent negro?

Theo ajeitou os óculos.

— Sim, toda vez que você tenta me convencer a ficar do seu lado. Vou te dar apoio durante a reunião, não precisa puxar o meu saco. Pelo menos hoje.

Ela sorriu para ele ao pegar o donut e, na mesma hora, o prefeito e a secretária entraram na sala.

— Por que estamos aqui tão cedo, Theodore? — perguntou o prefeito Emitt antes de examinar a caixa rosa de donuts.

— Você tem uma viagem para San Diego à tarde para ir à reunião sobre mudanças climáticas, por isso...

— Sim, sim, eu sei, vamos logo com isso. Alexa, me fale sobre o caso dos adolescentes delinquentes.

Ela olhou para Theo, bebeu um grande gole de café e abriu o notebook.

— Bem, senhor...

Uma hora depois, ela finalmente conseguiu dar uma segunda mordida no donut enquanto o prefeito saía para a próxima reunião.

— Lex, você sabe como ele é. Vai levar um tempinho — falou Theo, entregando para ela o café, que agora já estava morno, enquanto iam para os respectivos escritórios.

Ela deu de ombros e tentou abrir um sorriso.

— Eu sei. Obrigada pelo apoio na reunião.

— De nada. Conversou com sua irmã ontem à noite? Você tinha dito que talvez ela tivesse algumas ideias para te dar.

Alexa fez que não com a cabeça. Ela quase tocou no assunto algumas vezes, mas sempre ficava nervosa demais para dizer algo.

— Não era a hora certa, Theo. Estávamos comemorando e... de qualquer forma, não era a hora certa — respondeu, mudando de assunto. — Como foi seu encontro quente ontem à noite?

Ele revirou os olhos.

— Encontro mais chato da vida. Aquela mulher e eu não tínhamos *nada* para conversar. Que tal se eu te comprar mais um café e der os detalhes?

Ela tentou evitar um bocejo.

— Claro.

Alexa verificou o celular quando ela e Theo voltavam do café. Uma mensagem de Olivia sobre a ressaca; algumas mensagens da melhor amiga, Maddie, sobre o livro que estavam lendo; e uma mensagem de um número desconhecido.

2 coisas: 1) ainda está de pé hoje, né? 2) qual é o seu sobrenome?

O cara do elevador. Esta noite. Meu Deus. Aquilo não tinha sido uma alucinação causada pelo álcool?

Merda. Um jantar de ensaio e um casamento de última hora? O que ela vestiria?

Sim. Monroe. Se eu for, preciso de alguns detalhes, como quando/onde/etc.

"Etc." significava "O que é que eu deveria vestir???", mas ela achou que não podia escrever isso para um cara, sobretudo para um que ela mal conhecia.

Jantar de ensaio, às 19h, no Beretta, em Mission. Casamento às 18h, amanhã, em alguma igreja, recepção no hotel. Aliás, falei pro Josh que você é minha nova namorada, só pra você saber.

Alexa ficou olhando para o celular por dois minutos. Nova namorada? Ela tinha que fingir ser namorada dele?

Bebi demais ontem pra isso.

Ela recebeu uma resposta quase na hora.

Pelo visto você e sua irmã comemoraram a sociedade dela em grande estilo. Ela gostou do meu queijo?

Ela não conseguiu segurar a risada.

O queijo era DELA. E, sim, ela amou. Por que você precisava saber meu sobrenome?

Ela pegou o copo de café e tomou um gole. Ainda bem que havia pedido o maior que tinham.

1) Tenho que saber o sobrenome da minha namorada, né? 2) Josh pediu para marcar os lugares.

Alguém bateu à porta.

— Vim ver se precisava de café, mas estou vendo que você já tem — disse Sloane, sua assistente.

Alexa quase pediu para Sloane comprar um doce, mas lembrou que ainda tinha um donut na mesa. Deu uma mordida nele. Talvez o açúcar ajudasse a descobrir exatamente por que ela iria a um encontro de mentira com um desconhecido.

Ah, claro, porque ela disse "sim" sem querer, e depois Olivia a acusou de ser pudica, por isso agora ela tinha que ir.

Suponho que Drew seja apelido de Andrew? Preciso saber disso se vou ser sua namorada de mentira. Achei que você não namorava.

Ela deu uma olhada nos e-mails e respondeu aos mais fáceis enquanto imaginava o closet e tentava achar uma roupa para usar no casamento. Minutos depois, a cabeça de Sloane apareceu na porta.

— Ah, ligaram para cancelar a reunião-almoço. Reagendei para terça.

— Deus te abençoe — disse Alexa, verificando a agenda e vendo que tinha quase a tarde toda livre.

— Ele já abençoou — falou Sloane, saindo.

Sim, apelido de Andrew (mas não me chame assim). É uma longa história. Peraí, você trabalha em SF? O que faz da vida? Preciso saber esse detalhe sobre minha namorada.

Ela tomou um gole de café e deu outra grande mordida no donut.

Não, trabalho em Berkeley, para o prefeito.

Peraí, será que ela deveria estar comendo esse donut se teria que usar um vestidinho em algumas horas? Não tinha que estar tomando água vitaminada ou um suco verde?

Azar. Ela deu outra mordida e voltou para os e-mails.

Você é advogada como sua irmã? Sou médico, acho que você também precisa saber disso.

Ela riu. Esse cara acha mesmo que ela não ouviu todas as palavras que saíram da boca dele na noite anterior?

É, eu já desconfiava por causa da história do "casamento da minha ex-namorada e um dos meus melhores amigos da faculdade de Medicina". Fiz Direito, advoguei por um tempo e agora sou chefe de gabinete do prefeito.

Mas sério, o que é que ela usaria no casamento? O horário e o local ajudavam, mas isso não dizia tudo.

Não foi inútil ter sido madrinha um milhão de vezes. Depois de algumas buscas rápidas em sites de casamento pelos nomes Molly e Josh e a data de sábado, ela achou o site do casal.

Black tie opcional?

Alexa resmungou e colocou a cabeça de volta na mesa. O armário dela certamente não tinha trajes para black tie opcional. Depois de alguns segundos, ela se ajeitou no assento e procurou o nome de Maddie no celular. Se tinha alguém que poderia salvá-la, era sua melhor amiga, uma *stylist* profissional. Quem diria que não celebridades usavam *stylists*? Ela não, até que Maddie começou seu negócio.

É uma longa história, mas eu tenho um encontro hoje à noite; jantar de ensaio de casamento, vou com um cara que mal conheço (pra não dizer outra coisa) e também um casamento amanhã (nem sei). Te conto a história toda, você sabe que vou, mas o importante é O QUE DEVO VESTIR? ME AJUDA.

E ela mandou outra mensagem para Drew:

Casamento black tie opcional com um dia de antecedência. Por que é que tô fazendo isso mesmo?

Porque a voz na cabeça dela estava dizendo que ele era lindo e ela não tinha tido nem um encontro de mentira havia mais de um ano.

Você não vai dar pra trás, né?

Drew estava sentado em um café em Berkeley a quarteirões de onde, ele agora sabia, ela trabalhava.

Por favor, não dê pra trás. Não me obrigue a ir ao bufê.

Claro que ela iria dar para trás. Ela era bonita, engraçada e inteligente, e ele exalava desespero. Em geral, Drew não tinha dificuldade em conseguir mulheres para sair com ele, mas achar uma pessoa para acompanhá-lo ao casamento estava sendo um pesadelo, era como um castigo pessoal por todas as coisas erradas que ele havia feito com as mulheres: primeiro, tudo que tinha acontecido com Emma; depois, quando ele ligou para Julia, ela já estava namorando; e a irmã de Carlos riu da cara dele quando ele sugeriu que fossem juntos.

Drew já estava conformado a lidar com o desastre que seria o casamento e suas consequências. Aí, a falta de luz e o elevador parado o salvaram, ele pensou. Talvez tivesse se empolgado demais com essa solução, como sempre.

Não vou dar pra trás, mesmo que...

Ufa, ainda bem. Às vezes, os impulsos loucos dele davam certo. Ele suspirou de alívio, e os polegares voaram pelo teclado.

Nada de "mesmo que", não me venha com "mesmo que". Eu vou ficar te devendo tanto que você não tem ideia. Vai ter uma ala Alexa Monroe em todos os hospitais do estado. Te vejo à noite, então?

Estarei lá. Mas me avise com antecedência se vamos ficar noivos de mentira nas próximas horas, tá? Terei que pegar uma aliança emprestada.

Você acha que eu não compraria uma aliança de mentira? Está claro que você não conhece Drew Nichols muito bem.

Já que eu nem sabia que seu sobrenome era Nichols...

Ele deu risada e tomou o resto do café.

Ponto para você, Monroe.

Quando ele se levantou, outra mensagem surgiu na tela.

;) Correndo para uma reunião. Nos vemos depois.

Alexa pareceu muito espantada quando ele contou os detalhes do casamento. Todo mundo que ele conhecia sabia da história Josh-Drew-Molly, então, ele meio que tinha esquecido da loucura que era ir ao casamento. E a pior parte era que ele nem tinha contado a história toda; parecia um cara bonzinho na história que havia contado.

Não havia motivo para contar à mulher que estava presa com você no elevador por talvez alguns minutos que você tinha partido o coração da pessoa mais legal do mundo, a bola de neve que tinha dado início a toda essa avalanche, e que você provavelmente merecia todos os olhares que receberia o fim de semana inteiro, certo? Ele não tinha mentido para ela: tudo o que havia contado era verdade, só que não toda ela. Drew nem tinha feito a caveira de Josh e de Molly, não é mesmo?

Bem, talvez um pouco, mas só porque o fato de não ter ninguém para acompanhá-lo o estava levando à loucura. Ele devia simplesmente não ir ao casamento e parecer ainda mais canalha.

Porém, agora ele tinha Alexa Monroe para acompanhá-lo e fingir ser sua adorável namorada. Drew tinha se esquecido de falar a parte do "adorável" para ela, mas quem sabe pudesse ajudá-la fingindo ser o adorável namorado para lhe dar uma dica? Que merda, ele de fato teria que comprar uma ala de hospital para ela.

♥ ♥ ♥

— Não acredito, Alexa, onde estão seus vestidos legais?

A "reunião" de Alexa era com Maddie – primeiro na casa de Alexa, para Maddie examinar o closet dela, e depois no shopping mais próximo, se o closet não estivesse milagrosamente estocado com vestidos para black tie opcional. Alexa abriu a boca para alegar que tinha muito trabalho a esperando para passear no shopping no meio do dia, que bastava usar um dos vestidinhos pretos que fosse mais ou menos adequado para um casamento, mas, quando viu a cara de Maddie, logo a fechou.

— Tenho milhões de vestidos bonitos! — disse Alexa no carro, dirigindo até o shopping.

— Sim, claro que tem — respondeu Maddie. — Vestidos bonitos PARA O TRABALHO, mas eles não servem agora. Você precisa de vestidos de festa. Nunca vai a casamentos? Sei que você vai, então, onde estão os vestidos que usa nessas ocasiões?

— Fui a dez casamentos nos últimos três anos — disse Alexa. — Fui madrinha em sete deles. Nunca tive a chance de comprar vestidos bonitos para casamentos, eles foram escolhidos para mim. E quando é que eu vou precisar de um vestido bonito que não seja para trabalho a não ser para usar em casamentos?

— E os outros três casamentos?

— Em dois deles, usei aquele vestido frente única que você vetou, e no terceiro, usei um vestido de paetês dourados fantástico que aluguei para o fim de semana.

Maddie deu um suspiro.

— Eu me lembro daquele vestido. Ficou incrível em você. Bem, obviamente, este compromisso misterioso apareceu na hora certa. Está claro que precisamos incrementar sua coleção de vestidos de festa. Certo. Agora, quem é esse cara com quem você vai ao casamento?

Quando ela contou a história sem toda a adrenalina e o champanhe, parecia ainda mais ridículo. Ela terminou de contar na hora em que parou no estacionamento lotado do shopping. O que toda essa gente estava fazendo aqui no meio da tarde? Não deveriam estar trabalhando? *Ela* não deveria estar trabalhando?

— Isso é loucura. Por que estou fazendo isso? Eu não deveria estar arrastando você pela cidade no meio de um dia útil e gastando dinheiro em vestidos para ir a um casamento com um cara com quem conversei por quinze minutos em um elevador ontem. O que estou fazendo? — disse Alexa, estacionando em uma vaga e pegando o celular.

Maddie tirou o celular dela.

— Não, você não pode cancelar. Não vou deixar você se convencer a perder essa chance de treinar em um encontro sem estresse que você ganhou de bandeja.

Alexa suspirou e abriu a porta do carro.

— Mads, o problema é... esse cara é muita areia para o meu caminhãozinho, entende? Ele é sexy, engraçado, sedutor e é médico. Sou uma garota negra, baixinha e comum com seios e quadris grandes que mal consegue olhar para ele sem desviar os olhos. Não tenho nem as roupas certas para usar em um encontro como este... dá para perceber que é areia demais!

O problema de tentar conversar sobre isso com Maddie é que as palavras "muita areia para o meu caminhãozinho" nunca se aplicaram a Maddie. Ela é, no mínimo, quinze centímetros mais alta que Alexa, com um corpo de Barbie, pele morena clara que parecia sempre estar brilhando, e um cabelo de aparência perfeita, independentemente de estar cacheado ou com escova. Por outro lado, Alexa era baixinha, o que as pessoas que gostavam dela chamavam de "cheinha", e mais de uma vez havia recusado convites para eventos sociais porque não tinha energia para lidar com o cabelo.

Maddie a levou até a entrada do shopping.

— É justamente por isso que você precisa ir. Não há pressão nesse caso! Veja, você não conhece esse cara, ele não mora por aqui, nada disso importa. Não pense demais como você sempre faz. Vai apenas se arrumar, comer e beber de graça, e parecer gostosíssima o tempo todo se depender de mim.

Alexa revirou os olhos. Maddie deu um tapa no braço dela.

— Ai! Por que fez isso?

— Eu vi essa revirada, e você vai ficar gostosa, prometo. Além disso, vai ficar com dois vestidos lindos no final.

Alexa abriu a porta da loja de departamento e fez um gesto para Maddie passar.

— Eu tenho um fim de semana livre de trabalho, e é assim que vou desperdiçá-lo?

Maddie colocou o braço em volta da amiga.

— Você não vai desperdiçar nada. É um treino, lembra? Além do mais, pelas mensagens que você me mostrou, esse cara vai ter um treco se você der para trás agora.

Quando Alexa viu a montanha de vestidos que Maddie carregou até o provador, ela pensou novamente em dar para trás.

— Maddie, esses vestidos não parecem...

— Não discuta comigo. Prove-os.

Ela tinha sido tragada oficialmente para aquela cena da loja em *Uma linda mulher*, só que teria que usar o próprio cartão de crédito no final.

Alexa suspirou, ficou de sutiã e calcinha e colocou o primeiro vestido.

— Não. Próximo.

Maddie mal a tinha visto no vestido antes de rejeitá-lo e tirar o próximo vestido do cabide.

— Como está indo o curso de arte?

Maddie sabia tudo sobre o curso que Alexa havia proposto ao prefeito naquela manhã: um piloto para um curso de arte e escrita para jovens em situação de risco. Alexa estava querendo implantar algo do gênero em Berkeley há anos, e agora, por fim, estava tentando transformar esse sonho em realidade. Seria um local em que os adolescentes envolvidos em problemas frequentariam e desenvolveriam seus talentos, encontrariam adultos que acreditassem neles, trabalhariam em algo de que gostassem e encontrariam o caminho certo.

— Bem, propus ao prefeito hoje de manhã, mas ele não falou muita coisa. Não sei o que ele acha. Estou preocupada.

Alexa fez uma pose na frente do espelho com o segundo vestido. Ela meio que gostou, mas Maddie fez que não.

— Theo estava lá? O que ele falou?

— Disse que ele é assim mesmo, que eu deveria esperar etc. E acho que ele tem razão, sou impaciente. Você sabe como isso é importante para mim, Mads.

— Eu sei — respondeu ela, abrindo o zíper do terceiro vestido sem ao menos fazer um comentário sobre ele. — Mas aposto que Theo tem razão. Você sabe como seu chefe é.

Quando Maddie olhou para ela, que provava o quarto vestido, sorriu e apontou para os sapatos que mandara Alexa trazer junto. Então, fez um giro com dedo, ordenando que a amiga se virasse. Quando Alexa se viu no espelho, seus olhos ficaram arregalados.

— Caramba, estou gostosa.

— Simmm, eu não disse? — afirmou Maddie com seu olhar metido, mas Alexa nem conseguia ficar brava.

Como é que um vestidinho conseguia fazê-la parecer uma estrela de cinema? Era vermelho, com um decote que mostrava o necessário, e uma saia que flutuava quando ela girava e, de alguma forma, fazia sua cintura parecer minúscula.

— Mads, esta cor não é muito chamativa para um casamento? Não faz meus quadris ficarem muito largos? Não fico... peituda?

A amiga negou com a cabeça.

— Não fica nada. Pode ser caro, mas não vamos nos preocupar com isso agora. É uma emergência. A cor é perfeita e seus quadris estão na medida certa. E todo esse franzido na cintura significa que você não vai precisar usar cinta. Sei que você odeia cinta. Você está gostosa ou não com esse vestido? Não falei que eu encontraria um?

— Não precisa ficar tão metida — disse Alexa, ainda se olhando no espelho.

— Preciso, sim. Olha, obviamente esse é o vestido certo para o casamento e ainda bem que você tem os sapatos perfeitos para combinar, aqueles dourados que você comprou para usar com o vestido dourado de paetês. Agora, só precisamos pensar em hoje à noite.

Vinte minutos depois, Alexa entregava o cartão de crédito para pagar os dois vestidos, tentando não fazer uma careta para a conta.

— Obrigada, Mads — agradeceu. — Não sei o que faria sem você.

— Eu também não sei o que você faria sem mim.

Drew entrou no banheiro da igreja para olhar o celular pela milésima vez sem ser notado. Seu desespero havia voltado com tudo: as quatro mensagens que havia enviado para Alexa em uma hora e meia deixavam isso bem claro. Mandar mensagens para uma mulher tantas vezes não era do seu feitio, mas esse casamento idiota o estava fazendo perder a cabeça. Ela havia respondido apenas à primeira mensagem, quando ele ainda estava tentando manter a calma, só confirmando se ela iria – "Nos vemos lá" –, e à última, em que ele disse que estavam saindo da igreja para ir ao restaurante – "Estou indo".

Ele ficou se perguntando sobre a falta de pontos de exclamação nas duas mensagens: pelo que ele sabia, as mulheres em geral usavam muitos pontos de exclamação. Será que ela estava pensando que deveria ter dado para trás?

Ele, com certeza, estava pensando que deveria ter dado para trás; não do encontro com Alexa: não, essa era a única parte do fim de semana com a qual ele estava contente de verdade. Ele deveria ter desistido de todo o resto. Josh e Molly estavam sendo tão receptivos e amigáveis que ele se sentia ainda pior por estar odiando cada segundo. A mãe de Molly, que sempre havia sido muito legal com ele, estava visivelmente fria. A irmã de Molly, Amy, que sempre havia sido uma vaca com ele, o olhava de cima a baixo e sorria para ele de um jeito que o desconcertava.

Quando saíram da igreja, Drew entrou em um táxi com Dan, o único padrinho que ele conhecia bem, e sua namorada. Ele olhou para o celular quando o táxi chegou ao restaurante, na esperança de que não tivesse percebido uma vibração e ela tivesse mandado uma mensagem dizendo que estava perto, mas não havia nada, nem mesmo um ponto de exclamação perdido.

— Pessoal, minha namorada vai chegar a qualquer momento, então, vou esperá-la aqui fora — disse, na esperança de que a última parte da frase fosse verdade. — Vejo vocês lá dentro, está bem?

Ele ficou mais tenso à medida que outros táxis cheios de convidados paravam e ele tinha que explicar por que estava ali. Olhou mais uma vez para o celular e tentou resistir à vontade de escrever uma mensagem dizendo "Você já está chegando???".

— Drew?

Alexa estava na frente dele. Só de vê-la, seus ombros relaxaram. Sem pensar, ele a abraçou.

— Você não faz ideia de como estou feliz em vê-la — disse ele no ouvido dela.

— Já está tão ruim assim?

A cabeça dela repousou no peito dele por um instante até que se afastassem.

— Não está horrível — respondeu ele, olhando para ela. — Só não está legal. Você, por outro lado, está fantástica.

Ela estava usando um vestido de seda rosa que destacava a pele morena dourada... e o resto do corpo.

— Continue me olhando assim e não será difícil convencer as pessoas de que estamos namorando — disse ela, sorrindo para ele.

Meu Deus, ele era um canalha.

— Ah, me... me desculpe.

Drew soltou as mãos dos ombros de Alexa. Ela deu uns tapinhas no braço dele.

— Não se preocupe. Estamos incorporando o personagem, não?

Não exatamente, mas se ela queria representar desse jeito...

— É — concordou ele, sorrindo para Alexa, torcendo para que ela já não o estivesse odiando. — O que posso dizer? Estou contente de que você será meu sanduíche hoje à noite.

Ela sorriu.

— Essa é uma das coisas mais legais que um homem já me disse.

Drew se reencostou na janela do restaurante.

— Espero que *isso* não seja verdade.

Ela deu de ombros. Um grupo grande de homens passou por eles na calçada, e ele a puxou para mais perto.

— Ei, Drew — disse Alexa. — Não vamos entrar?

Ele se endireitou e pegou a mão dela. Apesar do friozinho da noite de São Francisco, a mão dela estava quente.

— Entrar, claro.

Ele parou na escada que levava ao salão privativo onde o jantar de ensaio estava acontecendo.

— Antes de entrarmos — disse ela —, há alguma coisa que eu precise saber para que a gente não pareça ridículo?

Ele se aproximou dela para que ninguém pudesse ouvir a conversa. Felizmente, se alguém passasse por eles, iria parecer que estavam apenas se curtindo na escada.

— Falei para Josh que estamos namorando há um mês. Por isso, se alguém perguntar, essa é a história.

— Entendi. Uau, só um mês e já sou sua namorada. Está indo bem rápido, não?

Ele deu risada.

— Sou um cara inteligente, tomo decisões rápidas e sei reconhecer as coisas boas.

Ela abriu um sorriso por um momento, e depois fechou.

— Agora eu tenho uma pergunta para fazer...

Meu Deus, será que ela iria perguntar por quanto tempo tinha que ficar? Se eles podiam terminar o namoro de mentira para que ela não precisasse ir ao casamento? Ele não podia encarar esse casamento sozinho. Droga, talvez ela quisesse saber a verdadeira história por trás do término do namoro com Molly?

— Pode perguntar qualquer coisa — respondeu ele, sem ser sincero.

— Vou ser a única pessoa negra da festa? — perguntou ela, olhando para seu peito, queixo e, finalmente, direto nos olhos.

— Ah — exclamou ele, fazendo uma pausa. — Puxa, não sei. Não tinha pensado nisso.

Os lábios dela se curvaram para cima, mas não era um sorriso.

— Pois é, achei que não tinha pensado, por isso estou perguntando.

Ele ouvia o burburinho e as risadas do restaurante no silêncio que se instaurou entre eles. Ele sabia que ela era negra, é claro, mas não tinha percebido até agora que todos os convidados eram brancos.

Não que ele não *soubesse*, apenas não tinha pensado por esse ponto de vista.

— Olhe — disse e pensou um pouco —, tenho certeza de que uma mulher, a Samantha, da nossa turma da Medicina, vai estar lá, pelo menos no casamento, e ela é negra. Ela é amiga da Molly. Ah! E Dan, outro padrinho, a namorada dele é oriental. Espera, não foi isso que você perguntou, né? Hum...

— Não se preocupe — disse ela.

Mas será que estava sendo sincera? Ele não sabia. Tinham se conhecido no dia anterior. Ele ainda não sabia as nuances do "não se preocupe" dela.

— Sinto muito, não pensei. Deveria ter levado isso em consideração e perguntado a Josh, será que vai ser...

Ela colocou o dedo nos lábios dele e sorriu.

— Sério, Drew, não se preocupe. Fiz Direito em Berkeley e fui a única pessoa negra da sala centenas de vezes. Só queria saber o que esperar antes de entrar.

— Está tudo bem entre nós?

Quando ela fez que sim, ele a abraçou.

— Ah, que merda, acho que borrei meu batom em você.

Ela esfregou o polegar no peito dele para tentar tirar. Depois de aproveitar a sensação por alguns segundos, ele pegou o pulso dela para que parasse.

— Não tem problema — disse ele. — Não seria muito autêntico se minha nova namorada e eu entrássemos depois de ficar um tempão do lado de fora e eu não tivesse o batom dela em alguma parte de mim.

O sorriso de Alexa fez Drew se sentir plenamente agradecido por ela estar com ele. Drew desejou que os dois ficassem na escada a noite inteira. Na verdade, melhor ainda seria, em vez de ir ao jantar, se pudessem voltar ao elevador e comer queijo, biscoitos, tomar vinho e rir juntos. E, também, quem sabe...

Ela se afastou e desceu um degrau. A fantasia já era.

— Então, estamos prontos? — perguntou Alexa.

Ele pegou a mão dela e suspirou.

— Mais prontos do que nunca.

Gente, era muito bom quando esse cara a tocava. Andar de mãos dadas era especialmente incrível. Ela se sentia no colégio, só que, em vez da menina nerd de que todo mundo gostava de um jeito genérico, ela era a garota que estava de mãos dadas com o cara gato da festa. Ela sempre imaginou como deveria ser.

Saibam todos: é uma delícia.

Ela tentou não sorrir até se lembrar de que *deveria* parecer boba com Drew, então, sorriu à vontade ao passarem pelo salão, em direção ao bar.

— Open bar, ainda bem. Qual é o seu drinque preferido? — perguntou ele, fazendo um floreio para as garrafas do bar.

— Hoje? Vamos começar com um Dry Martini, por favor.

Drew entregou o copo para ela e brindou com seu uísque. Ambos tomaram grandes goles de seus drinques sem tirar o olhar um do outro. Alexa viu uma mesa vazia no canto e arregalou os olhos para Drew; ele concordou com a cabeça e tomou seu braço para conduzi-la até lá. Enquanto ele colocava o copo na mesa, um cara alto e loiro chegou e deu um tapa nas costas dele antes de se voltar para Alexa.

— Então *esta* é a Alexa? Que bom que você está aqui com o Drew no casamento — disse ele, estendendo a mão para ela.

Drew colocou sua mão na cintura dela.

— Alexa, este é Josh Rogers, o noivo. Josh, esta é minha namorada, Alexa Monroe — disse Drew, passando a mão na cintura dela de um jeito que fez seu corpo inteiro arrepiar. Ou talvez fosse o martíni entrando na corrente sanguínea. O que quer que fosse, ela ignorou e sorriu para o noivo, apertando a mão dele.

— É um prazer conhecê-lo, Josh. Meus parabéns pelo casamento! É uma honra estar aqui.

Uma moça de cabelo loiro avermelhado levemente cacheado e um vestidinho branco até o joelho foi até a mesa. Alexa percebeu que era a noiva assim que entraram no salão – quem mais usaria branco em um jantar de ensaio? Com a aproximação dela, Alexa ficou ainda mais perto de Drew. Ele pegou seu drinque e tomou um gole, mas ela sabia que ele também havia notado, pois seu braço estava na cintura dela. Ai, mais arrepios.

— Drew, por acaso, esta é a Alexa? Alexa, sou a Molly. Muito prazer em conhecê-la.

Molly abriu um grande sorriso que parecia sincero; não foi a primeira vez que Alexa ficou imaginando o que havia acontecido afinal quando Molly e Drew terminaram. Será que Josh e Molly se sentiam culpados pelo que haviam feito com Drew? Será que o convidaram para o casamento só para amenizar a culpa?

Ela não teria a resposta agora (se é que teria um dia), então, restava ficar ali ao lado de Drew e esbanjar charme. Por sorte, ela trabalhava com política; "charme" era com ela mesmo.

Alexa aumentou a potência de seu sorriso em, pelo menos, cinquenta por cento.

— Molly, obrigada pelo convite. Está tudo maravilhoso. Que bom gosto para um jantar de ensaio. Imagino que o casamento será igualmente lindo.

Drew estava fazendo círculos com o polegar na cintura de Alexa enquanto ela e Molly conversavam sobre amenidades do casamento: o tempo perfeito na região nesta época do ano, a lua de mel de Josh e Molly no Havaí. Entre o toque sensual dele e o martíni que acabara de beber, ela estava quase distraída o bastante para não imaginar se ele poderia notar uma cinta por baixo do vestido. Quase.

Depois de alguns minutos, Molly olhou para o canto do salão e suspirou.

— Minha mãe está me chamando, acho que preciso falar com uma das minhas tias. Espero poder conversar com você mais tarde, Alexa. E com você também, Drew. Ah, e não se esqueçam! A hashtag é "jollymosh" — falou Molly, que sorriu e se retirou.

Passaram-se apenas alguns segundos até que uma loira alta com um vestido verde e justo se aproximasse dos três. Ela podia sentir a tensão de Drew, então, levou sua mão até a dele, entrelaçando seus dedos, e ele retribuiu. Ela não teve tempo para imaginar quem era essa mulher.

— Josh, aí está você. Sua mãe estava te procurando. Ela queria saber quando iríamos sentar para comer.

Enquanto Josh saía, ela sorriu para Drew mostrando todos os branquíssimos dentes.

— Vi que minha irmã esteve aqui. Espero que todos tenham sido legais com ela.

Drew apertou a mão de Alexa.

— Também espero. Amy, quero apresentá-la à minha namorada, Alexa. Alexa, esta é Amy, irmã e madrinha de Molly.

Amy olhou surpresa para ela e imediatamente se virou de novo para Drew.

— Espero que se divirtam no casamento este fim de semana.

A atitude de Amy aborreceu Alexa o suficiente para que ela não resistisse em bancar a dissimulada.

— Tenho certeza de que vamos nos divertir! Já está sendo ótimo, não é mesmo, Drew? — disse ela piscando para ele e apertando sua mão.

Os olhos dele se arregalaram, e ele abriu um sorriso convencido.

— Está mesmo, Monroe — disse, puxando-a para perto. — Amy, que ótimo ver você. Estávamos indo para o bar pegar outro drinque. Quer alguma coisa?

Ela apertou os olhos por um breve momento, depois o sorriso voltou.

— Não, obrigada — respondeu Amy, olhando para Drew e na direção de Alexa antes de se virar para sair. — Prazer em conhecê-la — falou por cima do ombro.

♥ ♥ ♥

Enquanto Drew e Alexa caminhavam, ainda de mãos dadas, de volta para o bar, ela se virou e sussurrou no ouvido dele:

— Não sei se ela te odeia ou quer ir para a cama com você.

A risada que Drew soltou fez algumas pessoas olharem em sua direção.

— Com certeza, ela me odeia — disse ele no ouvido de Alexa —, mas ela também agiu de um jeito estranho o dia inteiro. Está vendo por que eu precisava de você aqui?

Os seios dela contra o peito dele, os lábios dela no ouvido dele deixaram-no com vontade de puxá-la para ainda mais perto, mas eles estavam em um lugar cheio de gente.

Ah, é, e ela não era sua namorada de verdade.

— Estou vendo — falou ela. — Acho que preciso de mais uma bebida depois dessa interação. É melhor trocar para champanhe; não posso ficar tomando martínis a noite inteira, senão serei inútil amanhã.

Ele ficou pensando se ela tinha notado que ele passou a noite aproveitando todas as oportunidades para tocá-la. Às vezes, nem era consciente. Ele simplesmente gostava do toque de sua pele macia, do calor de seu corpo, da suavidade de sua mão na dele.

— Eu deveria ter dito... se eu fizer alguma coisa que incomode você hoje, sabe, com o lance de ser minha namorada de mentira, me fale, está bem? Pise no meu pé, faça alguma coisa.

Ela se virou para ele e sorriu, com os lábios tão próximos aos dele que ele conseguiria beijá-la com um movimento mínimo. Assim que ele começou a fazer essa inclinação, ela recuou.

— Não se preocupe, vou falar — disse ela. — Mas até agora, está tudo bem. Além do mais, eu seria uma péssima namorada de mentira se não o deixasse tocar em mim.

Ele colocou o braço em volta da cintura dela.

— Eu nunca diria uma coisa dessas sobre a melhor namorada de mentira que já tive.

Enquanto Drew lhe entregava uma taça de champanhe, ela disse:

— Ah, aliás, quando é que você começou a me chamar de "Monroe"?

Depois de tomar o uísque, ele respondeu:

— Bem, pensei em "Lexie", mas você não tem muita cara de Lexie.

Ela sorriu para ele com a taça de champanhe na frente do rosto de um jeito que o fez se aproximar.

— Você tem ótimo instinto. Só a minha irmã me chama assim. Vou deixar o "Monroe" por ora.

Ele se aproximou dela.

— Prometo que não farei nada de que não goste. Juro. Combinado?

Ela olhou para ele por um momento, e Drew sentiu a tensão entre eles voltar a aumentar. O que exatamente ele queria dizer com isso? O que ela quisesse, ele chutou. Por fim, ela pegou na mão dele.

— Combinado. Agora, vamos procurar uma comida para equilibrar todo esse álcool e evitar que você tenha que me colocar em um táxi no fim da noite.

Eles seguiram um garçom até o canto, onde encheram pratos com folhadinhos e canapés. Assim que as mãos ficaram cheias e não podiam mais se mexer, viram-se cercados... por madrinhas.

♥ ♥ ♥

Embora as madrinhas que os cercavam tivessem sorrisos perfeitos emoldurados por gloss rosa, a hostilidade para com Drew e a curiosidade em relação a Alexa eram muito claras. Mas ela entendeu: se o ex de alguma amiga aparecesse em seu casamento, ela provavelmente abriria um grande sorriso enquanto colocava veneno no drinque dele. Não o suficiente para matá-lo, diga-se de passagem; apenas para que fosse humilhado.

Ao pensar nisso, ela olhou para o drinque de Drew, mas ele já havia bebido tudo. Melhor assim.

Pelos próximos dez minutos, ela sorriu, conversou, fez perguntas sobre os vestidos e contou suas próprias histórias de quando foi madrinha, ao passo que Drew não soltava sua mão.

Os ombros de Alexa relaxaram quando o pai de Josh orientou que todos fossem para suas mesas, e a mão de Drew se movia ao longo de seu braço.

— Está vendo por que eu precisava de você? — disse ele no ouvido dela ao se sentarem. Ela se virou para ele e confirmou com a cabeça.

— Você estaria comendo um sanduíche de manteiga de amendoim com ovo cozido agora há pouco.

Ele fez uma cara de nojo, e ela riu.

Felizmente, o resto da noite foi menos carregado, sobretudo porque estavam sentados com outros dois padrinhos e suas parceiras. Enquanto degustavam a sobremesa, Alexa olhou a hora e suspirou, pensando no pouco que dormiria aquela noite.

— Algo errado? — perguntou Drew, abandonando uma conversa sobre basquete com um dos outros caras.

— Não exatamente — respondeu ela, baixinho. — É que preciso ajudar meu chefe a construir um playground amanhã, o que significa que meu despertador vai tocar cedo demais para um sábado, então...

Antes de ela terminar de falar, ele se levantou.

— Vamos indo. Você quer dormir o sono da beleza, embora seja óbvio que não precisa — disse. Ela fez aquela mesma cara de nojo para ele, que riu. — Foi demais? Você não pode apenas curtir o elogio?

— Obrigada, dr. Drew, você é um amor.

Ela se virou para pegar o casaco, mas parou quando viu ele balançando a cabeça.

— Nada de dr. Drew, nunca. Dr. Nichols, mas meus pacientes mais jovens me chamam apenas de dr. Nick.

Ao se dirigirem para a porta, passaram por Josh e Molly, e Alexa puxou a mão dele.

— Que foi? — perguntou Drew.

Ele se virou e viu a cabeça dela inclinada na direção dos noivos.

— Estamos indo — disse Drew para eles. — Vejo vocês amanhã.

Alexa parou, o que o obrigou a parar também.

— Muito obrigada, a vocês dois, por me receberem tão bem. Estou ansiosa pela cerimônia de amanhã.

— Obrigada! — agradeceu Molly, radiante, e depois a abraçou. — Estou contente que você estará lá!

Depois de outra rodada de abraços e apertos de mão, Alexa seguiu Drew para o lado de fora.

— Onde você aprendeu a fazer isso? — perguntou ele quando já estavam na rua.

— Fazer o quê? — indagou ela.

Drew não tinha soltado sua mão, e não seria ela a soltar também.

— "Muito obrigada, a vocês dois!" — disse ele com uma voz fina.

Ela bateu nele com a bolsa.

— Não nos conhecemos por tempo suficiente para você tirar sarro da minha voz!

— Eu não estava tirando sarro da sua voz — explicou ele, apertando a mão dela. Bem, então ele percebeu que ainda estavam de mãos dadas. — Eu estava tirando sarro do que você *disse*.

— Dá um tempo — disse ela, virando-se na direção da estação BART. — Onde aprendi etiqueta básica? Onde aprendi a dizer "por favor" e "obrigada"? Não sei, acho que meus pais me ensinaram quando eu tinha dois anos.

Ao passarem por uma multidão, ele soltou a mão dela, mas acabou se aproximando mais e voltando a colocar a mão na sua cintura. Ela se sentia derretendo por dentro. Será que ele estava fazendo isso por hábito? Provavelmente.

Ela tentou se lembrar do que Maddie havia dito. Um encontro sem estresse, relaxe e divirta-se, não pense demais, apenas aproveite. Certo, está bem.

Ele pigarreou.

— Não sei se já falei, mas você fez com que essa noite ficasse pelo menos duzentos por cento melhor do que teria sido sem você. Talvez até mais.

Ela sorriu para ele.

— Eu mesma fiquei surpresa com o quanto me diverti. Bem, qual é o plano para amanhã?

Bem coisa de Alexa. Ignorar o elogio e mudar o assunto para logística. Relaxar, de fato, não era o seu forte.

— Então, eu estava pensando... — disse ele, soltando a mão da cintura e se virando para ela com uma cara estranha.

Ele estava entediado com ela? O sarcasmo dela era demais? Será que ele iria dizer que preferia terminar o namoro de mentira e não levá-la ao casamento para que pudesse aproveitar o bufê de madrinhas com Amy como prato principal? Ele diria: "Foi ótimo sair com você, Alexa, mas vou te liberar amanhã. Não se importa, né?". E, é claro, ela teria que dizer que não, não se importava.

E ela teria que devolver aquele vestido vermelho lindo.

— Sim? — perguntou ela, ajeitando o casaco nos ombros.

— Quem sabe você vem se arrumar comigo para o casamento no hotel? Sabe, para que todos vejam você saindo de lá. Não que eu ache que as pessoas pensem que estamos mentindo, mas Amy pareceu meio desconfiada, e aí você não teria que...

— Faz sentido — respondeu ela, cortando-o e tentando não mostrar seu alívio. — Que horas?

O sorriso dele aumentou. Aquele sorriso fazia parecer que ele já tinha tudo o que queria na vida. Quem era ela para quebrar o padrão?

— Preciso estar na igreja às cinco, então, chegue um pouco antes de eu sair. Haverá um ônibus do hotel para a igreja, e você poderá pegá-lo para não precisar ficar à toa enquanto tiramos as fotos.

Eles caminharam pela rua; não estavam mais de mãos dadas.

— Está bem.

— Ótimo — disse ele. Agora estavam na entrada da estação BART. — Bem, te vejo amanhã? Mande uma mensagem se tiver dúvidas.

Ele se aproximou para dar um abraço. Sem parar para pensar, ela deu um beijo em sua bochecha. Ele recuou e olhou para ela por um tempo.

Uma ambulância passou com a sirene ligada, e eles se afastaram com o susto.

Ele passou o polegar na bochecha dela.

— Boa noite, Monroe. Até amanhã.

5

Na manhã seguinte, Alexa agradeceu a Deus que o verdadeiro trabalho de construir o playground era responsabilidade de pessoas que realmente sabiam o que estavam fazendo. Ela ainda podia falar com o chefe por mensagens e lidar com a imprensa mesmo sem parar de pensar no encontro daquela noite, mas, se ela tivesse que operar as ferramentas elétricas, teria sido um desastre.

Quando bateu à porta do quarto 1624, ela estava uma pilha de nervos. *De repente, ele pensou melhor, foi embora do hotel e esqueceu de me dizer? De repente, ele...* Ela não teve outra chance de pensar em uma hipótese pior, pois a porta foi aberta. E ela ficou muda por um instante.

Alexa achou que Drew estava sexy com a camiseta cinza velha no elevador, e achou que ele estava sexy no jantar de ensaio, com a barba feita e usando uma camisa azul-clara. Agora, de smoking, ele estava tão sexy que ela estava com medo de não conseguir olhar nos olhos dele a noite inteira.

Ele nem tinha vestido todo o smoking ainda... e essa era a pior parte. Ele já estava com a camisa e a gravata no pescoço, com o cabelo ainda úmido, e parecia um herói de comédia romântica no fim da noite, pouco antes de a heroína começar a desabotoar a camisa dele...

— Oi! — Drew interrompeu o pensamento cada vez mais surreal de Alexa. — Você chegou bem na hora. Eu ia começar a comer os petiscos.

— Petiscos? — perguntou ela.

Ela o seguiu quarto adentro, deixando a distração de suas fantasias para trás por um instante.

— Comprei queijo e biscoitos... e cerveja. Se este casamento for como os outros, vamos ficar sem comer por um tempo. Não sei você, mas preciso beber antes que esta noite comece.

— Você leu meus pensamentos — disse ela, largando a bolsa na cama e pendurando o vestido no armário. — Quase trouxe uma garrafa de vinho, mas não queria começar a dançar em cima da mesa antes de o casamento começar.

Ele entrou no banheiro e saiu de lá alguns segundos depois segurando duas garrafas de cerveja.

— A cerveja está na pia do banheiro. O balde do champanhe era pequeno demais para a caixinha. Além do mais, há duas pias: encher uma delas com gelo foi a ideia mais genial que tive nos últimos tempos, se me permite dizer — falou ele, abrindo duas garrafas, entregando-lhe uma e erguendo a sua para ela. — Para a minha companheira de casamento, mais uma vez, obrigado.

Ela tomou um grande gole da cerveja e deu uma olhada no quarto, tentando achar algo que tirasse a vontade de lamber aquela gota de condensação do lábio inferior dele. Uma cama king-size enorme, bem-arrumada, então, a camareira já tinha passado por lá. Um espelho de corpo inteiro ao lado do armário – ótimo, ela iria precisar quando fosse se arrumar. Janelas do teto ao chão atrás da cama. Ela foi até a janela com a cerveja na mão.

— Uau.

A vista se estendia por toda a baía, que cintilava. Ela conseguia ver as partes branca e cinza da Bay Bridge e o brilho da ponte Golden Gate, com o sol cintilando acima.

— A vista é deslumbrante, não é? — perguntou Drew.

Ele chegou tão próximo por trás dela que ela conseguia sentir o calor de seu corpo. Mais do que qualquer coisa, ela queria recostar em seu peito quente.

— É mesmo — respondeu Alexa, sem se virar. — Olivia também estava deste lado do hotel, mas ficamos tão ocupadas conversando que nem olhei pela janela. Josh e Molly escolheram um dia perfeito para o casamento.

Ela se virou, mas ele já tinha ido para a mesa.

— Eu não podia concorrer com seu queijo e biscoitos chiques — disse ele —, mas fiz o possível.

Ela foi até lá para examinar e colocou sua cerveja na mesa para poder comer.

— Adoro isso — disse ela, mergulhando o biscoito no cream cheese com ervas. Ele fez o mesmo.

— Você está falando isso só para ser gentil? Ou porque precisa comer alguma coisa para não subir na mesa e começar a dançar? Aliás, não deixe de fazer isso só por minha causa.

Ela tomou outro gole de cerveja e sorriu.

— Eu falei que amo todas as formas de queijo e biscoito, até aquela coisa cremosa e nojenta que colocavam na minha lancheira quando criança.

Ele se sentou na cama com a cerveja e sorriu para ela. Ela podia fazê-lo deitar e desabotoar aquela camisa. Será que tinha pelos no peito? Se tinha, não eram muitos: a olhada que ela deu no abdômen dentro do elevador estava gravada em sua memória, e ele não tinha muitos pelos ali.

Pelo amor de Deus, o que havia de errado com ela? Alguns goles de cerveja depois, suas fantasias já estavam assumindo o controle.

— Adoro aquilo. Deveria ter comprado — disse ele.

Ela voltou a olhar para seu rosto e tentou lembrar sobre o que estavam conversando. Se ficasse corada agora, pelo menos poderia colocar a culpa no álcool. Só para garantir que a desculpa funcionaria, ela matou a cerveja.

— Quer outra? — perguntou ele, levantando-se e dirigindo-se ao banheiro.

— Quero.

Ela pegou a nécessaire de maquiagem e fechou os olhos. Tudo isso tinha sido uma péssima ideia: ela estava ficando bêbada no quarto do hotel de um cara sexy que mal conhecia, estava ficando bêbada o suficiente para fantasiar sobre se atirar em cima de um cara que era muita areia para o seu caminhãozinho, e suas fantasias indesejáveis, provavelmente, estavam estampadas na sua cara, pois ele saiu da cama e se afastou dela.

45

Azar, pelo menos estava comendo queijo e biscoitos de graça. E tomando cerveja.

Ele voltou do banheiro com mais duas cervejas e parou ao lado dela na mesa enquanto pegava mais biscoitos.

— Fale sobre sua manhã — disse ele. — Você construiu um playground? Estou impressionado.

— Ah, pare, não fique. A construção do playground foi muito bem comandada por uma construtora de verdade. Meu chefe e eu só ficamos lá para aparecer e atender à imprensa. Quero dizer, o playground foi construído – ou, pelo menos, começaram a construir –, e eu me machuquei com algumas farpas, mas tudo o que fiz foi supervisionado atentamente por uma pessoa que sabia o que estava fazendo.

— Mas conte — falou ele, sentando-se na cama. — De onde era essa construtora? Como sabiam onde construir o playground?

— Bem, esse projeto começou quase no mesmo instante em que meu chefe assumiu o cargo. Crianças de baixa renda são uma grande prioridade para ele... e para mim. Já no início, identificamos algumas áreas que precisavam de playgrounds bem-cuidados e seguros, e esse foi o primeiro a ser construído.

Ele se recostou apoiando os cotovelos na cama. Nossa, será que estava fazendo isso para torturá-la?

— Esse é o seu jeito humilde de dizer que você achou a construtora e pensou no local para construir o playground?

Ela tirou as sandálias e passou os dedos no carpete felpudo.

— Sim para ambos, mas não sou tão humilde, só não tinha chegado ao ponto ainda. Às vezes, sou enrolada.

Ele riu e fez um gesto para que lhe atirasse um biscoito, o que ela fez.

— Você tem fotos?

♥ ♥ ♥

Alexa ficou radiante e pegou o celular. Ela ficava muito animada quando falava do trabalho. Era uma das coisas que Drew gostava nela. Ele olhou por cima do ombro enquanto ela passava as fotos do terreno baldio, do início da construção hoje e alguns esboços de como o playground ficaria quando terminado. Ela estava tão empolgada em contar que ele não conseguia parar de se aproximar dela na cama. Estavam tão juntos que os ombros se tocavam, e a cabeça dela estava quase encostada no peito dele.

Ela se virou e olhou para ele. Ambos pareceram perceber ao mesmo tempo como estavam próximos, mas não se afastaram. Ele colocou a mão na cintura dela, nas costas, movendo a até a nuca e de volta às costas. Ele sentia o perfume dela. Baunilha, com um toque de especiarias.

De repente, alguém bateu à porta.

— Drew? Está pronto?

Dan. Agora não. Ainda não.

Ele olhou novamente para Alexa, mas ela saiu da cama e foi até a mesa de queijo e biscoitos.

— Tô — respondeu ele, suspirando e se levantando.

Ele abriu a porta para Dan, que estava animado demais para a ocasião.

— E aí, cara. Ah, oi, Alexa! Já está quase pronta para o casamento? Nos vemos lá, hein?

Ela olhou para Dan e sorriu, mas não olhou para Drew.

— Claro, nos vemos lá. A Lauren vai estar no ônibus? — perguntou Alexa a Dan.

— Sim! Ela ainda está se arrumando no quarto, mas podem ir juntas. Olhe, vou lhe dar o número dela, para se falarem.

— Te vejo na igreja — disse Drew para Alexa, querendo que ela se voltasse para ele. Seus olhos se encontraram por um instante, mas ela desviou o olhar.

Ele já estava indo para o elevador quando ouviu seu nome ser chamado lá atrás e se virou.

— Drew, não está esquecendo uma coisa? — perguntou ela.

Ele conseguia pensar em várias coisas que esquecera de fazer naquele quarto, mas não podia falar nenhuma delas com Dan parado ali.

— Sua gravata?

Ele deu uma olhada e viu o irritante acessório pendurado nos dedos dela.

— É mesmo — respondeu, pegando a gravata e sorrindo. — Se você matar todas as cervejas, espere para dançar na mesa de onde eu possa ver.

♥ ♥ ♥

Nossa, ela quase o beijou. Depois de uma cerveja e meia e ele ouvindo-a falar por alguns minutos, ela estava pronta para se jogar nele. Alexa precisava de alguém para colocar a sua cabeça no lugar, e a única pessoa que podia fazer isso no momento era ela mesma.

— Alexa — ela disse alto para o reflexo no espelho de aumento iluminado. Que merda, ela precisava fazer as sobrancelhas. Ainda bem que tinha levado uma pinça.

Espere, ela precisava de foco. Estava botando a própria cabeça no lugar, lembra?

— Alexa ELIZABETH. É tudo mentira. Um encontro de mentira, um namorado de mentira. Você não pode sair beijando caras *sexies* que parecem estrelas de cinema só porque sorriram para você daquele jeito e a ouviram tagarelar sobre o trabalho por alguns minutos. Só porque Maddie falou para você praticar o flerte não significa que precise praticar beijo também.

Ela estremeceu só de pensar como seria humilhante se realmente tivesse tentado beijá-lo. Ele teria retribuído o beijo por um momento. Depois a afastaria, colocaria as mãos nos seus ombros e se desculparia por ter dado a impressão errada sobre tudo, mas ela não era o tipo dele. O que estava buscando para a noite, ele teria dito, era uma parceria para ficar ao lado dele e espantar as outras mulheres e, se ela tinha algum problema com isso, poderia ir para casa em vez de ir ao casamento com ele.

E ela teria segurado as lágrimas, como sempre fez, e abriria um grande sorriso, dizendo que não, imagina, devia ser a cerveja fazendo efeito, que não tinha problema. E aí as coisas ficariam muito constrangedoras e esquisitas a noite inteira.

Bem, ainda seria constrangedor e esquisito a noite inteira, mas pelo menos ficaria mais subentendido do que entendido.

Chega de palavras de incentivo. Tudo o que ela podia fazer agora era ficar o mais maravilhosa possível. Então, colocou a playlist "girl power" para tocar, pegou o batom mais vermelho que tinha e começou a se arrumar.

♥ ♥ ♥

— Mais uma com a madrinha e o padrinho. Amy, desta vez você dá o seu buquê para ele!

Drew estava mais do que ansioso para que a sessão de fotos terminasse e o casamento começasse, sobretudo porque isso significava que Alexa por fim chegaria. Mesmo que ele não ficasse perto dela durante o casamento, pelo menos teria uma pessoa ao seu lado em meio a esse mar de hostilidade descarada ou velada.

Ela ainda não havia enviado mensagens. Ele devia confirmar com ela para garantir que estava a caminho.

Você já está no ônibus? Estão te tratando bem?

Alguns minutos depois:

Tô embarcando agora. A Lauren, namorada do Dan, é minha nova parceira. Que bom que a conheci ontem.

Ele sorriu para o celular. Ainda bem que ela estava a caminho.

Peraí, isso significa que o Dan será meu parceiro? Nada contra o Dan, mas acho que prefiro você.

— Eiii, Drew! — Ele viu os demais convidados, sem os noivos, olhando para ele. — Pare de mandar mensagens para sua namorada e preste atenção!

— Ela...

Que merda, essa foi por pouco. Ele quase declarou "Ela não é minha namorada", do jeito que fazia toda vez que alguém dizia que uma mulher era sua namorada.

— ... está vindo — completou, enquanto todos o encaravam.

— Ótimo, ótimo — disse Amy, chegando e passando o braço na cintura dele. — Mas podemos terminar de tirar essas fotos logo para que o casamento não comece sem a gente?

Ele estampou um sorriso no rosto e caminhou com ela até o local onde os outros convidados estavam aguardando. Drew conseguiu se livrar de Amy quando o fotógrafo mandou as madrinhas e os padrinhos ficarem em lados opostos do jardim da igreja.

Os padrinhos voltaram à igreja no momento em que o ônibus, cheio, estacionava. Drew procurou Alexa na multidão e, quando por fim a viu, rindo de algo que a namorada de Dan havia dito, ficou de queixo caído. Aquele vestido vermelho o fazia querer pegar a mão dela, arrancá-la da igreja e levá-la de volta para o hotel imediatamente.

O primo de Josh, Bill, foi até ela antes que ele pudesse chegar. O que ele achava que estava fazendo, olhando para ela desse jeito?

Parece que o vestido também fazia com que Drew quisesse dizer aos outros homens da festa que não era permitido olhar para ela. Ele apertou o passo em sua direção.

— Senhoritas — disse ele, chegando bem na hora que Alexa estava apertando a mão de Bill —, posso acompanhá-las aos seus lugares?

Bill sorriu com malícia.

— Desculpe, Drew, elas já vão comigo. Bobeou, dançou.

Drew apertou os olhos e tomou o braço de Alexa.

— Ah, Bill, acho que você não entendeu. Esta é minha.

Eles entraram na igreja em silêncio por alguns segundos. Quando já estavam a uma distância segura, ela murmurou:

— Desculpe, por acaso atrapalhei um campeonato de cuspe? Posso voltar para o hotel, não quero atrapalhar.

Ele deu risada e a aproximou de si.

— Não, não se preocupe. No fim das contas, eu ganhei você.

Ela olhou com espanto e disse:

— Você... me ganhou?

Ele tossiu.

— Peraí, não foi isso que eu quis dizer. Você não é uma coisa a ser ganha. Me desculpe. É que esse cara é sempre desagradável.

Ela sorriu e apertou o braço dele com mais força.

— Bem, prefiro que você me ganhe do que ele, embora não seja nada a ser ganho, então, acho que estamos de acordo.

Ele ficou no final do banco da igreja com ela e ainda não queria largá-la.

— Dá licença — falou Dan, acotovelando Drew para deixar Lauren entrar no banco.

— Pobre Bill — disse Alexa, rindo dele. — Está com empata-fodas dos dois lados.

Ele não se lembrava de ela estar tão sexy no elevador. Ótimo trabalho, Drew de quinta à noite, por saber, de alguma forma, que ela era tão sexy mesmo sentada, sem sapatos, no chão do elevador.

Peraí, a essa altura, ele estava tentando não ficar olhando para o decote dela, então talvez já soubesse.

— E daí? — respondeu ele. — Ele precisa arranjar uma garota e parar de cobiçar as dos outros.

Ela ficou nas pontas dos pés e beijou sua bochecha.

— Te vejo na recepção — disse ela, passando por ele no banco e sentando-se ao lado de Lauren.

— Guarde um sanduíche para mim — falou ele, só para fazê-la rir. Deu certo.

6

Terminada a cerimônia, Drew saiu da igreja atrás de Josh e de Molly, conduzindo uma madrinha com vestido de chiffon rosa. Ele piscou para Alexa ao passar por ela, que piscou de volta. Ela e Lauren contaram histórias de noivas em guerra no trajeto de volta para o hotel e apostaram em qual dos convidados ficaria bêbado primeiro (Lauren apostou em Bill, já Alexa apostara em Amy).

Quando chegaram ao hotel, seguiram a procissão de convidados até a cobertura para o coquetel e ficaram em um canto com taças de champanhe e pratos de algo que parecia uma versão muito chique de enroladinho de salsicha.

Ainda bem que ela havia feito amizade com Lauren no jantar de ensaio, senão a cerimônia e essa parte da recepção teriam sido muito constrangedoras e solitárias. Ela já teria enviado dezenas de mensagens de SOS para Maddie. Era muito importante rir junto com outra mulher, poder ir ao banheiro com ela e fofocar durante um casamento.

Quando Lauren estava no meio da história sobre como havia conhecido Dan, Alexa se deu conta do que estava por vir e colocou seu drinque em uma mesa próxima.

— Espere um pouco — disse ela. — Preciso usar o toalete. Fique de olho na minha bebida.

Assim que entrou no saguão, ela tirou o celular da bolsa.

Ei, namorado, como nos conhecemos? Dá para ver que Lauren tá prestes a me perguntar, queria ver se vamos contar a mesma história.

Assim que entrou no banheiro, a bolsa vibrou.

No elevador, mas um mês atrás. Eu estava na cidade por causa daquela conferência, lembra?

Bom plano. Ficar o mais próximo possível da verdade era a melhor maneira de contar uma mentira. Ela havia aprendido isso trabalhando com política por um tempo. Não que fosse um costume seu contar mentiras... mas quando tinha que contar, era melhor que soubesse como fazê-lo com credibilidade.

Ficamos muito contentes que o casamento iria acontecer no mesmo hotel, não é?

Ao voltar para a mesa, havia outro prato ao lado do seu drinque, junto com Bill, o padrinho chato.

— Bill trouxe alguns bolinhos de siri para nós! — falou Lauren.

Ela fez uma careta para Alexa sem que Bill visse. Também por isso era muito importante ter amigas em um casamento: você precisava revirar os olhos para alguém por causa de caras desagradáveis.

— Ah, ainda bem, este drinque já está subindo à minha cabeça. Não quero estar bêbada na hora em que os noivos chegarem. Obrigada, Bill.

— Por nada. Como é seu nome mesmo? Alice? — perguntou ele, sorrindo para ela e com os olhos baixando para o decote. Ela bebeu o drinque.

— Alexa.

— Alexa, parece que você precisa de outro drinque — concluiu ele, tirando o cabelo do ombro dela. Ela abriu um sorriso forçado.

— Preciso, obrigada. Champanhe, por favor. Lauren?

Depois de mandarem Bill para o bar, as duas torceram o nariz e voltaram para a conversa.

— Bem, onde estávamos? Você ia pegar a última caixa de ovos da feira, e Dan os pegou?

Alexa havia comido mais dois bolinhos quando Bill voltou do bar. Ele lhe entregou a bebida com um grande sorriso, os olhos de volta ao decote e a mão em seu cotovelo. Nada no mundo a convenceria a beber *aquela* taça de champanhe.

Ela transferiu a bolsa da mão direita para a esquerda e afastou-se dele, mas ele a seguiu. Esse cara. Ele tinha uns cinco segundos para recuar antes de ela derrubar champanhe nele "sem querer".

—E você e Drew? Como se conheceram? — perguntou Lauren para Alexa.

— Bem — ela sentiu um braço em sua cintura —, na verdade, foi aqui neste hotel. — Ela virou a cabeça e Drew estava sorrindo para ela.
— Oi — cumprimentou Alexa. — Vocês chegaram.

Ela se aproximou de Drew e relaxou.

— Oi — respondeu ele.

O resto do salão desapareceu, restava só esse cara lindo de smoking, olhos castanhos dourados, seus dedos acariciando o quadril de um jeito que ela desejava não houvesse roupas entre eles e sua pele.

Meu Deus, ela estava fantasiando de novo.

— Cadê o Dan? — perguntou Lauren.

— No bar. Precisamos de um drinque depois de todas aquelas fotos — disse Drew, inclinando-se e roçando os lábios no ouvido dela. — Vocês não estavam se divertindo muito sem nós, né?

— Estávamos apenas conversando sobre vocês — contou Lauren. — Por falar nisso, vou encontrar o Dan no bar. Quero outro drinque. Alexa?

Alexa fez um sinal positivo com a cabeça, sem prestar muita atenção em Lauren. Ela podia ficar ali a noite toda com o braço de Drew em volta de si e seus dedos deslizando em sua cintura. Ela estava tonta com o toque das mãos dele em seu corpo e com seus olhos a encarando. Quase não dava para aguentar.

A mão de Bill apertou seu cotovelo. Ela havia esquecido que ele estava lá. Bill sorriu maliciosamente para Drew.

— Espero que não se importe se eu roubar a sua acompanhante, mas o que posso dizer, cheguei à recepção primeiro.

Drew a puxou para mais perto de si e para longe de Bill. Seus dedos continuaram a se mover pelo corpo de Alexa, desenhando círculos de cima para baixo em sua cintura, dali até a lombar.

— Vá embora, Billy, os adultos estão conversando — falou, enxotando Bill com os dedos, sem tirar os olhos de Alexa. Depois de alguns instantes, Bill se retirou.

Alexa sorriu para Drew e abriu a boca para agradecer, mas ele havia relaxado a mão em sua cintura. Ah. Ele só estava segurando-a daquele jeito para protegê-la de Bill. Foi gentil da parte dele.

Ela deu um passo para trás, e o braço dele se soltou. Ela se sentiu mais fria. E muito mais sóbria do que um minuto atrás.

— Obrigada. Você... quero dizer, como foram as coisas no casamento? — perguntou Alexa, cruzando os braços no peito e desejando um drinque.

Ele deu de ombros, com as mãos soltas.

♥ ♥ ♥

— A maior parte foi bem. Josh estava tão animado que foi fofo — disse Drew, ansioso para tocá-la. Ele tinha que ficar lembrando que ela não era sua namorada de verdade, nem mesmo era um encontro de verdade. Alexa não havia aceitado que ele ficasse em cima a noite toda, ainda que mal conseguisse manter as mãos longe dela com aquele vestido e que sua pressão tivesse disparado no instante em que viu Bill com a mão em sua cintura. — Quer procurar a Lauren e o Dan agora que nos livramos do Bill?

— Você quer dizer, agora que você se livrou do Bill — respondeu, sorrindo para ele.

Ele teve que fazer um tremendo esforço para não puxá-la de volta para junto de si, mas ela se afastou assim que ele relaxou o braço; provavelmente não queria. Eles foram juntos para o bar, próximos um do outro, mas sem se tocar.

— Aí estão vocês! — disse Dan.

Lauren e Dan os encontraram no meio do caminho, cada um com dois drinques nas mãos.

— O bar está lotado, mas Dan furou a fila — explicou Lauren.

— Peguem seus drinques. As pessoas estão nos olhando como se fôssemos alcoólatras — disse Dan, entregando o drinque de Alexa. — E não furei a fila! Sou um dos padrinhos. Temos privilégios no bar, não sabiam? — Ele riu. — Além do mais, dou boas gorjetas. É o único jeito de garantir a bebida em um open bar.

— Ah, vocês estavam me contando a história de como se conheceram — falou Lauren.

Ótimo, agora ele tinha uma desculpa para encostar em Alexa.

— Neste exato hotel — disse ele, pegando a mão dela. — Ficamos presos no elevador por um tempo, e ela me fez rir o tempo todo, ainda que se recusasse a dividir os petiscos da bolsa comigo.

Alexa interrompeu.

— Vejam, ele fala como se eu tivesse ficado comendo e ostentando sem oferecer para ele, o que não aconteceu! Ele olhou na minha bolsa, sem permissão, diga-se de passagem, viu que eu tinha petiscos e tentou me convencer a entregar o que era da minha irmã.

— Deve ter sido a primeira vez que alguém disse "não" para o nosso Drew. Não me espanta que tenha ficado intrigado — falou Amy.

Justamente a pessoa que ele precisava agora.

Alexa abriu para Amy um daqueles grandes sorrisos que as pessoas dão para criancinhas.

— Amy, você ganhou a loteria das madrinhas com esse vestido, não? Você está *tão* meiga nesse rosa-bebê.

Os olhos de Amy apertaram com o elogio. Na noite anterior, uma das madrinhas havia contado que Amy tinha feito uma grande campanha por vestidos pretos, mas Molly e a mãe insistiram no rosa, mesmo com Amy alegando que a cor era infantil e que destoava de seu cabelo. Drew apertou os dedos de Alexa, já que não podia rir alto; ela apertou de volta.

A mão de Amy estava repousando na mesa bem ao lado da mão de Drew. Por acaso o mindinho dela estava se esfregando no dele? Sim, sim, estava. Ele colocou o braço em volta de Alexa para ficar mais perto dela e longe de Amy.

— Seu vestido também é lindo — disse Amy para Alexa. — Quase comprei um assim para um casamento a que fui no mês passado, mas me dei conta de que era magra demais para ele. Que bom que funciona para você.

Drew sentiu Alexa enrijecer. Ele passou a mão nas costas dela, mas não sabia se era para tentar acalmá-la ou a si mesmo. Talvez ambos, porque as palavras de Amy fizeram sua pressão voltar a subir.

— Muito obrigada! — agradeceu Alexa, erguendo a taça de champanhe e tomando um gole. — Eu penso assim: se a gente tem, tem mais é que exibir — disse, apontando para os seios, fazendo com que Drew (e, ele percebeu, o grupo todo) olhasse para eles por um segundo. Está bem, talvez mais do que isso. Quando ele por fim olhou nos olhos dela, ela abriu um sorrisinho malicioso. Ele sorriu de volta.

— Senhoras e senhores! — alguém disse no microfone. — Deem as boas-vindas a Josh e Molly Rogers!

Todos se viraram respeitosamente para a entrada e aplaudiram enquanto os noivos entravam. Amy foi para o outro lado do salão, mas Drew não tirou o braço da cintura de Alexa, que não se afastou dessa vez.

♥ ♥ ♥

Está bem, está bem. Ela tinha que admitir que estava encantada por ele. Já estava mais do que na hora de botar a cabeça no lugar. A essa altura, ela só tinha que se manter firme pelo resto da noite. Ela sabia que era tudo mentira – sabia porque ficava se lembrando disso –, mas não importava, não quando ele a tocava daquele jeito.

No início, ela tentou dar espaço. Depois que Bill foi embora, Drew obviamente não iria querer continuar fingindo, então, ela se afastou. Mas eles contaram sua história real/de mentira para Lauren e Dan, e ele a apresentou para milhares de pessoas, e tudo aquilo que exigia, no mínimo, que andassem de mãos dadas. Ou era o que ele parecia pensar, e não era hora de ela discordar. Por isso, continuou dando a mão e sorrindo para ele, e era uma delícia, fosse mentira ou não.

No jantar, eles estavam na ponta de uma mesa enorme de convidados, com Amy, algumas madrinhas, o desagradável do Bill e com Lauren e Dan na outra ponta. Bem, pelo menos ela tinha prática em comer junto com pessoas hostis. Ela havia descoberto que trabalhar com política lhe dera muitas habilidades úteis para ser uma namorada de mentira. Drew estava conversando com Amy, que estava do outro lado dele, então, Alexa conversava com a madrinha que estava ao lado dela.

Enquanto comiam suas entradas – costela de porco com crosta de amêndoas para ela e frango à Cordon Bleu para ele –, Drew se voltava para ela quando Amy fazia reclamações para o garçom.

— Como está sua comida?

— Boa — respondeu Alexa depois de engolir. — Melhor do que uma comida comum de casamento. Quer um pouco? — perguntou, cortando um pedaço e oferecendo o garfo para ele.

Drew recuou. Será que era familiar demais para uma pessoa que havia conhecido dois dias antes? Ele esqueceu que tinha que ser o namorado nessa situação? Ou talvez ele detestasse dividir comida?

Não importa, não foi a melhor das sensações. Amy se esticou por trás de Drew para rir de Alexa.

— Já está tentando matar o Drew? O que ele fez desta vez?

Alexa levantou a sobrancelha para Drew. Agora ela tinha certeza de qual era o problema, mas queria ouvir como ele ia sair dessa.

♥ ♥ ♥

— Ah — disse Drew, inclinando-se e colocando a mão no ombro de Alexa. — Acho que ainda não falamos sobre isso, mas sou alérgico a nozes.

Ele estava se odiando por causa da mágoa que transparecia no rosto dela antes que o sorriso aberto (e, ele desconfiava, muito falso) voltasse a surgir. Ele passou a mão no braço dela, tentando se desculpar com seu toque de uma forma que não conseguia com palavras, não com toda essa gente ouvindo.

— Que estranho, porque essa foi uma das primeiras coisas que você contou para a Molly — disse Amy. — Lembro de ela ter me falado.

Será que a ex-cunhada estava desconfiada de verdade, como ele havia pensado na noite passada, ou só estava sendo uma vaca?

— Molly e eu estávamos na faculdade de Medicina na época. Esse tipo de coisa era mais comum de se falar — respondeu ele, voltando-se um pouco para Amy, mas com a mão ainda no braço de Alexa. — Alexa e eu estamos ocupados com outras coisas, mas achei que isso viria à tona. E, veja só, foi o que aconteceu.

A conversa deles passou para como o purê de batatas estava delicioso, a gafe do padrasto de Josh na cerimônia, se as pessoas achavam que o DJ ia ser bom. Assim que Amy proclamou bem alto sobre o fato de ela ter dito a Molly para contratar uma banda, ele aproximou sua cadeira da de Alexa e se virou até seus lábios quase tocarem o ouvido dela.

— Foi culpa minha. Me desculpe. Talvez devesse ter avisado sobre minha alergia letal antes de comermos juntos.

— Não tem problema — disse Alexa. Ele conseguia ouvir o sorriso na voz dela. — Quase matar o meu parceiro torna um casamento mais emocionante.

Ele riu. Ainda bem que ela não estava brava.

— Não há como isso acontecer. Estamos cercados por médicos, lembra? Aposto que pelo menos dez pessoas trouxeram uma caneta de adrenalina só pela emoção.

Será que Alexa percebeu que a mão dela estava na coxa dele? Talvez fosse pela maneira como ele estava sentado, encostado nela para poder cochichar. Talvez fosse normal que a mão dela estivesse na coxa dele. Ele não se importava, mas apenas desejava que houvesse uma forma de mantê-la ali.

— Alexa, vou ao toalete. Quer vir junto?

Ele gostava da namorada de Dan, Lauren, mas poderia matá-la agora com o maior prazer. Hum, será que *ela* tinha alguma alergia?

Ele observou Alexa atravessar o salão, rindo de alguma coisa com Lauren. Sim, daquele ângulo, ainda estava sexy naquele vestido.

Por um momento, ficou imaginando como a noite seria se Alexa não estivesse com ele. Era fácil: infeliz. Mas, com ela, estava mais do que bem. Até divertido, o que era a última coisa que ele esperaria desse casamento.

— Mais uma bebida? — disse Dan, sentando-se ao lado dele.

— Hein? Ah, sim, claro.

— Você ficou caidinho por essa aí. Que bom para você — disse Dan, apontando com a cabeça na direção em que Lauren e Alexa estavam indo.

Drew não sabia como responder, por isso apenas deu de ombros e sorriu.

— É — concordou Bill de um jeito arrastado. — Eu pegava. Sempre quis comer uma negra. Como ela é, Drew?

Drew não tinha percebido que estava de pé até sentir Dan puxá-lo na direção do bar. Ele resistiu um pouco, a raiva subindo no sangue, pressionando-o a atacar Bill, mas, depois de um ou dois segundos, ele se deixou ser levado. Dan acenou para o barman, que prontamente serviu dois uísques sem gelo na ponta do balcão.

— Eu podia jogá-lo da cobertura — disse Drew quando ficou calmo o suficiente para falar.

— Podia — respondeu Dan. — E talvez devesse, mas que tal esperar o casamento terminar? Há muitas testemunhas agora.

Drew pegou sua bebida e procurou Alexa no salão. Pelo menos, ela não sabia o que Bill tinha falado.

— Só sei que vou manter Alexa longe dele pelo resto da noite.

♥ ♥ ♥

Lauren correu até o quarto para pegar seu batom, então, Alexa matou tempo escrevendo notícias para Maddie de dentro de uma das cabines do banheiro. De repente, seus ouvidos captaram uma conversa perto das pias.

— Achei que Drew tinha terminado com a Molly.

— Ele terminou. Drew a deixou arrasada. — Era Amy. — Mas aposto que ficou furioso quando Josh e Molly começaram a namorar. — Ela deu risada. — Quando ele se livrar daquela menina que trouxe, sei de um lugar onde ele pode achar uma pessoa bem parecida com a Molly.

A conversa desapareceu quando saíram do banheiro. Drew tinha contado que Molly tinha terminado com ele, não? Será que ele mentiu ou a memória dela estava falhando?

Trinta segundos depois, enquanto se olhava no espelho, seu ego voltou a ser abalado. Olhou para a bolsa para pegar o batom e, quando viu, estava cercada por um bando de loiras magras.

As três estavam usando vestidinhos mais curtos e justos do que qualquer coisa que Alexa usaria por causa das coxas, dos quadris e do bumbum. Os seios durinhos obviamente dispensavam sutiãs; as pernas compridas e finas pareciam ainda mais longas e mais finas por causa dos saltos enormes. E lá estava ela, no meio, no vestido que os amigos diziam fazê-la ficar "voluptuosa", que era apenas um eufemismo para "gorda".

Ela não acreditava que Maddie a havia convencido a não usar cinta. Ela estava se sentindo ótima horas atrás ao sair do quarto de Drew, mas teria sido apenas efeito da cerveja e de uma luz favorável? Maddie nunca se enganou com ela, mas também, era sua amiga e a amava. Ela era dura com muitas coisas pelo bem de Alexa, mas jamais diria algo negativo sobre seu corpo. Esse era o problema dos melhores amigos: às vezes, davam apoio demais.

E ela passaria a noite cobiçando Drew cada vez mais, sentindo os malditos arrepios toda vez que ele a tocava, e ele provavelmente estava o tempo todo olhando as outras mulheres, desejando estar com uma delas.

Ela precisava esquecer isso para conseguir aguentar o resto da noite. Hora de palavras de incentivo no corredor.

Olhe, Alexa Elizabeth Monroe, pensou, *nada disso importa, lembra? Você só está aqui porque contou a Olivia e a Maddie antes de perceber que deveria* dar para trás. Você está usando um vestido lindo, bebendo de graça e comendo comidas gostosas e irá embora em...

Ela levou um susto ao sentir uma mão no ombro no meio das palavras mentais de incentivo. Não era de Drew. Como é que ela já conhecia seu toque? Ela ignorou essa dúvida e se virou, vendo que Lauren estava atrás dela.

— Aí está você! Dan me mandou uma mensagem dizendo que ele e Drew estão no bar. Vamos encontrá-los.

Eles estavam no bar mesmo. Drew, Dan... e Amy. Alexa suspirou. Talvez precisasse de mais palavras de incentivo. A alfinetada de Amy sobre ser magra demais para usar um vestido como o de Alexa já estava ecoando em seus ouvidos, e agora ela estava ali se atirando em Drew.

Pelo menos o rosa bebê ficava ridículo nela.

♥ ♥ ♥

— Oi! — disse Drew quando Alexa e Lauren se aproximaram. Ele sentia como se a estivesse procurando há uma hora. — Vocês nos encontraram — falou, afastando-se de Amy e colocando o braço na cintura de Alexa.

— *Agora* vocês vêm? — perguntou Amy.

Alexa se virou e o mirou com dúvida nos olhos. Antes que ele pudesse responder, Amy pegou sua mão.

— Vão cortar o bolo, lembra? — ela disse.

É, ele se lembrava. Amy passara os últimos cinco minutos enchendo o saco por causa disso. Ele não entendia por que precisava ficar parado assistindo a duas pessoas fingir que estavam cortando um bolo enorme.

Além disso, ele preferia ficar no canto com o braço na cintura de Alexa.

— Já vou, Amy. Te vejo lá.

Amy bufou e foi embora. Ele voltou toda a atenção para Alexa, mas, em vez de retribuir o olhar como ele queria, ela ficou encarando Amy com uma cara esquisita.

— Vamos — disse Alexa —, vão cortar o bolo. Vamos assistir.

Ele foi pegar a mão dela para andarem pelo salão e ficou contente quando ela pegou a mão dele. Será que ela estava chateada por causa da alergia? Ela mal olhou para ele depois de voltar do banheiro.

No meio da multidão que cercava Josh e Molly, Alexa apertou a mão de Drew e olhou fixamente para frente com aquele sorriso enorme de antes estampado no rosto.

— Estamos bem? — perguntou ele no ouvido dela. Ela levou um susto. Ele lembrou de uma coisa. — Há alguma coisa errada? Bill falou alguma coisa para você?

Alexa se virou com estranheza.

— Bill? Não, por quê?

Ele olhou nos olhos dela, mas ela parecia confusa de verdade. Tudo bem, Bill não falou nada e parecia que ninguém tinha contado o que ele havia dito.

— Nada, não se preocupe — disse ele. — Não era importante.

Ela não tirou os olhos do rosto dele. Tudo bem, ele mesmo não teria acreditado.

— Te conto depois — completou ele, imaginando se isso colaria.

Não colou.

A risada dela não tinha alegria. A multidão gritou e berrou para o bolo estúpido. Ela colocou o dedo no queixo dele e fez com que sua cabeça inclinasse até a altura dela.

— Foi alguma grosseria sobre meu corpo ou algo racista. Qual deles? — perguntou Alexa.

À sua volta, as pessoas brindavam Josh e Molly. Alexa o soltou e ergueu sua taça. Ele automaticamente levantou a sua e bebeu.

— O segundo — respondeu ele, depois de alguns instantes.

Ela tomou outro gole da bebida.

— Ele parecia ser esse tipo de cara — falou ela.

Molly se aproximou antes que ele tivesse chance de se desculpar por Bill.

— Drew, Alexa, oi! Alexa, não tive a oportunidade de dizer antes, você está tão linda hoje!

Molly estava corada e radiante, não muito bêbada, mas com certeza tontinha. Drew conhecia os sinais.

— Ah, Molly, muito obrigada, mas você está deslumbrante! Esse vestido está incrível, e o casamento está tão agradável. Obrigada por me receber — disse Alexa apertando a mão de Molly.

Ninguém poderia dizer, pela cara que ela fez, que as duas estavam tendo uma conversa tensa.

— Você é tão gentil. Estou muito contente que Drew encontrou você! — disse Molly.

Ele também estava, percebeu.

— Eu também estou — disse Drew, colocando o braço na cintura de Alexa. Ela relaxou contra o corpo dele, e ele suspirou de alívio.

— Ah, vocês dois são muito fofos! — falou Molly. Talvez ela estivesse bêbada mesmo. — Em todo caso, queria dizer a Alexa que vou jogar o buquê!

Alexa fez uma cara de horror antes de disfarçá-la com aquele agora conhecido sorriso enorme e radiante. Sorriso enorme, radiante e *falso*.

— Ah! — disse Alexa a Molly. — Maravilha!

Molly abraçou os dois e saltitou para o meio da pista de dança, levando junto as madrinhas e convidadas que encontrou no caminho.

— Acho melhor ir para lá — disse Alexa, virando o champanhe e entregando a taça para Drew, mas não fez que ia para a pista.

— Você não parece muito animada — disse ele, empurrando-a na direção de Molly.

Ela revirou os olhos, mas foi se juntar ao bando de mulheres de vestidinhos. Lauren pegou o braço dela e disse algo que fez Alexa gargalhar. Ele queria saber o que a fazia rir daquele jeito e como ele poderia repeti-lo. E não era só para ver um pouco dos seios naquele sutiã vermelho... mas, em parte, sim.

Assim que o buquê saiu da mão de Molly, Alexa e Lauren deram passos lentos e firmes para trás. Depois de uma disputa, uma das madrinhas ergueu o buquê, triunfante, mas os olhos de Drew estavam em Alexa, a essa altura situada do outro lado da pista de dança. Ele viu Alexa e Lauren virarem-se uma para outra fazendo beicinhos de mentira. Desta vez, foi ele quem caiu na gargalhada.

Dan o cutucou.

— Devemos ficar ofendidos? — disse Dan apontando na direção de Lauren e Alexa, que aplaudiam e faziam beicinho enquanto a madrinha acenava com o buquê. Drew riu novamente.

— Nah, acho que devemos ficar bem convencidos de que estamos saindo com as mulheres mais inteligentes do salão — respondeu Drew.

Alexa e Lauren haviam formado um círculo com outras mulheres, dançando "Single Ladies" com as mãos para o alto.

— Vamos dançar também?

♥ ♥ ♥

Alexa dançava com Lauren, deixando os movimentos e as risadas espantarem os pensamentos chatos. Quando sentiu uma mão em sua cintura, ela se virou e viu que era Drew, e riu de novo de como a noite tinha sido ridícula e como, de repente, estava se divertindo tanto. Ele pegou uma das mãos dela, a girou e riu com ela. Outros convidados se juntaram ao grupo e dançaram com eles e em volta deles; as músicas mudavam, mas ele não saía do lado dela.

— Água? — perguntou ele, no ouvido dela depois de dançarem na pista por um bom tempo.

— Sim, por favor — respondeu Alexa, indo com ele até o bar.

Ela olhou para o relógio ornamentado sobre o bar, surpresa por já ser tão tarde. E, também, por não querer que a noite acabasse. Droga, foi divertido ser a namorada de mentira de Drew, mas ela sabia que, quando o relógio badalasse meia-noite, por assim dizer, o conto de fadas terminaria.

Ele se apoiou no bar, sem o paletó e com a gravata frouxa, meio suado e desgrenhado por causa da dança. Nossa, esse cara era sexy mesmo. Ele arregaçou as mangas, expondo os braços bronzeados. Ela queria passar os dedos neles e sentir seu calor e sua força.

Ela precisava parar de se deixar levar pela imaginação.

— Hum — disse ela. — Está ficando tarde. Se quiser pegar o último trem BART para East Bay, terei que ir daqui a pouco.

Por que ela disse isso? Por que, quando estava ao lado de um cara sexy, quase se atirando em cima dele? Se ela fosse Maddie, nem isso, se fosse *Amy*, teria agarrado um desses braços gostosos e colocado em volta de seu corpo, deixando claro o que queria sem precisar dizer nada. Infelizmente, ela era Alexa, então, acabaria fugindo.

Ele colocou a garrafa de água em cima do balcão e olhou para ela.

— Está bem.

— Está bem — repetiu ela.

Olivia e Maddie ficariam bravas com ela por não se atirar em cima dele, mas elas não entendiam que ela não sabia fazê-lo. Além do mais, ser rejeitada por esse cara era a última coisa que a autoestima dela precisava. Falam sobre sacudir a poeira e dar a volta por cima; isso a faria evitar poeira e voltas por mais alguns anos. Por assim dizer.

Ele se aproximou mais dela e colocou a mão em sua cintura. A mão dela pousou no braço dele, sem essa intenção, e ela deslizou os dedos por ele. Meu Deus, tocá-lo era tão bom quanto imaginava.

— Ou — disse ele olhando nos olhos dela — você poderia ficar.

Uma pergunta nos olhos, um sorriso nos lábios. O polegar dele desenhava círculos no quadril dela e subia até as costelas. A outra mão foi até seu rosto e traçou o contorno dos lábios dela com os dedos.

Ela se arrepiou; ele esperou.

— Ou — disse ela — eu poderia ficar.

Ele a puxou para junto de si e a beijou. De início, seus lábios se encostaram delicadamente; depois, com mais urgência. Ele tinha gosto de uísque, bolo de chocolate e tudo o que ela desejava. Ela suspirou em seus lábios e murmurou seu nome, conseguia sentir seu sorriso. As mãos dela passaram pelo cabelo dele, aquele cabelo que ela vinha querendo tocar a noite toda, e ele a beijou com mais força. A mão dele envolveu sua bochecha, e o toque macio na pele enquanto ela sentia o calor de sua boca fez com que o fogo tomasse conta de seu corpo.

Parecia que estavam sozinhos naquele salão cheio de gente. As pessoas e o barulho circulavam em volta deles à medida que os lábios dele tocavam os dela, a língua de Drew entrava em sua boca, seu corpo era pressionado contra o dela.

Eles se afastaram por um instante, e ele sorriu para ela.

— Quis fazer isso a noite toda — disse ele, encarando-a com seus olhos castanhos dourados.

Ele a beijou na bochecha, na orelha, na clavícula. Sua língua passou pelos lábios dela antes de entrar na boca novamente. Ela colocou a mão entre eles para sentir seu peito, desejando que não houvesse tecido sob seus dedos, apenas pele.

Seu toque parecia acender algo em Drew. Ele moveu as mãos até as costas e apertou-a contra seu corpo. Suas mãos pareciam ferro nas costas dela, e o toque bruto a fez sentir arrepios na espinha. Em retaliação, ela mordeu seu lábio pelos hematomas que apareceriam no dia seguinte. Ele riu e sugou o lábio dela.

— Desculpem interromper — disse Amy, com tom de falsidade.

Eles se afastaram um do outro, ofegantes.

— O que foi, Amy? — perguntou Drew sem tirar os olhos de Alexa. Ele olhava para ela como se quisesse colocá-la em seu ombro, levá-la até um armário escuro e comê-la até não poder mais. Talvez fosse o que ela queria que ele fizesse.

— Molly e Josh já estão indo embora. Vocês estão sendo requisitados para tirar fotos.

Ele finalmente olhou na direção de Amy. Alexa tentou sair do caminho, mas ele pegou a mão dela e não a deixou ir.

— Ótimo, já vamos — respondeu ele.

Amy ficou ali, olhando para Drew e Alexa por um momento, depois suspirou e saiu batendo o pé.

Drew voltou a olhar para ela.

— Que tal, em vez de tirar mais fotos, nós subirmos agora mesmo? Isso ia acontecer mesmo?

Ela apertou a mão dele e soltou.

— Vá tirar as fotos. A paciência é uma virtude — disse ela. — Fique bem parado. — Ela esfregou o polegar nos lábios e na bochecha. — Você não pode aparecer nas fotos do casamento com meu batom na cara toda. Muito bem, agora você está pronto.

7

Ele pegou o paletó da cadeira onde o havia abandonado e foi com ela, de mãos dadas, até os convidados. Drew tentou ficar com Alexa, mas ela o empurrou na direção dos outros padrinhos e sumiu.

Ele se esforçou para posar para a última sessão de fotos, parecer animado e surpreso em ver Josh e Molly acenando para a multidão, mas seus olhos insistiam em desviar para onde Alexa estava. O cabelo dela estava desgrenhado, o batom saíra quase todo, e ela estava tão incrível que ele queria colocá-la contra a parede e arrancar o vestido dela.

Amy chegou por trás dele.

— Pelos próximos minutos, dá para você fingir que já se importou com minha irmã e tirar algumas fotos sem ficar encarando aquela fulaninha?

Ele suspirou. Por mais que detestasse concordar com ela, Amy tinha razão.

— Está bem, está bem — respondeu ele, respirando fundo e virando-se para o fotógrafo. Sem olhar para Amy, ele disse: — Você sabe que eu me importava com sua irmã.

Ela soltou uma risada sarcástica.

— Você demonstrou isso de uma forma interessante — afirmou ela, ficando mais perto dele e acenando para Josh e Molly, que saíam do salão.

Drew começou a ir embora, mas o fotógrafo virou na direção deles e mandou que fizessem "algo espontâneo". Amy colocou a mão na cintura dele e deu um beijo na bochecha. Ele sorriu para a câmera e torceu para que não parecesse que ele estava trincando os dentes. Ele levou um susto quando sentiu a mão de Amy em sua bunda.

— Coloquei a chave do meu quarto no seu bolso — ela cochichou em seu ouvido. — Caso você queira fugir daquela sua namorada e comparar irmãs mais tarde. Prometo que ganho da Molly. Sempre fui a irmã selvagem.

Isso era novidade. Ele e Alexa brincaram sobre Amy querer matá-lo ou levá-lo para a cama, mas ele não tinha acreditado. Pelo jeito, ela queria fazer os dois.

Agora ele estava ainda mais contente por Alexa estar lá, porque se conhecia e sabia que, se não tivesse a conhecido no elevador, a essa altura do casamento, estaria simplesmente bêbado e impulsivo o bastante para tomar outra péssima decisão.

Ele se afastou de Amy; a mão dela caiu.

— Não, obrigado, Amy. Uma ótima noite para você — agradeceu ele, afastando-se dela e do resto dos convidados, e virou-se para procurar Alexa.

Ela estava sentada em um dos sofás no canto com Lauren e Dan... e Bill. Aquele sorrisão falso estava de volta e suas pernas estavam bem cruzadas.

— Você está no meu lugar — disse Drew para Bill, enxotando-o com as mãos. Como Bill não se levantou, ele quis dar um soco na cara dele, mas a presença de Dan chamou sua atenção. Em vez disso, ele estendeu a mão para Alexa. E ela a pegou e se levantou.

— Acho que é hora de encerrarmos a noite, não acha? — perguntou Drew.

Ele a puxou para perto, talvez mais do que o necessário. Dan e Lauren também se levantaram e os quatro saíram do salão sem dirigir uma palavra a Bill.

— Ele te incomodou? — perguntou Drew, quando estavam longe o suficiente.

Ela fez que não.

— Talvez estivesse prestes a fazê-lo, mas eu tinha uma bebida na mão e não estava com medo de usá-la.

Eles estavam falando baixo, mas Lauren se virou ao ouvir.

— Aquele cara é um BABACA.

Dan esperou elas conversarem, depois cochichou para Drew:

— Você contou o que ele disse?

Mas o "cochicho" saiu mais como um berro. Dan nunca foi um bêbado silencioso.

— Não, mas ela descobriu — respondeu Alexa.

— Ele tentou conversar comigo em japonês! — falou Lauren. — Eu sou coreana, qual é.

Enquanto aguardavam o elevador, Drew ficou atrás de Alexa e a envolveu em seus braços. Ela se recostou nele e colocou a mão sobre a dele. Toda vez que ela o tocava parecia uma mensagem secreta lembrando-o de seu beijo e do que estava por vir.

Quando o elevador por fim chegou, eles ficaram contra a parede, os braços dele ainda em volta dela. O cabelo dela roçou no queixo dele quando ele se abaixou para cochichar em seu ouvido.

— Acho que este é o nosso elevador.

Ele a beijou com delicadeza quando ela virou a cabeça em sua direção.

— Também acho que é — disse ela, sorrindo. — Nada contra o Dan e a Lauren, mas espero que não fiquemos presos de novo.

Quando chegaram no andar de Drew, Lauren e Alexa se abraçaram.

— Não sei o que teria feito sem você — disse Alexa a Lauren. — Principalmente, quando jogaram o buquê.

As mulheres trocaram acenos enquanto ele e Alexa saíam do elevador. Drew ainda conseguia ouvir a risada de Dan ecoando no elevador quando entraram no quarto.

— Gostei muito da Lauren — disse Alexa ao fecharem a porta.

Ele não deu outra chance para ela continuar falando, pois sua boca desceu ao encontro da dela. Ele a empurrou contra a porta e a imobilizou entre seus braços. As mãos dela se enroscaram no cabelo dele e o puxaram para mais perto. Ela arrancou o paletó dele, puxou a camisa para fora da calça e deslizou as mãos pelo peito.

Ele passou para o pescoço dela, lambendo e chupando até ela envolver sua cintura com a perna e puxá-lo para tocar o seu corpo. Só beijar essa mulher era a melhor coisa que ele tinha feito no mês.

Ele tirou uma das alças do vestido e se abaixou para beijar a curva do seio.

— Passei a noite querendo fazer isso — disse ele.

— Passei a noite querendo que você fizesse isso.

A cabeça dela estava encostada na porta; os olhos, fechados. Ela acariciou o cabelo dele, arranhando o couro cabeludo com as unhas de um jeito que o fez arrepiar. Ele tirou a outra alça até o vestido ficar pendurado pela cintura.

— Minha mãe do céu! — exclamou ele, fitando a renda vermelha do sutiã e o que estava por baixo.

— Ótima reação — disse ela.

As mãos dela foram até a cintura dele, e os dedos se moveram por sua pele. Enquanto ele olhava, imóvel, ela começou a desabotoar a sua camisa. Depois de abrir dois botões, ele grunhiu e tirou-a de vez pela cabeça.

Ela foi abraçá-lo novamente, mas ele imobilizou seus braços contra a parede, segurando os dois punhos com uma mão.

— Me fale — disse ele. — Fale o que você quer.

Ela hesitou; seus olhos estavam entreabertos e confusos.

— É isso que você quer, Alexa? — perguntou ele, passando a mão livre no tronco dela.

— Você sabe que quero — respondeu ela, com os olhos fechados.

Ela empurrou o próprio peito contra o dele, mas Drew continuou tocando com suavidade. Ele sentiu a frustração dela – e adorou.

— Então, me diga o que quer que eu faça.

Por fim, ela abriu bem os olhos e sorriu para ele.

— Me beije.

Ela não especificou onde queria que ele beijasse.

— Ai, Drew.

Mas ela não parecia se importar com o lugar que ele escolheu.

— Precisamos levar você para a cama — disse ele, carregando-a pela cintura, dando três passos no quarto e atirando-a na cama.

Ela riu ao aterrissar em uma pilha de travesseiros. Ele também se jogou e caiu ao seu lado e depois rolou por cima dela enquanto riam juntos. Ele fez cócegas e ela deu risadas, fazendo cócegas nele também.

— Temos que tirar esse vestido — disse ele, puxando a barra.

— Primeiro, essa calça.

Ela puxou o cós. Ele se sentou e assistiu a ela abrir o botão e o zíper. Vê-la com o vestido pela metade, lábios inchados e mordidos, as mãos nele, o fez sorrir pela sorte que tinha.

Ela sorriu para ele, pegou-o pelo cabelo, puxou-o até ela e o beijou. Ele se deliciou com a sensação do corpo dela sob o dele, a maciez dela contra a rigidez dele, as mãos em seu cabelo e acariciando suas costas. Depois de um bom tempo, ele recuou e olhou para o corpo seminu dela.

— Preciso mesmo tirar esse vestido de você — concluiu ele.

Ela tirou o vestido pelos quadris e o jogou no chão. Ele viu de relance uma calcinha vermelha quando ela deitou sobre os travesseiros.

♥ ♥ ♥

Drew a fez rolar para baixo dele e passou as mãos para os seios. Alexa deixou os olhos se fecharem, curtindo a sensação dos dedos dele acariciando a parte de baixo dos seios e depois subindo. Mas aí as mãos pararam de se mexer. Ela abriu os olhos e ele estava olhando para ela com um sorrisinho no rosto.

— Me fale — disse ele, outra vez.

Ela se aconchegou embaixo dele, querendo que ele voltasse a se mexer, mas não funcionou. Ele parecia gostar de frustrá-la. Felizmente, ele era muito sexy fazendo isso.

— Alexa — disse, passando as mãos pelo cabelo dela, descendo até o rosto uma, duas vezes. — Me fale. Você sabe que eu quero ouvir você dizer.

Ela respirou fundo e lembrou a si mesma que era só por uma noite, que ela não precisava ficar envergonhada. Ela pegou as mãos dele e colocou onde queria.

— Me beije? — repetiu ela. Tinha funcionado tão bem na primeira vez.

Ele sorriu e inclinou-se até ela.

— Já é um começo — disse ele.

Uau. Dar uns amassos com ele na cama era ainda melhor do que na porta. Agora ele sabia do que ela gostava, os gestos que a faziam gemer, arfar e enterrar os dedos nos seus ombros.

Ele se sentou e sorriu para ela, com os olhos na calcinha vermelha. Ela agradeceu Maddie mentalmente por mandar ela usar um conjunto de sutiã e calcinha. Em seguida, todos os pensamentos em Maddie e qualquer outra pessoa sumiram. Ele se movia com agilidade pelo seu corpo, tirando a calcinha e jogando-a para o outro lado do quarto. E aí ele passou a fazer coisas com os dedos e a boca que quase a fizeram desmaiar.

Depois que ela caiu sobre os travesseiros, ele se levantou com um sorriso convencido no rosto. Ela não achou ruim. Ele tinha todo direito de ficar orgulhoso depois daquilo. Ele saiu beijando o corpo dela, a barriga, os seios, a nuca, até que deixou um leve beijo na boca dela e rolou para o seu lado.

Ela se virou para ele, moveu a mão para o lado e sentiu o peito rígido e a fileira de pelos que desaparecia na cintura. Puta merda, esse cara era demais.

— Aquilo foi... — disse ela, tentando pensar em algo para descrever como tinha sido, mas não conseguiu. — Aquilo me deixou tonta.

— Estou vendo — respondeu ele, avançando para beijá-la, com mais força desta vez. — Eu gostei.

Ela deu um puxão no elástico da cueca.

— Temos que tirar isso aqui — falou ela. — E colocar outra coisa.

— Nem vou discutir — respondeu ele, saindo da cama, tirando a cueca e enfiando a mão na mala. Segundos depois, tirou uma caixa de camisinhas. — Era disso que você estava falando? — perguntou.

Ele voltou para a cama antes que ela pudesse admirar seu corpo nu. Ele não saiu do lado dela e ficou olhando.

— Era.

Parecia que ele já estava esperando. Logo, ela estava deitada.

Ela riu dele, e ele sorriu para ela, apagando logo em seguida esse sorriso.

— Isso não é engraçado. Temos um trabalho sério pela frente.

Alexa tentou parar de sorrir, mas os lábios se curvavam apesar do esforço.

— Bem, não dá para dizer que Alexa Monroe não acredita no valor do trabalho.

— Hummm — disse ele, passando as mãos nos quadris dela e afastando os joelhos. — Eu jamais diria isso.

Minutos... ou horas... mais tarde, ele caiu por cima dela.

— Minha nossa — disse ele. — Por que não começamos a fazer isso trinta segundos depois que aquele elevador parou?

— Pelo jeito, somos muito idiotas — disse ela em seu ouvido.

— Muito, muito idiotas.

Eles ficaram assim por alguns segundos, ambos ofegantes. Depois, ele pegou a camisinha e a tirou, deitou-se e a puxou para junto dele. A cabeça dela ficou sobre seu peito, as pernas esparramadas uma para cada lado. Ela podia ficar feliz, só assim, pelas próximas semanas, talvez meses.

O que esse cara tinha? Vira e mexe, quando ela transava com um homem pela primeira vez – muitas vezes pela segunda e terceira e quarta vezes –, ficava preocupada se ele ia gostar do corpo dela, ou se realmente a achava bonita, ou se gostava mesmo dos seios, ou se preferia que fossem menores ou mais durinhos, ou outra apreensão persistente que a impedia de relaxar ou aproveitar de verdade.

Ela sempre se curtia, mas ainda era insegura, nunca queria fazer certas posições por causa de como a barriga ou a bunda ficariam ou do que o cara iria ver. E ela, com certeza, nunca foi capaz de dizer o que queria em voz alta, nunca no começo, às vezes, nunca de jeito nenhum.

Mas com Drew, ela conseguiu se entregar à experiência inteira, desde o primeiro beijo. Chegou a tirar a roupa sem se preocupar com o que ele pensaria ou como ele reagiria ao seu corpo.

Caramba, será que os encontros casuais eram assim? Talvez fosse porque ela nunca mais voltaria a ver esse cara depois de sair do hotel pela manhã. Pelo amor de Deus, eles mal se conheciam, encontraram-se dois dias antes, ele morava em Los Angeles. Ela podia ser sincera, podia se curtir, sem consequências, sem arrependimentos. Devia ser isso.

Independentemente do motivo, havia sido bom demais.

— Foi... — disse ele, acariciando suas costas e beijando o ombro, em vez de completar a frase.

— Hummm-hmmm.

— Está com sono? — perguntou ele, beijando sua bochecha.

— Mal consigo me mexer — disse ela, deitada em seu peito. — Minhas pernas parecem gelatina.

Ele deu risada, e ela sentiu o peito dele vibrar sob seu rosto.

— Espere um pouquinho — pediu ele, virando-se e saindo da cama. Depois de ir ao banheiro, ele voltou a se deitar ao lado dela, os cobriu e a puxou para perto. — Boa noite, Alexa — disse ele, envolvendo-a em seus braços.

Ela acariciou os braços dele e relaxou em seu corpo.

— Boa noite, Drew.

8

Alexa acordou algumas horas depois, deitada sobre o peito dele, envolvida por seus braços. Parecia que estava em um casulo masculino quentinho e aconchegante. Ela nunca tinha percebido que era seu lugar preferido até aquele momento. Só havia um problema: ela precisava fazer xixi.

Alexa, pare de pensar nisso. Fique deitada, aproveite o aconchego desse deus grego, que vai fazer você cair no sono de novo.

Ela ficou ouvindo a respiração ritmada, sentiu seu peito se mexendo junto às suas costas e as cócegas que os pelos das pernas dele faziam na dela – e sorriu. Ela conseguiria aguentar.

Mas a bexiga discordava. A pressão aumentava, lembrando todo o champanhe que tinha bebido e todas as garrafas de água que havia tomado no final da noite. Gente, ela realmente precisava ir ao banheiro.

Não, Alexa, fique aí. Volte a dormir. Não pense em nada líquido, você consegue. Curta esse momento perfeito.

Ela respirou fundo, deu uma boa apertada lá embaixo e tentou relaxar, concentrando-se naquela voz dentro de sua cabeça que dava palavras de incentivo.

Preciso fazer xixi, preciso fazer xixi, preciso fazer xixi!

Quando até seu monólogo interior havia abandonado a causa, ela cedeu. Saiu devagar dos braços dele tentando não acordá-lo, levantou o lençol e foi para o banheiro na ponta dos pés.

Eles não haviam fechado as cortinas – pelo jeito, estavam ocupados demais –, por isso, havia luz entrando no quarto, do horizonte já iluminado pelo sol. Essa luz já lhe bastava para ir do banheiro à cama sem tropeçar em sapatos e roupas espalhados pelo chão.

Ela entrou na cama quente, tentando descobrir como poderia voltar àquele casulo perfeito de antes. Ele ainda estava deitado de lado, mas agora os braços estavam dobrados; será que ela poderia se encaixar no peito dele e colocar os braços em volta dela?

Bem, ela poderia, mas não sem acordá-lo, concluiu depois de alguns segundos. Ela deitou a cabeça no travesseiro e admirou seu peito nu, torcendo para ele rolar até ela enquanto dormia, e ela iria terminar a noite envolta em seus braços e pernas novamente.

— Você vai voltar aqui ou vai me deixar com frio e sozinho pelo resto da noite? — perguntou ele, com os olhos ainda fechados.

— Achei que estivesse dormindo — disse ela, aconchegando-se. Ele a envolveu em seus braços. — Eu não quis acordar você.

Ele foi dar um beijo nela, e seus lábios se tocaram. Ela gostava mesmo de beijar esse cara.

— Mesmo que tivesse me acordado, não teria me importado.

Ela se derreteu toda. Com as palavras, o sorriso, o toque. Ela acariciou a barba rala na bochecha e puxou a cabeça dele até ela.

Eles voltaram a se beijar, por mais tempo, mais devagar. Já não havia mais a urgência de antes. Eles se beijaram como se tivessem dias, semanas, anos para fazer nada além de ficarem deitados na cama explorando um ao outro.

Os dedos dele foram das costas até a nuca dela, depois para os cabelos. Seus lábios tocaram as bochechas, as pálpebras, a ponta do nariz, o que arrancou uma pequena gargalhada dela. Não contente em apenas receber, ela passou as mãos no peito dele, brincando com os mamilos, pressionando os músculos, apertando os quadris.

Quando os dedos dela pararam ali, ele disse:

— Você não vai continuar?

Nesse momento, nesse quarto, nessa noite? Ela faria o que ele quisesse. Ela prosseguiu até onde ele queria que ela fosse.

— Eu gosto *muito* do jeito como você faz isso — disse ele, ao recuperar o fôlego.

Ela engatinhou e caiu em cima dele. Depois de alguns minutos, ela começou a rolar para o lado. Ele impediu.

— Aonde você acha que vai? — perguntou ele, com as mãos em ambos os lados de sua cintura, segurando-a.

— Ah — respondeu ela, pensando em uma boa maneira de dizê-lo, mas desistiu. — Achei que poderia ser muito peso, por isso, ia...

As mãos dele a seguraram com mais força.

— Não, você é perfeita. Não vai a lugar algum — disse ele, puxando-a para perto, mas soltando-a quase imediatamente. — A não ser que você queira se mexer. Porque se for o caso, não quero que...

— Não — respondeu ela, pendendo a cabeça para trás para ver o rosto dele —, estou feliz aqui.

Ele a envolveu em seus braços outra vez, e ela descansou a cabeça no peito dele.

— Ótimo — disse ele. — Eu também estou.

♥ ♥ ♥

Drew acordou no dia seguinte com o corpo de Alexa colado ao seu, a perna envolvendo o quadril dela, as mãos dela em sua bunda. Que jeito fantástico de acordar. Ele pensou em deixá-la dormindo – pensou mesmo –, mas aí lembrou que iria embora dentro de algumas horas. Ele precisava curtir essa mulher enquanto podia.

Ele passou os dedos por todo o corpo dela. Nossa, a pele era tão macia. Tirou o cobertor e olhou para os seios que o faziam salivar. Pelo que lembrava da noite passada, e ele achava que lembrava, ela gostou muito quando ele brincou com os seios.

Assim que ele apertou, ela abriu os olhos e sorriu.

— Hmmm, que jeito gostoso de acordar — falou ela.

— Achei que você iria concordar mesmo.

Depois da terceira rodada (ou era a segunda e meia), eles ficaram de conchinha na cama, ofegantes.

— Que horas são? — perguntou ela, com o rosto no travesseiro.

Ele se levantou de leve e olhou para o relógio da cabeceira.

— Nove e pouco.

Ela se aconchegou nele.

— Ei, Drew.

Ele sorriu.

— Conheço você há apenas dois dias, então, como é que já sei que sua voz está com um tom de "quero uma coisa"? Já não fiz o suficiente esta manhã? — perguntou ele, falando próximo à cabeça dela.

Ele sentiu o sorriso dela em seu peito.

— Hmmm, certamente fez muito, mas sabe o que mais poderia fazer?

Ele colocou a mão sobre a dela, prendendo no ponto onde ele gostava de senti-la.

— Continue o que está fazendo e farei o que você quiser.

Ela deu uma risada e um beijo no ombro dele.

— Isso significa que você vai ligar para o serviço de quarto e pedir café para mim?

Ele a virou para que ficasse de barriga para cima e a pressionou contra a cama; ela sorria para ele. O cabelo dela estava bagunçado, a maquiagem em volta dos olhos estava borrada e ele queria mantê-la na cama o dia inteiro.

— Café? — perguntou ele, com um falso tom de incredulidade. — Você fez o tom "preciso de um favor" por causa de café? Você se contenta com pouco ou adora café?

Ainda por cima dela, ele pegou o telefone na cabeceira e ligou para o serviço de quarto.

— A essa altura do campeonato, acho que você sabe que me contento com pouco — disse ela, deslizando os dedos pelo corpo dele.

Ele brincou com o mamilo dela novamente enquanto fazia um pedido enorme para o serviço de quarto. Ela suspirou e se mexeu por baixo dele enquanto ele estava ao telefone. Se não tivessem acabado de transar, ele já estaria pegando outra camisinha só de vê-la fazendo isso. Ao desligar e puxá-la para seus braços, ele não estava pronto para a quarta rodada, mas estava bem contente em pensar que logo chegaria lá.

— Espere um pouco — pediu ele, saindo da cama e indo ao banheiro.

Ao voltar para o quarto, ele procurou a carteira para dar a gorjeta para a entrega do serviço do quarto. Ele a encontrou no bolso de trás da calça, junto com uma chave de quarto.

— Meu Deus do céu, esqueci de te contar: a Amy me deu a chave do quarto dela ontem à noite.

— Quê? — pergunto ela, sentando-se.

Ele sentou-se na cama ao lado dela.

— Que coisa, né? Ela falou uma merda qualquer sobre você e depois outra sobre Molly e botou a chave no meu bolso.

— Uau — exclamou ela, apagando o sorriso do rosto pela primeira vez em várias horas.

Ele não sabia por quê, mas queria fazê-la rir outra vez.

— Por isso, acho que você estava certa, sobre querer me matar ou me levar para a cama... mas eu ainda não tenho certeza qual.

Deu certo, por um segundo, mas depois que a risada passou, aquela expressão pensativa voltou.

— Então, na noite passada, teve uma hora que eu estava no banheiro — disse ela, fazendo uma pausa.

— E aí? — perguntou ele. Será que ela ia contar sobre pessoas que transaram no banheiro? Aquilo iria começar a quarta rodada com um estouro.

— Ninguém sabia que eu estava lá...

Uau, isso está ficando ainda melhor.

— E ouvi a Amy contar a alguém sobre quando você terminou com a Molly. Minha memória está falhando ou você tinha dado a entender que tinha sido o contrário?

Que merda. A mão dele despencou. Depois de ele ficar um tempo sem dizer nada, Alexa puxou o lençol até o pescoço. Aquilo não era um bom sinal para a quarta rodada.

— Então, isso significa que minha memória não está falhando.

Ele se sentou direito e suspirou. Por que era demais pedir para ele passar o fim de semana sem precisar conversar sobre isso?

— Sim, terminei com a Molly. Sim, eu dei a entender que tinha sido o contrário. Não sei por quê.

Ela ficou sentada por um momento olhando para ele, abraçando os joelhos. Ele já podia desistir da quarta rodada. Ah, azar.

— Está bem, eu sei por quê: porque fui um canalha com a Molly, e não gosto de contar para as pessoas, principalmente para mulheres bonitas com quem estou preso no elevador, que fui um canalha com uma boa pessoa.

Ela relaxou as mãos e tocou o braço dele, só por um momento.

— Tudo bem — disse ela. — Obrigada por ter sido sincero e não me enrolar.

Ele deu de ombros, olhando para os próprios joelhos em vez de olhar para ela. Agora tinha que contar a história inteira.

— Molly e eu namoramos por um ano e meio. Ela era muito legal, como você já deve ter notado — começou ele, vendo-a assentir pelo canto do olho. — Eu gostava muito dela. Talvez até a amasse. Não sei se estava apaixonado, mas acho que a amava. Se é que isso faz sentido.

Ela voltou a colocar a mão no braço dele, onde permaneceu.

— Pouco antes do aniversário dela, ouvi ela conversando no telefone com uma das amigas. Ela achou que eu fosse pedi-la em casamento e estava superempolgada.

Ele ainda estava olhando para os joelhos. Havia uma cicatriz no direito de uma queda que aconteceu enquanto corria uns meses atrás. Ele preferia estar contando essa história.

Ele respirou fundo:

— Basicamente, entrei em pânico. Não estava pronto. Com certeza, não estava planejando pedi-la em casamento e não queria lidar com a decepção dela depois de não pedir. Por isso, é claro, como um canalha, no dia seguinte, falei para ela que achava que não estava dando certo entre nós e terminei o namoro. Pouco antes do aniversário dela. E depois saí com mais três pessoas da faculdade de Medicina, uma depois da outra. Canalhice da minha parte.

Do braço, a mão dela foi para a mão dele. Ele a pegou e segurou.

Molly o odiou depois daquilo. Aliás, ele se odiava. Ela acabou perdoando-o, porque era a Molly e (ele já desconfiava) porque Josh foi dar um apoio no lugar dele. Por esse motivo, ele tinha ido ao casamento.

— E o lance com o Josh? — perguntou Alexa.

— Eles não começaram a namorar em seguida. Na verdade, só começaram a namorar mais de um ano depois. Mas me senti traído quando começaram, mesmo sem o direito de me sentir assim. E mesmo Josh tendo me perguntado se não tinha problema. Talvez achasse que... quando eu estivesse pronto para me casar, Molly estaria me esperando.

Ele suspirou e soltou a mão dela.

— De qualquer forma, namoramos, fui um canalha, acabei me desculpando por ter sido um canalha, Josh é muito legal, ontem à noite ela se casou com ele. Pronto, essa é mais ou menos a história completa.

Ela ajustou o lençol em volta do corpo e se virou para ele.

— Então... esse casamento foi como uma penitência? — perguntou ela.

Ele se recostou em um dos travesseiros que haviam tirado do seu caminho durante a noite e finalmente olhou para ela.

— Acho que sim — respondeu. — Talvez por isso eu estivesse com tanto medo. E por isso eu precisasse tanto de um sanduíche.

Ele tinha esperança de que ela risse disso, mas não foi o caso. Ela nem olhou para ele.

— Ei — disse ele, tocando o braço dela —, me desculpe. Eu devia ter sido sincero antes de você vir ontem à noite e não porque acabou descobrindo de outra forma.

Ela olhou nos olhos dele e concordou com a cabeça.

— Tá. — Foi só o que ela disse.

— Está brava?

Ele não queria forçar a barra e certamente não queria continuar conversando sobre isso, mas não queria que ela ficasse brava. Tinham apenas mais alguns momentos juntos.

— Não estou brava — respondeu ela. Ela olhou para ele por um instante e sorriu com mais vontade. — Eu descobri ontem à noite, sabe. Se estivesse brava, não estaria aqui agora.

Ele não deveria perguntar, não mesmo. Ela iria achar que foi por isso que se desculpou, e não foi. Mas não aguentou:

— Isso significa que há possibilidade de uma quarta rodada? — perguntou ele, tentando alcançar o lençol que ela estava usando para se cobrir.

Ela olhou para a mão dele no lençol e depois para os seus olhos.

— Você quer dizer terceira e meia.

Ele puxou o lençol que cobria o tronco dela e passou o polegar nos seios. Os olhos dela seguiram o polegar, que acariciava seu corpo.

— Acho que temos trabalho a fazer — disse ele.

Ele a empurrou de volta para a cama, e ela riu. Enquanto se beijavam, os dedos dele brincavam com os mamilos dela de um jeito que agora ele sabia que ela gostava. Quando passou os lábios nos seios dela, ela enterrou as unhas nas costas dele. Alexa sabia que ele gostava disso? Ele esperava que sim. Drew iria contar para ela em um instante. Ele colocou a boca em um dos mamilos e...

— Serviço de quarto! — gritaram do lado de fora.

Ela resmungou e tapou o rosto com o braço.

— Ei — disse ele, ao se levantar —, foi você quem insistiu no café.

Ela suspirou dramaticamente, e ele riu.

— Não precisa me lembrar — falou ela, saindo da cama também. — Vou ao banheiro. O cara do serviço de quarto não precisa me ver pelada, mesmo através de um lençol.

Quando ela já estava no banheiro, ele abriu a porta e deu uma boa gorjeta para o camareiro. Enquanto ele arrumava a bandeja na cama, Drew foi conferir o horário do seu voo: meio-dia, o que significava que ele tinha que ir para o aeroporto em trinta minutos.

Droga, era pouco tempo. Mas havia um monte de voos de São Francisco para Los Angeles todos os dias...

— O caminho está livre? — gritou ela de dentro do banheiro depois de ouvir a porta ser fechada.

Ele riu.

— Pode sair agora.

Quando fora a última vez que ele havia dado tanta risada? Estava rindo com ela desde aquele primeiro momento no elevador.

Ela saiu do banheiro, desta vez enrolada em uma toalha e respirando fundo.

— Ahhhh, café.

Ela voltou para a cama e serviu uma xícara com o bule que estava na bandeja.

— Volto já — disse ele, indo para o banheiro, com o celular ainda na mão. Com alguns toques, ele mudou o voo para às oito da noite. Agora, ele poderia relaxar.

Ele saiu do banheiro – não enrolado em uma toalha – e ficou contente ao ver os olhos dela o acompanharem enquanto seguia até a cama.

— Achei que você ia começar a fazer flexões a qualquer momento — disse ela, enquanto ele subia na cama ao seu lado e ia pegar uma xícara de café. Ele recolheu a mão, mirou nos olhos dela e, devagar, fechou o punho. Ela deu risada, mas se inclinou para beijar seu bíceps.

— Servi café para você — disse ela, tomando um gole de sua xícara. — Mas não sabia se você queria açúcar.

Ele colocou meia jarrinha de creme no café e mais uns pacotinhos de açúcar. Ela olhou para o líquido marrom-claro da xícara dele e depois para o preto puro da sua e riu.

— Eu ia fazer a piada "meu café tem que ser igual aos homens de que gosto", mas não estaria de acordo com a realidade ou seria simplesmente uma piada suja.

Ele colocou o braço ao lado da xícara dela e fingiu estar ofendido.

— Quer dizer que não sou negro o suficiente para você?

Ela colocou o braço ao lado da xícara dele.

— Querido, parece que eu sou negra demais para você.

O café dele era mais claro que a cor da pele dela; ela tinha razão. Ops, parecia não ser a observação certa a fazer.

— Eu não quis... eu não estava tentando... — disse ele, olhando para a própria xícara, para ela, coberta com o lençol outra vez, e voltando a olhar para a própria xícara. Tudo o que ele pensava soava como uma péssima ideia. — Hã.

Ela virou o rosto dele para sua direção, forçando-o a olhar em seus olhos.

— Pare, está tudo bem. Eu só estava brincando.

Ele viu o sorriso em seu rosto e relaxou.

— Agora — disse ela, tirando as tampas dos pratos —, vamos comer bacon para ficarmos fortes para a rodada três e meio.

Depois, eles voltaram a deitar de conchinha na cama, a cabeça dele no peito dela, os dedos dela perambulando pelo cabelo dele.

— Drew — ela finalmente falou —, quando é que precisamos sair daqui? Que horas é seu voo?

— Só às oito da noite — respondeu ele, torcendo para que ela não perguntasse por que estava indo tão tarde. Se perguntasse, poderia inventar uma desculpa. — Mas preciso fazer o *check out* em — ele olhou para o relógio ao lado da cama — vinte minutos. Então... se você não estiver ocupada pelo resto do dia, poderíamos ficar juntos. Teremos que sair daqui, mas podemos ir a outro lugar. Comer tacos, relaxar no parque, fazer uma caminhada, sei lá. — *Quem sabe ir à casa dela?* — Quero dizer, a menos que você tenha compromisso. Talvez você precise trabalhar ou outra coisa, por isso não tem problema se tiver.

Ele estava falando sem parar, mas não conseguia evitar. Por que não havia pensado, ao mudar o horário do voo, que talvez ela tivesse outro compromisso no dia? Agora, ele não só tinha que se despedir, mas teria que ficar vagando por São Francisco sozinho pelo resto do dia. Ele já estava ficando tão aborrecido que quase deixou passar a resposta dela.

— Claro, por que não? Vou tomar um banho.

♥ ♥ ♥

Alexa sorriu para seu reflexo no espelho do banheiro. Isso estava acontecendo mesmo? Ela não apenas tinha tido uma noite de sexo louco, selvagem e maravilhoso com um cara muito sexy, mas ele ainda queria passar o dia com ela? Ela iria abrir uma exceção e ignorar todo o trabalho que precisava fazer naquele dia.

Ainda bem que tinha se vestido no quarto dele no dia anterior, assim tinha as coisas para arrumar o cabelo e outra roupa para usar.

Ao colocarem as malas no carro que ele havia alugado, ela lembrou dos últimos dois dias, nos quais a Alexa de quinta à tarde jamais acreditaria. Nem a Alexa de domingo, às nove da manhã teria acreditado que ainda estaria com ele ao meio-dia. O sexo foi maravilhoso – mesmo – e ele deixou bem claro que pensava da mesma forma. Mas ela achou que ele iria querer sair do hotel assim que pudesse e deixar todas as lembranças do casamento para trás. Inclusive ela.

Ele tinha um voo à noite para Los Angeles e precisava ocupar seu tempo, e ela estava lá, disponível. Não era nada além disso. Talvez não devesse ter respondido com tanta rapidez quando perguntou se queria passar o dia com ele, mas ela não podia se enganar. Ela ainda não queria que o fim de semana acabasse. A essa altura do campeonato, se ele dissesse "Dá um pulo", ela perguntaria "Até que altura?".

Ela corria o risco de se odiar no dia seguinte, mas o domingo era todo dele.

— Você não acabou de comer uma tonelada de bacon? — perguntou ela enquanto ele dirigia até Mission. — Já está mesmo pronto para comer um burrito?

— Em primeiro lugar, já queimei as calorias daquele bacon, como você bem sabe — respondeu ele, sorrindo para ela, que sorriu de volta. — Em segundo lugar: ainda *não* estou pronto para comer um burrito, mas sei que logo estarei, por isso é melhor comprá-los logo e achar um bom lugar no Dolores Park. O tempo está ensolarado, vai encher logo.

Ela ficou observando seu perfil enquanto ele dirigia, meio triste por ele ter feito a barba. Sua pele macia trazia uma sensação boa contra o rosto dela, mas só de pensar na barba por fazer, na noite anterior, roçando nas bochechas, nos lábios e nas coxas, ela ficava excitada.

— Você morava aqui na região? — perguntou Alexa. Ele tinha falado algo sobre isso para um dos convidados do casamento. Ela tinha ficado assentindo e sorrindo como se já conhecesse sua vida inteira, mas agora podia fazer as perguntas de verdade.

— É, eu tive uma bolsa por dois anos no Hospital Infantil, em Oakland. Adorei. É um excelente hospital.

Ele deu uma olhada para a direita ao virar e deslizou a mão na perna dela. Ela torceu para que a deixasse ali por um tempo.

— Por que pediatria? — Pelo jeito, agora ela não conseguia parar de fazer perguntas.

Ele encolheu os ombros e riu.

— É brega dizer "porque gosto de crianças"? Mas... é porque gosto de crianças. Na verdade, desde que comecei a faculdade queria ser cirurgião, então, fiz estágio em cirurgia pediátrica, e foi muito divertido. Os médicos eram ótimos, as crianças me faziam rir, sempre havia brinquedos por perto...

Ela riu e tocou na mão dele para interrompê-lo.

— Você escolheu sua especialidade por causa dos brinquedos? Vai entender.

Ele virou a palma para cima e segurou a mão dela.

— Está vendo? Eu sabia que você iria tirar sarro da minha cara. Fale a verdade: se você tivesse que escolher entre dois trabalhos, um com um monte de brinquedos espalhados e o outro sem, qual você escolheria? — perguntou Drew. Ela pensou por um momento; ele apertou a mão dela. — *Viu?*

Ele ligou o pisca-pisca, aguardando as pessoas atrás dele que competiam pela vaga que ele havia encontrado.

— O que exatamente faz a chefe de gabinete do prefeito?

— Na verdade, tudo — respondeu Alexa. Eles saíram do carro e entraram na fila do lado de fora do La Taqueria. — Gerencia tudo todos os dias, supervisiona vários departamentos, fica de olho nos principais eventos da cidade e da região, faz gerenciamento de crise, políticas e assim por diante.

Quando chegou a sua vez, eles pediram *carnitas* para ele, *al pastor* para ela, e guacamole com salsa e nachos para os dois. Ele venceu a disputa pela conta.

— Como conseguiu esse emprego?

Eles ficaram em pé, no canto, enquanto aguardavam a comida, o braço dele em volta da cintura dela, o corpo dela aconchegado nele.

Não se acostume, Alexa, lembrou a si mesma. Ela quase se afastou dele, mas resolveu chutar o balde. Tinha mais seis horas com esse cara; era melhor aproveitar enquanto durasse.

— Trabalhei no escritório do procurador municipal por um semestre durante a faculdade de Direito e gostei muito. A gente faz um pouco de tudo, mas ainda sente que faz alguma coisa pelo bem público. Depois da faculdade, consegui um emprego lá. Alguns anos atrás, o prefeito anterior se aposentou, e meu chefe – na época, o procurador municipal – resolveu se candidatar. Quando ele venceu, me nomeou sua chefe de gabinete. Eu ainda sou meio nova para esse cargo. Talvez devesse ter nomeado alguém mais velho e mais experiente.

— Mas você queria mais o cargo.

Ela sorriu para ele.

— Eu realmente queria mais. Também trabalhei pra caramba por ele.

Eles colocaram os burritos e nachos na sacola dela e saíram da taqueria.

— Você quer ir ao parque a pé ou de carro? — perguntou Drew.

— A pé. Não podemos confiar que vamos conseguir outra vaga. Aqui não é Los Angeles, sabe? Não vai ter um valet esperando a gente.

Ele pegou a mão dela, e eles viraram a rua.

— Ooooh, acho que veremos se minhas pernas lentas de Los Angeles aguentarão andar por essas grandes ladeiras de São Francisco.

Ela riu. Eles conversaram durante todo o trajeto até o parque, sobre trabalho e o que mais gostavam nas profissões, as irritações do dia a dia, o que faziam para desestressar.

O parque estava cheio, mas eles encontraram um lugar em um canto ensolarado. Ele enfiou a mão na sacola dela e tirou uma toalha para sentarem em cima.

— De onde saiu isso? — perguntou Alexa, olhando para a sacola, a toalha e para ele novamente.

Ele se sentou e fez um gesto para que ela se sentasse ao seu lado. Ela ficou parada, olhando para ele, com o saco de burritos, imóvel.

— Um gênio colocou aí. — Drew tentou como resposta.

Ela fez uma cara de espanto.

— Foi um presente do hotel... um pedido de desculpas por ficar preso no elevador...

Ela apertou os lábios.

— Está bem, está bem, eu peguei, mas *deveria* ter sido um pedido de desculpas pelo elevador. Precisávamos de algo para sentar. O que você queria, que eu trouxesse os lençóis?

Alexa cedeu e se sentou ao lado dele. Ela lhe entregou o saco de burritos e abriu a lata de Coca-Cola mexicana.

— Que fique claro, só porque me sentei aqui não significa que tolero esse furto. Afinal de contas, sou uma funcionária pública.

Ele riu e pegou seu burrito. Eles comeram em silêncio e observaram as pessoas que passavam. Em São Francisco, Dolores Park em um dia ensolarado era como uma festa pública, todos saíam para aproveitar uma breve folga da neblina. Havia grupos de homens sem camisa bebendo cerveja, mulheres de vestido tomando sorvete na casquinha, nerds com camisetas e bonés de empresas da internet observando as mulheres de vestido, famílias multirraciais empurrando carrinhos a caminho da pracinha, adolescentes de skate, pessoas sozinhas com livros, vendedores de churros, cachorro-quente e café, senhores conversando em espanhol ou russo, o cheiro de maconha batendo em sua direção a cada cinco minutos.

Alexa embrulhou a segunda metade do burrito, tirou as sandálias e se deitou. Ela sentia a grama sob os pés e o sol no rosto. Minutos depois, sentiu Drew se deitar ao seu lado. Quase encostando nela.

— Preciso olhar meu e-mail — disse ela, sem se mexer.

O que ela queria mesmo era pegar a mão dele, mas agora que não estavam mais no quarto do hotel – nem na cama –, ela havia perdido um pouco da coragem.

Era uma coisa que os casais faziam e, apesar de tudo o que havia acontecido no fim de semana, os dois ainda não eram um casal. Ambos sabiam que estavam juntos agora só porque ele tinha que matar tempo antes do voo. E ela sabia que estava lá porque não queria que o fim de semana com ele acabasse.

Drew pegou a bolsa e a colocou do outro lado, fora do alcance dela.

— Não, nada de olhar e-mails. Você está comigo agora: nada de e-mails, celulares, ver as coisas com o chefe.

Ele colocou as mãos atrás da cabeça e abriu aquele sorrisinho malicioso – e, claro, sexy. Ela faria de tudo para fazê-lo continuar sorrindo para ela daquele jeito.

Mas... havia sentido o celular vibrar na bolsa algumas vezes enquanto andavam até o parque. Ela precisava mesmo olhar.

Contente por estarem atrás de uma árvore por causa do que estava prestes a fazer, ela observou em volta antes de rolar por cima dele para pegar a bolsa e o celular. Quando ela ia rolar de volta, as mãos dele envolveram sua cintura e a prenderam.

O rosto dele estava muito próximo do dela. Esse sorriso era mesmo para dela. Não era por aparência, fotos ou para convencê-la a ser sua parceira nem para dormir com ele. Era só para ela, Alexa, agora, nesse momento.

— Ah, acha que pode me distrair com seu corpo para pegar seu celular, né? — disse ele. Ela se mexeu, sem fazer esforço para se soltar, só vendo o que ele faria. As mãos dele a apertaram nos quadris. — Bem, você está certa quanto a isso. Você joga sujo, Monroe.

Ela sorriu e o empurrou para se afastar. Ele a soltou, mas manteve o braço em volta dela enquanto ela, deitada ao seu lado, olhava o celular, com a cabeça no peito dele.

Ela ignorou as mensagens de Maddie – de jeito nenhum iria responder com ele ali – e foi direto para os e-mails de Theo e do vice-procurador municipal. Ela respondeu Theo com um e-mail curto, mas parou para pensar um pouco sobre o outro e-mail. Por fim, sugeriu uma reunião na segunda à tarde: certas conversas eram mais fáceis pessoalmente que por mensagem.

Ao tirar os olhos do celular, viu que Drew estava olhando para ela, sem sorrir.

— Está tudo bem? Ou temos que ir? — perguntou ele.

Ela se afastou do braço dele e se sentou, e ele a soltou.

— Por que a pergunta?

Ele queria que ela fosse embora? Será que queria que ela dissesse: "Pois é, na verdade, meu chefe está com uma crise relacionada a um parque público. Preciso voltar correndo para Berkeley agora. Foi bom conhecer você!". Será que ele estava cansado de ficar com ela e seus quadris largos e essas conversas sobre trabalho e será que queria ir para Los Angeles, e esquecer esse fim de semana?

Ele também se sentou.

— Você estava fazendo uma cara feia para o celular. Achei que tivesse algo errado.

Ah, azar. Não custava nada arriscar mais um pouco esse fim de semana.

— Não, não tenho que ir — respondeu. Ela fez uma pausa e olhou para baixo. — A menos que... você queira.

— Não — disse ele, imediatamente. Ela olhou para ele, que agora estava com um sorriso tímido. — Não quero que nenhum de nós vá a lugar algum.

♥ ♥ ♥

Quando Alexa sorriu para ele, um alívio invadiu o corpo de Drew. Ela voltou a se deitar na toalha, e Drew se deitou ao lado, de frente para ela. Eles não falaram mais sobre assuntos importantes de trabalho, casamentos e ex-namoradas, mas passaram a inventar conversas para as pessoas à volta, deram sobras de nachos para um filhote de cachorro que se aproximou junto com o dono e tentaram não dar risada quando um skatista adolescente tentou saltar os degraus da igreja e caiu.

— Shhh — disse ele, quando ela não conseguia mais se segurar. — Você vai ferir o orgulho dele.

Ela deu risada, e ele riu com ela. De repente, eles estavam rindo tanto que não conseguiam respirar direito: rindo da diversão que era ver alguém cair, da alegria por ambos acharem tão engraçado, do prazer de estarem juntos sob o sol, curtindo tanto a companhia um do outro. Ele nem tinha percebido quando aconteceu, mas de alguma forma os braços dele a envolveram e a cabeça dela estava encostada em seu peito ao caírem na gargalhada.

Quando as risadas por fim se acalmaram, e depois pararam, ele olhou para ela. As bochechas estavam rosadas, por causa das risadas e do sol, o cabelo estava bagunçado e os olhos brilhavam. Sem pensar, ele se abaixou e a beijou.

Ele ainda não a havia beijado desde que saíram do quarto do hotel. Ele não sabia por quê – será que estava nervoso em fazê-lo em público? Teriam uma espécie de acordo tácito de que tudo aquilo tinha ficado dentro do quarto 1624 do Fairmont? Independentemente disso, o motivo obviamente era idiota, porque, assim que ele a beijou, ficou pensando por que havia passado todo esse tempo sem as mãos e os lábios nela.

Ficaram deitados no sol, beijando-se devagar. Ele a tocou como se fosse feita de porcelana, como se não pudesse pegar com muita força ou fazer movimentos bruscos. Queria envolvê-la com a perna, fazê-la deitar e rolar para cima dela, mas estavam ao ar livre, sob os olhares de centenas de pessoas, e ela era uma funcionária pública. Por isso, ele se ateve aos beijos longos e demorados, toques suaves no braço, na nuca, nas costas, e torcia para que ela estivesse tão frustrada quanto ele.

Depois de um tempo, Alexa acabou mudando de posição e descansando a cabeça em seu peito. Ele escreveu seu nome nas costas dela com o polegar.

— Que horas são? — perguntou ela.

— Cinco e pouco — respondeu Drew, depois de olhar no celular. Muito tarde. — Sabe — disse, percebendo uma coisa —, meu voo sai do aeroporto de Oakland, então, posso te deixar em casa em Berkeley no caminho. Quero dizer, se você quiser.

Ela levantou a cabeça.

— Tem certeza?

— Certeza de que o voo sai de Oakland ou que posso te levar em casa? Em todo caso, a resposta é sim.

Ela puxou a cabeça dele para si e o beijou outra vez.

— Ótima ideia — disse ela, voltando a deitar a cabeça no peito dele.

— Quer tomar um sorvete? — perguntou Alexa, alguns minutos depois, com a voz abafada e a mão sobre a pele do quadril dele, logo acima do cós da calça jeans.

— O que "sorvete" significa exatamente nesse caso? — perguntou ele, afastando-se para ver o rosto dela, para ver se a tinha feito sorrir (e tinha).

— Sorvete mesmo! — respondeu ela, beliscando-o, e ele riu. — Tem um lugar ótimo no pé do morro.

— Claro — respondeu. Ele iria onde ela quisesse. — Vamos tomar sorvete.

Ela fisgou o queixo dele com o dedo, puxou-o para si para dar outro beijo e se levantou. Depois de colocarem a toalha de volta na sacola e jogar fora os restos dos burritos, caminharam morro abaixo, de mãos dadas, para entrar na fila do sorvete.

— O que você recomenda? — perguntou Drew. A essa altura, o burrito já havia sido digerido há horas, e todos os sabores pareciam ótimos.

— Bem, meu preferido é o de *salted caramel*, mas também adoro o *coffee toffee*. E também gosto do *cookies and cream*.

Ela ficou tão empolgada falando do sorvete que ele se animou com o que estava por vir. Ela parecia ser assim com tudo o que gostava.

Ele ficou imaginando como ela falaria dele.

Ele se aproximou e torceu para que a proximidade tivesse o mesmo efeito nela que tinha nele. Ela estremeceu; Drew sorriu.

— Todos eles parecem ótimos — disse ele.

A fila andou, e eles também. Ele ficou atrás dela, massageando seu pescoço. Alexa suspirou e se recostou nele.

— Por que só agora você mostrou que sabe fazer isso? Podia ter feito antes.

— Não foi minha intenção esconder — disse ele, passando o polegar do meio da nuca para baixo, e ela soltou um gemido baixo. — Estivemos meio ocupados com outras coisas, né? — falou, beijando o ombro à mostra.

— Próximo da fila — gritou a moça do sorvete.

— Uma casquinha de *salted caramel*, por favor — disse Alexa.

— E você? — perguntou a moça de trás do balcão, enquanto servia o sorvete em uma casquinha.

— Hã... — Drew ficou olhando para o cardápio o tempo todo que estavam na fila, mas havia se distraído com a proximidade de Alexa e mal tinha prestado atenção. — *Cookies and cream*?

Eles voltaram devagar para o carro, provando o sorvete um do outro.

De carro, ele atravessou a ponte e seguiu as orientações dela até uma travessa da Alcatraz Avenue. A conversa foi parando à medida que se aproximavam da casa de Alexa. Ele viu as mãos dela unidas, com as unhas cravadas na pele.

— Bem aqui — disse ela, apontando para uma casinha amarela.

Ele estacionou em uma vaga em frente à casa e hesitou um pouco para desligar o carro e sair. Tirou a sacola do porta-malas e a acompanhou até a porta.

Ela abriu a porta; ele entrou junto. Caminharam por um longo corredor coberto por fotos até uma grande sala. Havia um sofá amarelo felpudo encostado na parede, coberto com almofadas coloridas. Estava rodeado por poltronas vermelhas e diante de uma grande TV instalada na parede. A mesa de centro estava repleta de revistas e esmaltes. Nas paredes, ficavam estantes apinhadas de livros. Era a cara dela: alegre, bonita, simpática. Ele queria se jogar naquele sofá e ficar abraçado nela.

— Onde coloco isso? — perguntou, apontando para a sacola.

— Ah — respondeu ela e fez uma pausa. Os olhos dela miraram a sacola, o rosto dele e depois voltaram para a sacola. — Acho que é melhor deixar no meu quarto.

A luz da tarde estava entrando no quarto e iluminava as paredes amarelo-claras, a grande cama bagunçada com uma colcha de listras verdes e brancas, um vaso com dentes-de-leão murchos na pequena estante. Ele largou a sacola no chão e se virou para Alexa. Ela estava novamente com aquele grande sorriso no rosto, o sorriso falso que mostrara para Amy e Bill.

— Eu me diverti muito este fim de semana — disse ela.

Mesmo sabendo que ela havia se divertido muito, ele não tinha certeza, aquele sorriso o deixava com dúvidas.

Dane-se.

Com um passo, ele acabou com a distância que os separava e a colocou contra a parede. Os braços dela envolveram seu pescoço, puxando-o para ainda mais perto.

— Sei que se divertiu — falou ele —, e você também sabe que me diverti.

Ele passou a mão pelo corpo dela e gostou quando ela respirou fundo ao chegar no ponto que ela gostava. Os lábios dela se abriram, e os olhos seguiram a mão dele. Ele puxou o vestido e o sutiã para baixo. Precisava tocá-la sem nada no meio. Os dedos dela apertaram seus ombros. Isso aí, ele sabia que ela tinha se divertido muito no fim de semana.

— Você não tem que ir para o aeroporto? — falou ela, com a voz rouca.

— Eu dirijo mais rápido.

A mão que não estava no seio roçou o joelho e deslizou pela coxa por baixo do vestido. Ele continuou subindo e parou, surpreso.

— Você passou o dia inteiro andando por aí sem calcinha? — perguntou. Sem esperar uma resposta, ele colocou um dedo dentro dela, e ela gritou. Ela encostou a cabeça na parede e fechou os olhos.

— Alexa, me diga — ele falou. Ela gemia de um jeito que ele adorava. — Você passou o dia inteiro assim sem me contar? Quando estávamos no parque, deitados, poderia ter feito isso facilmente?

Ela abriu os olhos e sorriu para ele.

— Eu não... — respondeu ela, arfando — ... coloquei uma calcinha extra na mala. Não sabia que ia passar a noite lá. O que poderia fazer?

Ele grunhiu.

— Se eu soubesse disso, teria levantado esse vestido bem antes de sairmos do parque. Você é diabólica.

Ela riu e arfou ao mesmo tempo.

— Um dia, vou me vingar por isso — falou ele. — Só não agora.

Ele se ajoelhou; ela passou os dedos nos cabelos dele. Ao mesmo tempo que suas unhas cravaram no couro cabeludo dele, o corpo inteiro relaxou.

— Minha vez — disse ele, tirando uma camisinha do bolso e prendendo os braços dela contra a parede. — Espere.

Ele estava tão excitado com o que havia acabado de acontecer, com a ideia de ela ter ficado sem calcinha o dia inteiro, com os sons que ela emitia, que deixou os bons modos de lado. Ele ouviu a parede ranger e as luminárias sacudindo, viu os seios dela balançarem, sentiu ela se contorcer e apertá-lo.

A perna dela deslizou pelo corpo dele, os braços envolveram a cintura, ficaram ali, em silêncio e tremendo por alguns minutos até a respiração normalizar. Nossa, o corpo dela tocando o dele era uma delícia.

Ele beijou sua bochecha, seus lábios e encostou sua testa na dela.

— Eu não tinha planejado isso, mas não vou fingir que estou arrependido.

Ela riu. Talvez ele tenha ficado viciado naquela risada. Havia sempre tanta alegria nela. No casamento, ele pôde ouvir sua risada do outro lado do salão por algumas vezes e, a cada vez, ele quis correr para ela e aproveitar. De fato, ele o fez algumas vezes.

— Também não me arrependo, mas... odeio ter que dizer isso... você não tem que ir para o aeroporto?

Relutante, ele se afastou dela e vestiu a calça. Tirou o celular do bolso para ver as horas.

— Merda. Sim, que droga.

Ela ajeitou o vestido, ele colocou o cinto, e foram até a porta da frente. Ela ia abrir a porta, mas ele não deixou.

— Drew, você tem que...

Ele a pegou.

— Eu sei, só tenho que fazer isso primeiro.

Ele deu um longo e demorado beijo nela. Ele a sentiu relaxar e quis esquecer de ir ao aeroporto. Ele quis pegá-la, subir naquela cama aconchegante e ter mais algumas rodadas; depois, mantê-la abraçada ao seu lado a noite inteira. Ele se afastou dela com um suspiro. Ela deu um beijo em sua bochecha.

— Que bom que fiquei presa naquele elevador com você — disse ela.

— Eu digo o mesmo.

9

Depois de um último e grande beijo nos lábios dela, ele correu para o carro e disparou para a estrada. Alexa se escorou na porta, quase sem conseguir acreditar no que tinha acontecido nas últimas quarenta e oito horas.

Ela voltou para o quarto aos tropeços e caiu na cama; as listras da colcha pareciam borradas. Trinta minutos depois, continuava no mesmo lugar. Ela se sentou e tentou ordenar os pensamentos.

Desde o início, ela soube que seria apenas um fim de semana e que nunca mais teria notícias dele. E foi um excelente fim de semana, fechado com uma transa muito sensual contra a parede – ela nunca mais veria a parede do quarto da mesma maneira. Por isso, tinha que ficar contente, e não sentimental. *Alexa, acorda.*

O telefone tocou, e ela foi pegá-lo, esperando que fosse outra mensagem de Maddie.

Consegui pegar o voo por um triz!

Ela conseguia sentir aquele sorriso maravilhoso voltar ao seu rosto. Ah, que se dane. Naquela noite, ela se permitiu ficar deslumbrada e saudosa com o fim de semana até voltar à realidade.

Ela respondeu antes que pensasse demais na resposta.

:) Que bom que conseguiu!

Ela tinha que ligar para Maddie e contar as novidades. Afinal de contas, a amiga era a responsável por forçá-la a ir a esse encontro de mentira. Ela tinha que agradecer por ter quebrado o período de abstinência de uma forma impressionante.

Mas não ainda. Agora, ela precisava abraçar esse fim de semana junto ao peito e segurar bem forte antes de compartilhar com outras pessoas.

Ela cuidou da casa, tirou o vestido que ele quase havia rasgado e vestiu legging e regata (e calcinha), tirou a louça da máquina, olhou o resto dos e-mails que haviam chegado nos últimos dois dias e fez uma lista de tarefas para a semana.

Porém, passou o tempo todo pensando em Drew, no jeito que ele ria toda vez que ela ria; no jeito que ele a tocava, como se as mãos dele fizessem parte da pele dela; no jeito que ele sorriu para ela no meio da noite como se estivesse muito feliz por tê-la ali com ele na cama; no jeito como ele comeu o burrito usando nachos como talheres e ela corou quando o provocou por causa disso.

Ela passou o tempo todo torcendo para receber outra mensagem dele depois que aterrissasse ou quando chegasse em casa, mas o celular ficou em silêncio. Ela pensou em mandar outra mensagem, mas o que iria dizer? Ela só conseguia pensar em "Foi ótimo transar com você este fim de semana, não consigo parar de pensar nisso", e dava muito na cara. Para se manter ocupada, mandou uma mensagem para Maddie.

Tá, você tinha razão. Acabei com a minha abstinência com o cara do elevador. Desculpa não ter falado com você antes, tava ocupada com ele o fim de semana todo ;) Vou dormir agora e desligar meu celular, mas dou detalhes assim que puder.

Ela torceu para que soasse bem animada para não demonstrar que passara as últimas duas horas triste por causa dele. Talvez, ao acordar no dia seguinte, ela realmente fosse se sentir assim.

É claro que não desligou o celular. Deixou-o ligado a noite toda, torcendo para ele mandar outra mensagem, o que significava que ela viu a resposta de Maddie repleta de exclamações, mas não havia chegado mais nada de Drew.

Ao sair da cama no dia seguinte, resmungou. Estava com o corpo tão dolorido que parecia ter ido à aula de ioga mais difícil do mundo depois de correr uma maratona de dez quilômetros antes de uma competição de halterofilismo. Não, foram apenas horas de sexo atlético em todo tipo de posição maluca.

Ela sorriu durante o banho quente; apesar das dores, se sentia bem melhor em relação à noite passada. Ela deu risada quando viu hematomas no formato de dedos nos seus ombros e quadris, além de marcas de chupadas nos seios. Quantos anos ela tinha? Vinte e dois? Só que nunca havia tido uma transa tão boa quando tinha vinte e dois anos. Ela assobiou enquanto pegava o roupão e ligava a cafeteira, e tomou três analgésicos junto com o primeiro gole de café.

Colocou um vestido de mangas compridas e gola canoa que cobria todas as marcas do sexo e foi para o trabalho. O chefe sempre chegava atrasado às segundas de manhã, ainda bem. Por isso, ela teria algumas horas de relativa paz no escritório para começar a semana.

Bem, ela teve uma hora de paz, até que Maddie ligou, às nove em ponto.

— Quando é que você ia me ligar mesmo?

Ela riu e fechou a porta do escritório.

♥ ♥ ♥

Drew entrou no hospital segunda de manhã e correu para o elevador antes que a porta fechasse; encontrou o amigo, também médico, Carlos Ibarra entre os passageiros.

— O cara que eu estava procurando — disse Carlos. — Como foi o casamento?

Muitíssimo melhor do que ele esperava, disso tinha certeza. Drew abriu um sorrisinho. Carlos fez uma cara de espanto e balançou a cabeça.

— Claro. Por que pensaria outra coisa de você?

Drew reparou nos olhares interessados em direção a eles e lançou um sinal de alerta para Carlos, que, é claro, fechou a boca exageradamente. Esse aí sempre foi discreto.

Saíram no décimo andar, e Carlos o seguiu até o consultório, fechando a porta depois de entrarem.

— Bom, agora você pode me contar. Achou uma mulher no elevador e passou o fim de semana comendo ela, hein?

Drew relaxou na cadeira e ligou o computador.

— Não foi o fim de semana inteiro — respondeu ele, voltando a sorrir.

Carlos estava sentado do outro lado da mesa.

— Nossa, não precisa contar. Não acredito que você conheceu uma pessoa no elevador e a convidou para ir ao casamento de sua ex.

Drew fez uma careta.

— Ah, foi pior. Esqueci de te contar: falei sem querer para Josh que ela era minha namorada, então...

Carlos se recostou na cadeira.

— Você com *namorada*? Então, ela teve que passar a noite fingindo? Como conseguiu que ela fizesse isso?

Drew sorriu.

— Acho que foi meu charme natural.

O celular de Carlos vibrou, e ele deu uma olhada.

— Ah, aposto que todos fizeram um monte de perguntas à pobrezinha. Espero que ela tenha feito jus à mentira.

Ela com certeza fez. Cara, ele não poderia ter escolhido pessoa melhor para ficar presa no elevador com ele, poderia?

— Ela trabalha com política, então, é boa nisso.

Ela era boa em várias coisas: fingir ser a namorada dele, se vingar de Amy, aquela coisa que fazia com os quadris...

— Pode parar — disse Carlos. — Você está com cara de quem está pensando nas últimas transas, estou cansado de olhar.

Drew sacudiu a cabeça para clarear as ideias. Ele tinha a sensação de que ficaria pensando nas transas com Alexa por, no mínimo, alguns dias.

— Desculpe, mas foi você quem perguntou. Um pensamento levou a outro e... — Ele deu de ombros. — ... sou humano.

Carlos se levantou e abriu a primeira gaveta da mesa de Drew para pegar algumas balas.

— Bem, pelo menos você teve uma desculpa convincente para voltar cedo para aquele lance de golfe ontem. Sei como você é com mulheres.

Puta merda, o torneio de golfe. Carlos riu da cara de Drew.

— Não me diga que chegou aqui e desistiu do torneio de golfe? Estava cansado demais por causa da moça do elevador?

Drew suspirou.

— Sabe, o que aconteceu foi que...

Carlos riu.

— Porra, agora tá ficando bom. Continue.

Carlos se recostou e colocou os pés em cima da mesa de Drew.

Ele iria aguentar tanta gracinha, mas agora o amigo já sabia coisas demais para não contar a história toda. Carlos acabaria arrancando dele mesmo.

— Mudei meu voo para ontem à noite. E esqueci completamente do torneio de golfe... foi isso que aconteceu. Mais ou menos isso.

Carlos tirou os pés da mesa e ficou encarando Drew.

— Você mudou o voo? Para ficar com a moça do elevador?

Drew deu de ombros e se recostou na cadeira, tentando não dar bola.

— Você sabe que detesto golfe. O torneio foi apenas uma desculpa para vir antes, mas, depois que fiquei com a Alexa, não precisava mais de uma desculpa.

Ele se constrangeu com o olhar de Carlos. O celular vibrou, e ele foi conferir: apenas a atualização de um paciente. Carlos pegou o celular dele antes que pudesse puxar de volta.

— Hmmm, o nome dela é Alexa, hein? Foi *a Alexa* que mandou uma mensagem para você agora?

Drew se levantou e foi pegar o celular em cima da mesa.

— Alexa *Monroe*. E não, como pode ver, não foi ela — disse Drew, pegando o celular de volta com um grande sorriso no rosto. — O que foi?

— Alexa Monroe. Você gosta dessa garota.

Drew voltou a dar de ombros, fingindo não saber o que Carlos estava querendo dizer.

— Sim, claro que gostei dela. Nos divertimos muito no fim de semana.

Carlos balançou a cabeça, ainda sorrindo.

— Não, você *gosta* dela de verdade. Você *queria* que fosse uma mensagem dela, sabe disso. Tinha que ter ouvido sua voz quando falou o nome dela e disse que não foi ela. Você queria que ela tivesse mandado uma mensagem!

Drew fez que não e desistiu. Carlos ficaria enchendo o saco até ele admitir.

— Eu não acharia ruim se ela mandasse uma mensagem, mas ela mora em Berkeley, lembra? E eu moro aqui em Santa Monica.

Carlos pegou o café de Drew, tomou um gole e fez uma careta.

— Então, deixe-me ver se entendi. Conheceu uma garota muito legal no fim de semana. Você se divertiu, gostou dela... ela é feia? O sexo foi ruim?

Drew abriu o sorrisinho de novo. Não foi a intenção dele, mas a resposta era "de jeito nenhum" para as duas últimas perguntas.

— Dá para ver sua resposta. Vejamos: conheceu uma garota muito legal, se divertiu, gostou dela, ela é bonita, o sexo foi bom.

Drew fez que sim.

— E... você não vai vê-la nunca mais?

Hmmm. Dito desse jeito, não fazia muito sentido.

— Esse era o plano, acho que sim.

Carlos se levantou.

— Você é um canalha. Sei que tem problemas com relacionamentos e tal, mas isso está indo longe demais. Mande uma mensagem para Alexa *Monroe*. Pense em quando irá vê-la de novo. Não seja idiota. Quero dizer, mais do que você já é — disse Carlos. — Basquete às seis?

Drew confirmou com Carlos, que saiu. Estava contente por ter lembrado de colocar a bolsa da academia no carro de manhã. O jogo de basquete de segunda seria uma boa forma de extravasar as agressões dessa conversa, em que Carlos havia conseguido atingi-lo mesmo sem querer.

Ele até tinha pensado em mandar outra mensagem para ela. Quis escrever quando foi dormir, quando chegou em casa, quando parou para comprar um café no caminho para o trabalho e sabia que ela já tinha tomado, quando viu um cartaz com um novo sanduíche de fast-food e deu risada. Mas estava protelando, porque pensou no acordo tácito de que aquele fim de semana, por melhor que tivesse sido, era só o que ia acontecer entre eles. Contudo, o argumento de Carlos fazia sentido.

Ele pegou o celular. Ah, que se dane. Eles poderiam passar, pelo menos, outro fim de semana juntos.

Talvez seja loucura, mas tenho um monte de milhas. Tá a fim de viajar para Los Angeles este fim de semana?

Ele não parou para pensar e tocou em "enviar".

♥ ♥ ♥

Quando Alexa terminou a ligação com Maddie, o prefeito tinha chegado, e ela só teve tempo de falar rapidamente com Theo antes de ele convocar a equipe sênior para a reunião da segunda de manhã.

Depois de discutir os assuntos de sempre, o prefeito olhou para ela.

— Alexa, você vai me enviar um memorando sobre nosso futuro plano para aquele projeto dos jovens delinquentes? Até o fim da semana?

O olhar dela e o de Theo se cruzaram. Ele queria um memorando. Era muito mais do que ela esperava depois da negativa da reunião de sexta.

— Claro que sim — respondeu ela.

— Ótimo — disse o prefeito, que se levantou, bem como o resto da sala. — Bom trabalho, pessoal. Theo, tenho mais uma pergunta para você...

Ele e Theo saíram da sala, concentrados em uma conversa sobre um repórter que o prefeito estava tentando levar para o lado dele, enquanto Alexa ficou ali, pasma.

Ela estava quase lá. Claro que teria que escrever o melhor memorando do mundo, mas nem tinha passado por sua cabeça que ele iria querer. Obviamente, só porque ele estava pronto para ler outro memorando não significava que estava pronto para aderir à ideia, mas significava que estava perto disso.

E ela, de fato, precisava fazer com que ele parasse de chamá-lo de "projeto dos jovens delinquentes". Ela achou que tinha deixado claro, quando se reuniram, que a terminologia correta era "jovens em situação de risco". Mas, no geral, isso não era muito grave.

Voltou para o escritório, contente por ter esboçado argumentos no celular no meio da madrugada ao perder o sono. Quando pegou o aparelho para reler, viu a mensagem de Drew.

Ela olhou para trás. Será que estava sendo filmada? Era um sonho? Uma pegadinha? O chefe tinha aceitado seu projeto do coração, um cara sexy queria pagar uma viagem para Los Angeles – será que também iria receber um e-mail com um vale-presente de mil dólares da Sephora?

Ele havia enviado duas horas atrás, quando ela estava contando para Maddie que tinha certeza de que nunca mais teria notícias dele.

Puta merda, o que ela deveria dizer? SIM, É CLARO era o que queria responder, mas soaria meio desesperado e carente, né? Ela verificou a agenda do chefe: ele estaria no casamento da sobrinha em Tahoe no fim de semana e queria o memorando para sexta, então, não haveria trabalho para atrapalhar. Ainda assim, será que ela não tinha que...

Ela ouviu a voz de Maddie em sua cabeça dizendo para não pensar demais. Enviou uma resposta.

Claro, por que não?

Ela quis cancelar o envio quase imediatamente. O que estava fazendo? Desperdiçando outro fim de semana com esse cara? Só porque ela terminaria o memorando – droga, agora ela só conseguia pensar em "memorando dos jovens delinquentes" – na sexta, não significava que ela não teria um monte de trabalho pendente. Ela teria que fazer todas as coisas que não levaria para casa todos os dias porque estaria trabalhando no memorando.

E quando teria tempo para arrumar as malas? Para um fim de semana em Los Angeles? Deus do céu, ela teria que sair para comprar roupas de novo. Não tinha tempo para comprar roupas de novo! E se ele quisesse ir à praia? Ela teria que usar biquíni? Será que ele não sabia como ela ficava com biquíni? Talvez fosse uma brincadeira e nunca mais teria notícias dele.

Ótimo, vou ver os voos.

— Não acredito que você não está girando na sua cadeira — disse Theo, parado à porta do escritório.

Ela levou um susto.

— Como você sabia que tinha motivos para girar a cadeira?

Theo se sentou na cadeira do outro lado da mesa.

— Hã, porque eu estava lá quando ele disse que queria o memorando.

Claro, o memorando. Era disso que ele estava falando.

— Ah, sim, estava pensando em... outra coisa.

Theo fez uma pausa no momento em que ia pegar uma bala na *bombonière* dela.

— Peraí. Em que outra coisa você estaria pensando a não ser seu projeto? — perguntou, olhando para a cara de Alexa e para o celular dela. — Quem é o cara?

Ela tentou segurar o sorriso, mas não conseguiu.

— Hã, feche a porta.

Theo correu para fechar a porta e voltou para a mesa dela em segundos.

— Conte. Podemos falar sobre o memorando depois. Minha próxima reunião é só daqui a — ele olhou para o relógio — quarenta e cinco minutos. Desembucha.

Ela enfiou a mão na *bombonière* para pegar uma bala.

— Então, é uma história curiosa...

10

Algumas pessoas diriam que o péssimo humor de Drew nas horas seguintes à mensagem que enviara a Alexa se devia ao fato de ter se convencido de que ela não responderia. Depois de dez minutos sem resposta, decidiu que o jeito sutil de ela dar um fora nele seria jamais responder, e o desespero ficaria flutuando no ar para sempre.

Esse não era o motivo de seu mau humor, insistiu para si mesmo, e depois para Carlos, quando passou pelo amigo para ir pegar mais café. Era só por causa dos pais irritantes com que tivera que lidar pela manhã. Carlos não acreditou nele. Na realidade, ele também não acreditou em si mesmo.

Mas era incrível como ele não se importava com aqueles pais irritantes depois que Alexa respondeu. No meio de suas comedidas mensagens de texto sobre horários de voo, ele arriscou uma sugestão.

Você vai pegar o voo sem calcinha como ontem?

A resposta dela veio em segundos.

Talvez.

Ele sorriu para o celular.

Na sexta de manhã, ele tentou se convencer de que estava de bem com a vida só porque o apartamento estava impecável pela primeira vez em vários meses, graças à ida emergencial de uma faxineira. Carlos passou o dia na clínica, e não no hospital, por isso não havia ninguém para contestar seu argumento.

Tudo o que ele tinha para fazer no dia eram algumas consultas pela manhã e auxiliar o dr. Montgomery na cirurgia do pequeno Jack, de quatro anos, um dos pacientes preferidos de Drew. Ele tinha sido atropelado por um carro há um mês e um dos ossos não estava cicatrizando direito. Em meio a tudo, a criança se manteve forte e os pais foram atenciosos.

Mas a cirurgia de Jack fora adiada, do meio-dia para às duas. À uma e meia, chegou recado do escritório do dr. Montgomery dizendo que ele iria demorar mais uma ou duas horas. Drew passou na sala de espera para ver Jack e os pais. O menino estava brincando, contente, no chão com uma pilha de Legos.

— Dr. Nick! Olha o que eu fiz!

— Oi, Jack, muito bem. Ei, Abby, Fred, como vocês estão?

A mãe de Jack, Abby, olhou para ele e encolheu os ombros enquanto ajudava Jack a separar dois Legos azuis.

— Aguentando firme, mas achávamos que já teriam terminado a essa altura.

Drew suspirou.

— É, eu também. O dr. Montgomery teve uma emergência. Sinto muito.

O mais frustrante era que Drew poderia ter feito a cirurgia sozinho, mas o dr. Montgomery havia se interessado pelo caso e ele não podia dizer aos pais uma coisa do tipo: "Não esperem o especialista, não vale a pena".

— Ele nos falou — disse Abby. — Pelo menos nos deixaram dar um pouco de comida a ele, senão seria um pesadelo ainda maior.

Drew estava aliviado por ter pedido comida às enfermeiras para Jack; às vezes, é preciso relaxar a regra de não comer antes de cirurgias com crianças.

— Querem alguma coisa? — perguntou Drew. — Café, chá, água?

Fred sorriu para ele.

— Obrigado, dr. Nichols. Acabei de comprar café, então, estamos bem. Obrigado por oferecer, é muita consideração.

Quando finalmente anunciaram que o dr. Montgomery tinha saído da cirurgia de emergência, ele fez um cálculo mental e se deu conta de que não conseguiria buscar Alexa no aeroporto. Ele se atrasaria, ela ficaria sentada no aeroporto – talvez sem calcinha –, cada vez mais frustrada, e isso acabaria com o fim de semana inteiro.

Droga. Ele ligou para Carlos.

— Ei, cara, preciso de um grande favor.

Carlos estava no carro; Drew conseguia ouvir o ar assobiando pelas janelas.

— Você não tinha que se arrumar para a *Alexa*? — perguntou Carlos.

Por que ele era amigo desse babaca?

— É, o lance é esse: minha cirurgia foi adiada, por isso vou ficar preso aqui por um tempo. Você poderia buscá-la no aeroporto e levá-la ao meu apartamento? Tem as chaves, né? Pago tudo em cerveja pelos próximos dois meses.

Ele ouviu o carro de Carlos ser desligado, e ele saiu do viva-voz.

— Não tem problema, cara. Me manda mensagem com as informações do voo e como posso encontrá-la. Ou devo levar todas as negras baixinhas com seios grandes do aeroporto para seu apartamento para você escolher?

Drew deitou a cabeça em sua mesa.

— Não vou me arrepender, não é?

— Ah, sem dúvida, você vai. Boa sorte na cirurgia!

Drew mandou mensagem a Alexa para avisar sobre a mudança de planos. Felizmente, ela não ficaria furiosa. Ela sabia que ele era médico, então, não haveria problema, não é mesmo?

♥ ♥ ♥

Alexa tinha entregado ao chefe duas cópias impressas e enviado uma versão por e-mail do memorando pouco antes de ele ir embora na sexta à tarde. Ela tinha dormido muito pouco a semana toda, trabalhando, enviando mensagens para Drew, escrevendo e editando o memorando todas as noites, pensando em Drew e, ah, é mesmo, ficando estressada com o próximo fim de semana. Na quinta à noite, ela fez as últimas edições no memorando, depois de inúmeras observações de Theo, e achava que havia roupas demais na mala para a viagem para Los Angeles.

Ela foi ao banheiro do trabalho pouco antes de ir para o aeroporto, tirou a calcinha e a enfiou no fundo da bolsa. Quando saiu da cabine, nem conseguia se olhar no espelho.

No carro, a caminho do aeroporto, cantou junto com a playlist "girl power", o que a ajudou a dar uma animada. Mas a mensagem de Drew a trouxe de volta para a Terra.

Minha cirurgia foi adiada, estou atrasado. Meu amigo Carlos vai buscar você e levá-la para o meu apto. Ele tem uma BMW vermelha. O número dele é 310-555-4827, caso não o encontre, mas ele tem seu número.

Hum. Ele era médico, esse tipo de coisa acontecia, mas ela ficou muito desiludida. Agora não sabia se iria vê-lo à noite. Quanto tempo essa cirurgia iria durar? Será que teria que deitar na cama dele e esperá-lo? Ainda bem que ela tinha levado a legging na mala. E o notebook.

E o amigo que iria buscá-la tinha uma BMW vermelha? Não me diga que seria um daqueles imbecis de carrão. Bem-vinda a Los Angeles.

Ela se obrigou a preparar uma lista de tarefas do trabalho para o fim de semana durante o voo. Ao relê-la, viu que havia repetido três itens diferentes. Distraída demais para lidar com mais trabalho, tirou uma revista de moda da bolsa e atualizou a lista de desejos da Sephora, só para o caso de o vale-presente dos sonhos virar realidade.

Quando o avião pousou, mensagens de Maddie e Theo chegaram, desejando-lhe sorte (Maddie) e fazendo uma pergunta sobre o trabalho (Theo). E uma de um número com o código 310.

Oi, Alexa. Aqui é o Carlos, amigo do Drew. Vou te buscar porque ele não vai poder. Procure o carro vermelho. Até mais.

Ela queria que o tom de voz fosse mais fácil de entender em mensagens de texto. Esse cara seria mesmo o imbecil que o carro esportivo vermelho fazia parecer? E, ah, não, será que Drew havia lhe contado a mesma história de namoro que ele havia contado para o pessoal do casamento ou ele sabia a história verdadeira? Ela nem podia perguntar a Drew porque ele estava na cirurgia. Teria que dançar conforme a música.

Quinze minutos depois, Alexa estava do lado de fora e percebeu uma das grandes diferenças entre o Norte e o Sul da Califórnia: havia muito mais carros esportivos vermelhos no Sul. Ela sorria timidamente para cada um deles, mas estava com muito azar, pois passavam reto. Ou talvez Drew não tivesse descrito sua aparência e Carlos estivesse procurando uma daquelas mulheres loiras, altas e magras que tinha visto no casamento.

Ela olhou para o celular para ver se Carlos tinha enviado outra mensagem, ou quem sabe Drew tinha terminado a cirurgia e saído correndo do hospital.

— Alexa?

Ela olhou e viu um carro vermelho estacionado no meio-fio na frente dela, e um cara latino alto saindo pela porta do motorista.

— Carlos? Oi! É um prazer conhecê-lo — cumprimentou ela.

— Igualmente.

Carlos abriu a porta do carona para ela e colocou a mala no porta-malas. Ela entrou no carro, depois acomodou-se. Deveria ter passado no banheiro para vestir a calcinha de volta.

Ele sorriu para ela quando os dois já estavam no carro. Será que tinha lido seus pensamentos? Será que os homens compartilhavam histórias desse tipo? Ela não fazia a menor ideia.

— Desculpe pela demora. Verifiquei as informações do seu voo na internet e ele iria aterrissar só agora.

Eles já estavam saindo do aeroporto, desviando de carros e ônibus fretados. Ele com certeza dirigia como um cara que tinha um carro esportivo vermelho.

— Ah, não tem problema — disse ela. — Obrigada por vir me buscar. É muita consideração.

Ele sorriu para ela antes de saírem do aeroporto.

— Não se preocupe. Drew vai ficar me devendo um monte por isso. Aliás, está com fome? Não sei quando ele vai terminar e não quero que você morra de fome esperando. Quer comprar algo no caminho até a casa dele?

Ela colocou a bolsa no chão, perto dos pés, contente por ele ter perguntado. Talvez esse cara fosse mais legal do que tinha pensado. Devido ao estresse, ela havia comido todos os petiscos da bolsa durante a semana e não tinha tido tempo de comer nada naquele dia, exceto uma salada no almoço e um pacote de amendoins no avião.

— Eu adoraria, obrigada. Contanto que não te atrapalhe.

Meu Deus do céu, ela pensou, *por favor, não fale que vai atrapalhar*. Ele deu risada e diminuiu o volume do rádio.

— Muita coisa atrapalha, mas isso não. Além do mais, também estou com fome. Drew não me avisou com muita antecedência.

Ela tirou o cardigã e o colocou dentro da bolsa.

— Eu digo o mesmo.

Ele olhou para ela enquanto trocava de faixa.

— Foi uma decisão de última hora. Drew não pôde fazer nada, mas com certeza está ansioso com a sua chegada.

Ela deu de ombros. Foi legal da parte de Carlos dizer isso, mas... ainda bem que ele tinha voltado para o assunto comida.

— O que está a fim de comer? Hambúrguer? Pizza? Tacos? Su...

— Tacos, com certeza — respondeu, quase salivando. Ela relaxou no assento de couro e deixou os olhos se fecharem por um instante. De repente, estava exausta, por causa do estresse da semana, das noites mal dormidas, das últimas horas de incerteza.

— Legal.

Ele acelerou e os olhos dela se abriram. Era melhor ela ficar alerta se ele iria dirigir desse jeito.

— Tenho uma pergunta antes de decidir onde comprar os tacos: você gosta de pimenta?

Ela riu.

— Acho que minha mãe colocava Tabasco na minha mamadeira. Aguento qualquer coisa.

Ele trocou de faixa quase sem olhar e sorriu.

— Excelente.

Meia hora depois, ela estava levando a comida para o apartamento de Drew, enquanto Carlos carregava sua mala. Depois de ele abrir a porta, ela entrou e viu janelas grandes, paredes brancas, eletrodomésticos cromados e quadros em preto e branco por toda parte. Ela largou a bolsa ao lado do sofá cinza e procurou um lugar para colocar os tacos.

— Coloque-os na mesa de centro — disse Carlos. — Vamos comer. Vou pegar guardanapos e cerveja.

Alexa tirou os sapatos e os deixou no canto perto da mala. Ela queria vestir a legging e uma camiseta, em vez do vestido vermelho que tinha usado para o trabalho naquele dia. Mas seria estranho levar as coisas para o quarto de Drew como se fosse de casa e colocar suas roupas confortáveis. Ela nem sabia *onde ficava* o quarto de Drew.

Os tacos que Carlos havia arrumado na mesa a distraíram.

— Nossa, parece bom — comentou ela.

Ela tentou pagá-lo, mas ele não a deixou sequer abrir a carteira. Na verdade, ele tinha feito o pedido dela também.

Ele ligou a TV num jogo de basquete e se sentou na poltrona. Ainda bem que Drew tinha colocado uma manta feia sobre o encosto do sofá. Ela se sentou em um canto, pôs a manta no colo e colocou os pés para cima com um suspiro de alívio.

— Estão muito bons. — Alexa não conseguia parar de dizer isso ao comer. — Por que não existem tacos de batata em todas as taquerias da

Bay Area? Vou ficar brava por causa disso por meses, senão anos — disse ela, colocando mais molho de pimenta habanero em seu taco.

Carlos colocou outro taco em seu prato e riu.

— Não se preocupe. Você pode comer tacos de batata sempre que vier visitar.

Será que ela precisava responder? Tinha dúvidas se voltaria a visitar Drew. Qualquer coisa que dissesse ao amigo sobre isso soaria pretensioso ou carente. Por isso, ela apenas acrescentou uma porção de guacamole ao seu taco e deu uma mordida. Depois, pegou um taco de *carnitas* e foi alcançar um dos molhos que ainda não tinha provado.

— Não, não — disse Carlos, tirando da mão dela e entregando-lhe um pote com molho de *tomatillo*. — Experimente este. Esse comprei para o pobre do Drew, que não aguenta muita pimenta.

Ela ficou de boca aberta, depois pensou melhor no que iria dizer.

— Eu sei que o você ia dizer — falou Carlos. — É um martírio ser amigo de um cara branco, mas estou trabalhando nele.

Eles caíram na gargalhada e continuaram a comer.

♥ ♥ ♥

Drew ouviu a risada de Alexa ainda do lado de fora do apartamento. Aquilo o fez sorrir, do mesmo jeito desde a primeira risada no elevador. Ele abriu a porta e a viu sentada com Carlos, os dois com pratos de tacos da taqueria preferida do amigo no colo. Já que Carlos a levou até lá, ele devia tê-la aprovado. Eles estavam rindo tanto que, a princípio, não notaram a sua presença.

Espera aí. Por que Carlos ainda estava ali? Ele não lhe disse para fazer sala, apenas para levá-la ao apartamento e abrir a porta.

Ele quis se sentar ao lado dela, beijá-la, dizer como estava sexy naquele vestido, vê-la sorrir para ele, quem sabe pôr a mão por baixo para ver se ela estava de calcinha. Em vez disso, ela estava dando risada com o seu melhor amigo e nem tinha ouvido ele abrir a porta.

— Oi — disse Drew.

Ela olhou para ele e sorriu, do jeito que ele esperava. Ele retribuiu o sorriso, tão contente em vê-la que teve que recuar.

— Comprou tacos para mim? — perguntou Drew para Carlos. — Está bebendo minha cerveja.

Carlos fez um gesto na direção da mesa, mas não demonstrou que ia embora.

— Tacos para todos, e lembrei até do seu molho favorito. Tem mais cerveja na geladeira.

Drew foi até a cozinha pegar uma cerveja. Pelo menos, havia um terceiro prato na mesa, então, pelo jeito, Carlos não havia esquecido completamente que Drew existia.

Ele se sentou no sofá ao lado de Alexa e tomou um gole de cerveja. Ela se virou para ele, agora com um sorriso mais tímido. Ele pegou a mão dela, e ela segurou os dedos dele por um momento.

— Você deve estar morrendo de fome — disse Alexa. Ela soltou a sua mão, mas se aproximou dele no sofá. — Coma alguns tacos. Como foi a cirurgia?

Ele encheu o prato e, ao mesmo tempo, se aproximou dela; quando voltou a se sentar, seus quadris estavam se encostando. Carlos estava atento ao jogo de basquete, mas tinha um sorrisinho no rosto. Ele sabia que Drew estava louco para se livrar dele, dane-se.

Drew deu uma mordida, percebeu que não havia respondido à pergunta, tentou falar de boca cheia e viu que havia cometido um erro. Ela riu e ele sorriu em seguida.

— A cirurgia foi bem. Esse era o menino de que tinha lhe falado no fim de semana passado, o que sofreu o acidente — explicou. Ele deu outra mordida, contente por ela estar relaxando junto a ele. — Me desculpe por não ter te buscado.

— Tudo bem — respondeu Alexa. Ela limpou as mãos com papel-toalha e colocou o prato em cima da mesa. — Você vai precisar ir ao hospital durante o fim de semana para dar uma olhada nele.

Ele fez uma pausa com um taco meio mastigado dentro da boca.

— Eu queria. Você se importa? Posso ir de manhã cedo para não...

Ela cortou a fala abanando com a mão.

— Claro, não me importo. Vá quando for melhor para ele. Daremos um jeito.

Ela se recostou no sofá, roçando a perna na dele sempre que mudava de posição. Será que ela estava de calcinha? Ele só iria saber depois que Carlos fosse embora.

Drew conseguiu contato visual com Carlos, e sua cara devia estar indicando uma ameaça do tipo "É melhor você sair do meu apartamento agora ou vou jogar ovos no seu carro em um dia quente", porque Carlos sorriu e se levantou.

— Alexa, foi um prazer conhecê-la. Espero que seja o primeiro de muitos encontros. Drew, te vejo na segunda.

Ela se levantou e deu um abraço em Carlos.

— Obrigada por me buscar. E pelos tacos. Também foi um prazer conhecê-lo.

Foi um tanto caloroso, não?

A porta se fechou segundos depois de Carlos ter saído. Quando Alexa voltou a se sentar ao lado de Drew no sofá, ele colocou o prato em cima da mesa de centro.

— Oi — disse ele.

Drew estava louco para Carlos ir embora, então, por que estava se sentindo esquisito agora? Por que estava se sentindo assim? Ele nunca ficava nervoso perto de mulheres.

— Oi — falou ela, sorrindo para ele, as mãos bem entrelaçadas novamente. Ele se sentiu melhor quando viu que ela também estava nervosa.

— Me desculpe por não ter ido te buscar — disse ele. Ele passou a mão nos cabelos dela, movendo os dedos por entre as mechas.

— Não tem problema — respondeu Alexa. Ela voltou o corpo inteiro para ele, soltou as mãos e uma delas pousou na coxa de Drew.

Ele passou a mão dos cabelos para a bochecha. Ela fechou os olhos e deitou o rosto na palma da mão dele. Assim, ficaram em silêncio por um minuto.

Por fim, ela abriu os olhos e olhou para ele com um sorriso romântico no rosto. A mão dele passou da bochecha para o queixo, e ele baixou a cabeça até a dela.

Tinha passado menos de uma semana, mas seus lábios nos dele, os braços dele envolvendo-a, as mãos dela no cabelo dele, parecia que estavam se revendo depois de meses, como se ele só precisasse disso, da pressão suave dos lábios dela, das leves carícias da língua, dos toques e suspiros, para fazê-lo feliz.

— Estava ansiosa para Carlos ir embora — disse ela no ouvido dele.

Ele riu e relaxou no sofá, puxando-a para si. Ela encostou a cabeça em seu peito e ele passou os dedos em seu cabelo.

— Carlos estava fazendo aquilo para foder comigo, eu sei, mas estava pronto para matá-lo — disse ele, deslizando a mão do quadril dela para o joelho por cima do vestido. Ele fez uma pausa e a mão voltou, desta vez por baixo do vestido.

— Você...

O largo sorriso dela era a resposta de que ele precisava. Em um relance, ele a pressionou contra o sofá e prendeu o corpo por cima dela.

— Estava planejando me contar em algum momento? — perguntou, passando a mão pela perna de novo, desta vez empurrando o vestido junto.

Ela sorriu, acariciando seu peito, desabotoando a camisa.

— Você pareceu gostar da surpresa da última vez, não quis estragar.

— Hummm... eu gostei MUITO da surpresa da última vez, é verdade — respondeu ele, afastando as pernas de Alexa com o joelho enquanto ela tirava o cinto dele.

Ele voltou a beijá-la, agora com mais força. Passou o polegar pelos seios, e ela gemeu, beijando-o. Alexa passou as mãos por baixo da camisa. Ele não queria que ela parasse de tocá-lo.

Merda. Todas as camisinhas estavam no quarto.

— Espere aí.

Ele se levantou, tirando a mesa de centro do caminho. Um dos potes de molho se esparramou. Ele não deu a mínima. Olhou para Alexa no sofá, com o vestido amassado pela cintura, os cabelos bagunçados para todos os lados e sorriu. Tinha sido uma EXCELENTE ideia convidá-la para passar o fim de semana.

— Espere aqui. Não se mexa nem um milímetro. Já volto — disse ele, correndo para o quarto e pegando uma camisinha dentro de uma caixa na cabeceira. Ele correu de volta para a sala um minuto depois.

— Você se mexeu — falou ele.

Ela olhou para ele, com o corpo agora nu estendido no sofá.

— Você saiu. Eu tinha que fazer alguma coisa para me manter ocupada enquanto te esperava.

Deus do céu, essa mulher. Ele atirou as roupas para o outro lado da sala e subiu em cima do corpo dela.

— Me diga o que quer, Alexa — pediu ele, com o corpo nu suspenso por cima dela.

— Quero que pare de me fazer perguntas idiotas — respondeu, puxando para que encostasse nela.

Ele riu.

— Entendido — disse ele, abrindo as pernas dela.

Mais tarde, deitados no sofá, ele olhou a bagunça da sala: três almofadas no chão, roupas em cada canto, molho por todos os lugares.

— Bem-vinda a Los Angeles — disse ele no ouvido dela. Ela riu e virou o rosto para beijá-lo.

Alexa acordou na manhã seguinte, com as costas coladas ao peito de Drew, os braços dele enlaçados nela. Ela não conseguia negar o calor que se espalhava em seu peito com o jeito que ele a abraçava, que a tocava. Ele a envolvia com vontade, com carinho.

Talvez Drew sempre fosse assim com as mulheres. Ela sabia que não era de verdade. Mas, gente, como era bom.

E quando ele a tocava de outras maneiras... nossa, era maravilhoso. O que esse cara tinha e por que ela reagia assim? Ela nunca tinha ficado tão desinibida com um homem, principalmente sem roupa. Suas bochechas coraram quando pensou em tirar a roupa no sofá. Ela não tinha se preocupado com o que ele iria pensar dela ou da celulite nas coxas ou na maneira como a barriga balançava ou os seios caíam – pensou somente no prazer dele e dela.

No fim de semana anterior, achou que era por causa do sexo casual, que a loucura do casamento, o champanhe e a consciência de que nunca mais o veria a deixaram muito relaxada com ele. Mas agora... talvez fosse alguma coisa nele. Não importava, iria curtir o fim de semana inteiro.

Ela o sentiu acariciando sua nuca e sorriu.

— Então, ela está acordada — disse Drew, com a boca ainda na pele dela.

— Hummm-hmmm — respondeu ela, sem querer se mexer.

Mas aí ele começou a se mover, mexer as mãos, os lábios e a língua, e acabou que ela não se importou muito.

Depois, ela se aconchegou nele, ambos quentes, suados e ofegantes.

— Drew? — cochichou ela.

Ela sentiu o sorriso dele em sua bochecha.

— Já vou ligar a cafeteira.

Eles tomaram café sob o sol na sacada, olhando para o mar, ele de cueca, ela com um roupão de flanela que havia encontrado no banheiro. Ela deu o primeiro grande gole e suspirou. Ele estava olhando para a própria caneca, depois olhou para a dela.

— Foi um suspiro positivo, né?

Ela olhou para ele, em seguida para o café, para não sorrir muito para ele.

— Sim, positivo. Seu café é bom.

Ele se recostou na cadeira e deu risada.

— Foi uma habilidade que tive que aprender na faculdade de Medicina, senão meu estômago teria se desintegrado com o que serviam no refeitório.

Ela riu e tomou outro gole.

— Ei, Alexa? — disse Drew, com um sorriso de menino. Ela provavelmente faria qualquer coisa que ele quisesse quando ele sorria daquele jeito.

Ou de qualquer outro jeito.

— Eu também estou com fome — disse ela.

— É que eu não tenho muita comida em casa. Planejei passar no supermercado antes de te buscar no aeroporto, mas...

Ela se levantou.

— Vou tomar um banho.

♥ ♥ ♥

No casamento, Drew tinha notado que Alexa era uma formiguinha, por isso, a levou para tomar brunch em um lugar que, diziam, tinha waffles excelentes. Ela pediu waffles com mirtilos, e ele roubou algumas mordidas enquanto comia sua omelete com bacon. Ao voltarem para o carro, ele se deu conta de que estavam perto do hospital.

— Estamos a apenas cinco minutos do hospital... se você quiser, posso deixá-la em casa primeiro, mas estava pensando em passar lá e só dar um "oi" para o Jack.

Ela sorriu para ele.

— Claro. Não precisa apenas passar lá, sabe? Isto é, se você tiver que trabalhar, vou entender.

Ele abriu a porta do carro para ela e depois entrou pela porta do motorista.

— Não, sério, só quero dar um oi. Não estou de plantão este fim de semana. Não quero ser aquele chato que dá segundas opiniões para os médicos que estão trabalhando.

Ele ficou olhando para ela enquanto dirigia pelo pequeno trecho que os separava do hospital. Seus olhos estavam fechados, ela recostada no assento, pegando a mão dele, o polegar dela acariciava devagar a palma de sua mão. Ele gostava do jeito como ela se entregava para aproveitar coisas como andar de carro em um dia ensolarado, tomar café da manhã, deitar na grama do Dolores Park. Estar com ela o fazia curtir essas coisas ainda mais.

Drew parou no estacionamento do hospital e apertou a mão dela.

— Vamos lá.

Ela arregalou os olhos e não tirou o cinto de segurança.

— Não é melhor eu esperar aqui? Por causa da confidencialidade? Não me importo de esperar. Tenho livros no celular.

Ela ficaria só no fim de semana, e ele já tinha passado um tempo sem ela na noite anterior.

— Não, entre. Posso mostrar os brinquedos. É só sair do quarto quando eu fizer sinal com a cabeça.

Ele não pegou a mão dela ao entrarem no hospital, havia muitos olhos lá dentro. Ele sabia que já teria muita gente perguntando na segunda de manhã sobre a pessoa que tinha levado no sábado. Não precisava de perguntas mais afiadas.

Eles foram direto para o quarto de Jack na ala pediátrica. Os pais estavam lá, aparentando cansaço. As bochechas de Jack estavam muito pálidas e o menino estava excepcionalmente silencioso, mas estava sentado na cama.

— Oi, Jack! — disse Drew ao entrar. — Como está se sentindo hoje?

Jack se virou para a porta ao ouvir a voz de Drew e deu risada.

— Dr. Nick! Você não está usando sua fantasia de doutor.

Drew sorriu, aproximando-se o suficiente da cama para Jack bater na mão dele com o braço bom.

— Pois é! Estou de folga hoje. Só queria passar aqui e ver como você está, já que estava por perto — explicou ele, sorrindo para os pais de Jack. — Abby, Fred, como vocês estão?

— Estamos firmes — respondeu Abby.

Ele viu os olhos dela mirarem a porta e percebeu que Alexa estava lá. Ele baixou a voz.

— Estava passando aqui perto com uma amiga. Tudo bem se ela entrar e der um oi para o Jack? Se não, não tem problema; ela pode esperar no meu consultório.

Abby sorriu.

— Tudo bem. Jack está ficando entediado por só ter nós para entretê-lo.

Ele fez sinal para Alexa entrar.

— Ei, Jack, trouxe uma amiga para conhecê-lo. Jack, esta é minha amiga Alexa. Pode dizer "oi"?

— Oi! — disse Jack, rindo de novo. — Você também não está usando fantasia de médico.

Alexa deu risada, estendendo o punho para cumprimentá-lo.

— Não, mas é porque não sou médica. Lamento, Jack.

Drew pegou o prontuário do menino no pé da cama e o verificou, satisfeito com o estado de Jack.

— Como está a dor? — perguntou ele baixinho para Fred, enquanto Jack conversava com Alexa.

— Ele acordou algumas vezes durante a noite. Abby estava com ele, mas parece que se viraram bem.

— Dr. Nick, dr. Nick, a mamãe disse que eu ainda não posso sair da cama, mas falei para ela que você ia dizer que posso, né?

Ele deu toda a atenção para Jack e deixou-se levar em uma conversa sobre o seu videogame favorito antes de perceber que passaram mais tempo lá do que ele pretendia. Ele olhou para cima, esperando encontrar Alexa observando ele e Jack, mas ela estava no canto em uma conversa concentrada com Abby.

Puxa. Ele não a tinha levado lá só para ela ver como era bom médico, mas ela podia pelo menos reparar.

— Jack, vou ter que me despedir agora, mas vejo você daqui a alguns dias, está bem?

Abby olhou na direção deles.

— Agradeça ao dr. Nichols pela visita, Jack.

Alexa tirou uma coisa da bolsa e entregou para Abby, que a abraçou, e acenou para Jack ao sair do quarto.

Drew pegou na mão dela assim que entraram no estacionamento.

— Como é que você ganhou um abraço da Abby? Ela ainda me chama de dr. Nichols com aquele tom bem formal.

— Ah, só estava dando uns conselhos sobre os tipos de serviço que eles podiam conseguir. Ela me falou sobre o acidente e que tinha sido um motorista bêbado.

Ele enfiou a mão no bolso para pegar a chave do carro. O que ela quis dizer com "serviços"?

— Eles têm um bom plano de saúde, acho. O Fred trabalha para um dos estúdios de cinema.

Ela olhou para o celular e franziu o rosto antes de voltar a olhá-lo.

— Eu sei, ela me contou, mas um bom plano de saúde tem limites. Eu quis dizer todos os serviços para vítimas de crimes que eles podem obter do Estado: aconselhamento, indenização, assistência em casa, coisas desse tipo. Ela disse que se lembrava vagamente de lhe falarem sobre isso logo após o acidente, mas não sabia como ter acesso a essas informações.

Não admira que Abby tenha lhe dado um abraço.

— Aí você deu o seu cartão? O que o gabinete do prefeito de Berkeley vai fazer por uma criança de Los Angeles?

Ela tirou os olhos do celular e encolheu os ombros ao entrar no carro.

— No trabalho, tenho uma lista de todas as pessoas com quem ela pode entrar em contato. Falei para ela me mandar um e-mail e vou poder enviar tudo para ela e apresentar alguns defensores dos direitos das vítimas que conheço e que podem ajudá-la a enfrentar isso. Posso mandar e-mails para eles e copiá-la só para acelerar as coisas.

Ele entrou na rua para fazer o curto caminho até seu apartamento.

— Como conseguiu todas essas informações dela em dez minutos? Conte-me seus segredos, Monroe.

Alexa sorriu e colocou o celular de volta na bolsa, ainda bem.

— Tenho jeito com as pessoas, não sabia? Trabalho com política.

Ele pôs a mão na coxa dela. Ela moveu o corpo na direção dele e sorriu.

— Hummm, é certo que você tem jeito com as pessoas. O jeito como lidou com o interrogatório no casamento foi impressionante, tenho que admitir.

— Esquivas amigáveis é um dos meus talentos especiais — disse, colocando a mão por cima da dele. — E Abby parecia muito preocupada. Se a gente pode, é bom ajudar.

♥ ♥ ♥

Ai, agora ele iria pensar que ela era uma intrometida coração-de-manteiga por ter se metido em um dos seus casos sem ninguém ter pedido. Mas o olhar no rosto da mãe havia partido seu coração. Por que ela não ajudaria?

Está bem, ela era uma intrometida coração-de-manteiga. Devia estar em sua descrição profissional.

Quando chegaram ao apartamento, ele a parou pouco depois da porta.

— De qualquer forma, obrigada por ir junto comigo ver o Jack e por ser legal com a Abby. Eles passaram por momentos difíceis.

Drew a puxou para seus braços, envolvendo-a em um abraço que, de certa forma, parecia mais íntimo do que tudo o que haviam feito antes. Ela pousou a cabeça em seu peito e relaxou. Ela o sentiu expirar longamente e o abraçou com mais força, sentindo com os dedos a maciez do algodão desgastado da camiseta. Ele beijou o cabelo dela, o ouvido e, quando ela inclinou a cabeça para olhá-lo, sua boca.

— Eu gostei de verdade de você ter ido — ele disse quando se afastaram.

As mãos dela foram subindo, passando por baixo da camiseta; ela adorava o jeito como ele se contraía com o toque dela.

— Me mostre — pediu ela.

Com um rápido movimento, ele a colocou sobre o ombro, fazendo-a levar um susto.

— Não, Drew, sou muito pesada!

Ignorando-a, ele caminhou com ela até o quarto e a jogou na cama. Alexa deu risada quando caiu sobre o colchão e bateu de volta, mas o riso diminuiu quando ele tirou a roupa e ficou nu na frente dela.

— Meu Deus — disse ela. Quando ele fez um movimento para pular para a cama, ela ergueu a mão para fazê-lo parar. — Não se mexa. Só... só fique parado aí por um tempo.

Apesar de todas as vezes que tinha transado até agora, ela ainda não o tinha visto nu. Era sempre muito frenético ou muito escuro ou muito cedo para ela prestar atenção de verdade. Mas agora ele estava ali, parado, com a luz da tarde entrando através das janelas do quarto, refletindo em seu corpo durinho, e ela admirou por um momento. Ela sabia só de tocar os contornos do peito e aqueles pelos claros salpicados, mas era outra coisa vê-lo de frente, dourado pelo sol, disponível para ela ver o quanto quisesse.

Alexa ergueu um dedo e o girou para fazê-lo virar como se fosse participante de um concurso de beleza. Glória aos céus, ele obedeceu. A adrenalina que tomou conta dela com esse poder puro só era superada pela visão de sua bunda perfeita, redonda e bem-feita.

— Venha aqui.

Ele não precisava ouvir duas vezes: deu um salto até a cama e a rolou para baixo dele, dando a ela a chance perfeita de pegar aquela bunda e puxá-lo para si.

Ela passou as mãos por todo o seu corpo, adorando os sons que ele fazia enquanto era tocado, adorando que ele parecia estar curtindo tanto quanto ela.

— Você usou calcinha hoje, né? — disse ele no ouvido dela. Sem esperar por uma resposta, ele foi lá embaixo e pegou o fio-dental que ela estava usando, tirou e jogou para o outro lado do quarto. — Sua vez — disse, olhando para ela.

Ela não fingiu não ter entendido, apesar de querer fazer isso. O que era mesmo que estava pensando antes sobre quão relaxada e confiante ela era com ele? Porque essa sensação havia desaparecido depois de ver seu corpo perfeito e sabendo todas as próprias imperfeições de cor... e como o quarto estava iluminado e ensolarado. De repente, ela se arrependeu de ter comido todos aqueles waffles no brunch.

Porém, ele não a deixou hesitar. Tirou seu vestido pela cabeça, passou as mãos por trás, abriu os ganchos do sutiã e se afastou um pouco para olhar para ela.

Ela tentou se obrigar a olhar para o rosto dele, mas as bochechas ficaram coradas e ela teve que desviar o olhar. Os olhos baixaram para o corpo dele e foi aí que ela teve uma prova clara de que ele gostava de olhar para o corpo dela. Ela sorriu.

— Ah, pelo visto você gosta disso — disse ele. — Mas espere. Era para eu mostrar como tinha gostado, não é?

Ele deslizou para baixo, abrindo as pernas dela com os ombros. Ela agarrou o cabelo dele para mantê-lo bem ali onde queria. Ele aumentou o ritmo, e ela gemeu, sacudindo a cabeça de um lado para o outro no travesseiro. Era tão bom que ela queria que parasse e continuasse ao mesmo tempo. Finalmente, ela alcançou o clímax e gritou, propagando vibrações pelo corpo.

Ele engatinhou pela cama até alinhar a cabeça com a dela e deitou ao seu lado, acariciando sua barriga enquanto a respiração dela acalmava.

— Consegui mostrar como gostei? — perguntou ele.

Ele beijou o pescoço e passou para os seios, que também passaram a ser acariciados com a mão.

— Hummm — suspirou. Ela foi beijar o ombro dele e empurrou-o até ele se deitar. Ela sorriu e subiu por cima dele. — Acho que você já trabalhou demais hoje, não acha?

Ela beijou o corpo dele de cima a baixo, acariciando a pele com os dedos. Ela olhou para ele: os braços atirados para trás, cruzados, o corpo inteiro relaxado, ele estava olhando direto para ela com aquele olhar que a fazia se sentir uma deusa. Ela abriu a camisinha que estava na cama e a colocou.

Geralmente, ela ficava nervosa por estar por cima. Havia muita análise naquela posição, muitas partes de seu corpo que balançavam, muita coisa para deixá-la acanhada. Mas ela não sentia nada além de prazer quando os olhos de Drew endeusavam seu corpo daquele jeito.

Quando Alexa se deu conta, ainda estava por cima dele, com a cabeça deitada sobre seu peito. Ele foi tirar a camisinha, e ela tentou rolar para fora, mas ele a segurou. Ela não tentou se livrar. Ele massageou suas costas e ela sentiu que podia, com facilidade, ficar ali por alguns dias. Talvez semanas.

Ele beijou sua orelha.

— Consegui mostrar que gostei?

Ela encolheu os ombros do jeito que dava naquela posição.

— Se é só isso que você consegue fazer, acho que sim.

Ele grunhiu no ouvido dela e a rolou para baixo de si, e ela riu.

12

Na manhã seguinte, Alexa acordou sozinha na cama. Ela presumiu que Drew estivesse no banheiro, mas, como ele não voltou para a cama depois de alguns minutos, ela se sentou e viu a porta do banheiro aberta, com a luz desligada. Pegou o roupão dele e foi até a cozinha, na esperança de que estivesse fazendo café, mas ele também não estava lá.

Ela pensou que talvez ele tivesse ido correr na praia, coisa que ele disse fazer em algumas manhãs. Ela desejou que ele tivesse deixado um recado, mas se obrigou a não dar bola. Voltou para a cama com o celular para ver os e-mails do trabalho. Em primeiro lugar, ela digitou uma resposta rápida para uma mensagem de Maddie que dizia apenas: "???????".

Fim de semana até agora: diversão, comida boa, sexo ótimo, não queria que você estivesse aqui.

Foi nesse momento que ouviu a porta da frente abrir e fechar de leve.

— Ah, você está acordada — disse ele. Drew havia entrado no quarto de fininho, segurando dois copos de café em uma bandeja e um saco de padaria. — Achei que ainda estaria dormindo.

Ela olhou para o saco e depois para ele.

— Achei que você tinha ido correr, mas isso é muito melhor. O que tem no saco?

Ele riu e lhe entregou um dos copos.

— Não quer saber o que tem no copo?

Ela revirou os olhos.

— Sei o que tem no copo. Tenho olhos e olfato. É café! Quero saber o que tem no saco! — disse e fez uma pausa. — O que eu quis dizer é que agradeço pelo café.

Ele se sentou na cama, ao lado dela, ainda mantendo o saco fora de seu alcance.

— Estranho, não foi o que pareceu.

Ela colocou o copo na mesa de cabeceira para não derramar e foi pegar o saco, mas ele se esquivou dela com facilidade e a girou para fazê-la deitar, com o saco ainda fora de alcance.

— Drew!

Ele beijou a ponta de seu nariz.

— Hummm, gosto de você nessa posição.

Ela puxou o rosto para lhe dar um beijo.

— O que tem no saco, Drew?

Ele riu e atirou o saco no colo dela. Ela abriu: havia meia dúzia de donuts, e seu estômago roncou.

— Minha nossa! O que é isso? Incrível!

Ele sorriu.

— Agora sei como você abre presentes no Natal. Cobertura de açúcar, recheio de geleia de framboesa, recheio de geleia de limão, um com confeitos coloridos e dois com cobertura de bacon e xarope de *maple*.

— Bacon e *maple*? Que lugar é esse? Vem direto dos meus sonhos?

Drew deu risada ao pegar um dos donuts de bacon para si.

— Você não tem ideia de como é boa essa loja de donuts. Quase te acordei para ir comigo, mas você estava dormindo tão profundamente que não tive coragem. Da próxima vez, você precisa ir.

Próxima vez? O que é que "próxima vez" significava nesse contexto? Era domingo, e ela iria embora em menos de doze horas. Será que ele quis dizer que queria voltar lá hoje? Ou quis dizer da próxima vez que ela fosse a Los Angeles? Se sim, o que ele quis dizer com *isso*?

Não pense demais, Alexa.

Ela tentou ouvir a voz de Maddie em sua cabeça e deu uma mordida em um donut.

— Minha nossa — disse, engolindo e dando uma mordida maior. — É maravilhoso.

Ele sorriu e limpou cobertura na bochecha dela com o polegar.

— Você duvidou de mim?

Depois dos donuts – e do seu agradecimento pós-donuts, que demorou um pouco –, Drew foi tomar um banho. Assim que ele saiu do quarto, Alexa pegou o celular. O chefe não costumava enviar e-mails tão cedo num domingo e ele tinha ido àquele casamento, mas talvez tivesse lido seu memorando... não, não tinha. Para aliviar o nervosismo, ela mandou um rápido e-mail para Theo na esperança de que ele tivesse alguma noção de quando ela receberia uma resposta.

Ele respondeu um minuto depois:

Você trabalha com ele há mais tempo do que eu e sabe disso. Não tem coisas melhores pra fazer – principalmente neste fim de semana – do que ficar esperando numa manhã de domingo e surtar por causa disso?

Ela respondeu:

Teddy, não importam as outras coisas que tenho pra fazer, sempre vou surtar por causa do trabalho, você sabe disso.

— Boas notícias?
Ela tirou os olhos do celular e viu Drew parado na porta, de toalha.
— O quê? — perguntou ela.
Ela estava distraída com a gotícula de água que estava rolando do ombro dele, passando pelo sulco no peito e seguindo direto para...
— Você estava sorrindo no celular. Só fiquei pensando por quê — respondeu. Ele se sentou na cama, ao lado dela, de toalha.
— Ah — suspirou ela. Por alguns instantes, ela tinha parado de surtar por causa do trabalho. — Nada, só estava rindo de uma coisa que Theo disse.
Ele se levantou da cama e deixou a toalha cair, mas rapidamente vestiu a cueca e a calça jeans. Só que ainda estava sem camisa.
— Quem é Theo? — perguntou ele.
Eles tinham passado tanto tempo juntos que foi meio chocante ele não saber.
— Theo é o diretor de comunicação do prefeito, meu companheiro de trabalho, um grande amigo, tudo junto.
Ela saiu da cama e foi pegar o roupão que tinham jogado no chão.
Ele pegou uma camiseta cinza, igual à que estava usando quando se conheceram no elevador. Talvez fosse a mesma. Ela se lembrou do relance do peito no elevador por baixo da camiseta e como ela quis passar as mãos. Ainda não conseguia acreditar que aquilo de fato tinha acontecido. Ele olhou pela janela, e não para ela.

— Vocês estão... namorando?

Ela amarrou bem o roupão em volta do corpo. Putz, ela não estava gostando das insinuações daquela pergunta.

— Eu e o Theo? Primeiro, não. Mas, em segundo lugar: você realmente acha que eu estaria aqui com você se estivesse namorando?

Era estranho que ele pensasse aquilo a respeito dela e de Theo sem saber nada sobre ele. Ainda mais estranho era ele achar que ela trairia alguém.

Ele olhou para ela e abriu um sorriso tímido. Ela precisava de mais do que um sorriso tímido e meigo depois daquilo. Foi até o banheiro.

— Não, espere, Alexa — pediu ele, sentando-se na cama e dando tapinhas no lugar ao lado dele. Ela se virou, mas não foi até ele. — Por favor?

Bem, ela ficaria lá pelo resto do dia mesmo. O que mais iria fazer? Então, sentou-se.

— Desculpe, não pensei... não foi o que quis dizer. Fiz a pergunta do jeito errado. Eu só queria saber, para lembrar no futuro, se houve algo entre vocês dois. Além do mais, você estava trocando mensagens com ele em um domingo de manhã — disse Drew, com o olhar passando para o decote — nua. Eu não costumo mandar mensagens para amigos do trabalho desse jeito.

Ela pensou em perguntar sobre o significado de "para lembrar no futuro", mas não sabia como abordar isso. Ela era ótima em conversas políticas difíceis, mas não em conversas pessoais.

— Eu fico muito nervosa com o trabalho e precisava de conselhos. Em vez disso, ele tirou sarro da minha cara e me fez me sentir melhor. Foi um e-mail, e não uma mensagem — respondeu. Ela fez uma pausa. — E esqueci que estava nua.

Drew sorriu.

— Eu não.

Ela retribuiu o sorriso.

— Theo e eu não poderíamos ter uma relação mais platônica nem se tentássemos. Ele é como o irmão que nunca tive.

Drew se sentou mais longe na cama.

— Com o que você estava nervosa? Precisava de conselhos para quê?

— Ah, é um programa de artes para jovens em situação de risco para o qual estou tentando conseguir apoio do prefeito. Entreguei para ele meu memorando na sexta à tarde e, embora saiba que ele provavelmente ainda não leu, muito menos tomou uma decisão, continuo verificando.

Drew colocou o braço em volta dela e se recostou nos travesseiros.

— Esse programa é muito importante para você, né?

Ela fez que sim com a cabeça, que estava repousada em seu peito.

— Conte-me sobre ele — pediu, passando os dedos no cabelo dela.

Ela hesitou. Será que já estava pronta para falar sobre isso com ele? Ou algum dia estaria pronta? Ele entenderia? Se importaria? Mas ele ficou esperando.

— Sempre me interessei em ajudar os adolescentes. Há vários tipos de programas para crianças, grupos de leituras e playgrounds, coisas desse tipo. Mas as pessoas deixam de dar bola quando eles fazem onze ou doze anos, e todo mundo detesta adolescentes, o que é uma droga, porque é justamente o período da vida em que tudo muda e fica assustador e eles precisam de ajuda. E aí, quando fazem alguma bobagem, ninguém quer dar outra chance, principalmente, para os adolescentes de minorias.

— Mas por que um programa de artes? — indagou ele. Ela olhou por causa do tom de voz e viu a cara de espanto dele. — Não seria recompensar os adolescentes com problemas? Como é que isso vai impedir que voltem a aprontar?

Alexa se sentou direito e apertou mais o laço do roupão. Ela deveria ter imaginado que ele não entenderia, mas a atitude dele a deixou mais decepcionada do que ela pensava. Decepcionada e brava.

— Mandar os adolescentes para a cadeia por pequenas transgressões não os impede de fazer algo errado, apenas piora a situação. As pessoas os desprezam. Pessoas como você.

Ele tentou interromper, mas ela falou por cima:

— E isso faz com que seja mais provável que façam besteiras de novo, porque, a essa altura, sabem que ninguém liga mais para eles. Um programa como esse mostraria que as pessoas se importam. Não é uma recompensa: eles teriam que cursar e completar o programa, mas isso lhes ofereceria maneiras diferentes de lidar com o estresse, e não empurrá-los para dentro de um sistema de punições que poderia acabar com a vida deles.

Ela retomou a compostura e se sentou direito. Como é que ela conseguia defender esse argumento objetivamente no trabalho, mas não com Drew? Pois é, por isso ela não tinha credibilidade em conversas pessoais difíceis: o gênio dela sempre dominava.

— Vou entrar no banho agora, se você já tiver usado o banheiro.

♥ ♥ ♥

Bem, ele ferrou tudo. Ficou óbvio que cutucou uma ferida e, antes que tivesse a chance de saber o que dizer, ela correu para o chuveiro. Ele ficou pensando se deveria dizer algo depois que Alexa saísse do banheiro, mas ela abriu aquele grande sorriso que usou com Amy no casamento e disse que estava com fome, então, ele não tocou no assunto.

Ele acabou levando-a para o Valley para almoçar *dim sum*, em um lugar que Carlos tinha recomendado. Depois de ambos terem ataques de risos com a quantidade obscena de comida na mesa, as coisas pareciam ter se normalizado.

Eles tiraram um longo cochilo sob o sol da tarde depois que voltaram ao apartamento. Ele acordou com a brisa soprando o cabelo dela em seu rosto e o nariz dela roçando em sua nuca. Ele se virou na cama e a puxou para aconchegá-la junto a ele.

Ela riu dele por causa do ninho de lençóis, travesseiros e o corpo dele, o cabelo dela eriçado na cabeça como se fosse uma auréola, sua pele negra radiante em contraste com os lençóis brancos. Ele também riu, só porque ela estava lá, e ele estava com ela. Ele beijou sua testa, bochechas, pálpebras e, por fim, lábios. Eles se beijaram assim por um tempo, nada mais, com os olhos abertos, se encarando.

Depois de um tempo, ela suspirou e colocou o dedo nos lábios dele.

— Drew, por mais que quisesse continuar fazendo isso... que horas são? Meu voo é às oito e meia, lembra?

Ele respirou fundo e descansou sua testa na dela. Ele não estava pronto para esse fim de semana terminar. Finalmente, olhou para o relógio da mesa de cabeceira.

— Cinco horas.

Ela soltou um suspiro e o envolveu em seus braços.

— Está bem. Ainda quer passar naquela hamburgueria no caminho para o aeroporto?

Ele tocou a bochecha dela com o polegar.

— Eu preferiria ficar aqui na cama fazendo muita sacanagem com você até a hora de ir, mas se está com fome...

Eles não tinham tempo para comprar hambúrgueres.

Pouco antes de sair da estrada em direção ao aeroporto, ele pigarreou.

— Não vou estar de plantão no próximo de fim de semana, então, posso ir te visitar. Isto é, se você estiver livre.

Ela olhou para ele, abriu a boca e a fechou. Por fim, disse:

— É, pode ser. Pode ir. Talvez tenha que trabalhar, mas...

Ele a interrompeu.

— Você teve notícias do chefe sobre o memorando?

Ela fez que não, pegou o celular para confirmar e fez que não novamente.

— Quem sabe amanhã — respondeu Alexa, encolhendo os ombros. — Mas não tenho certeza.

Ele pigarreou.

— Hum, espero mesmo que ele diga "sim".

Ela tocou sua mão, e ele pegou a mão dela.

— Obrigada. Eu também.

Em pouco tempo, chegaram ao aeroporto, e ele saiu do carro para tirar a bagagem dela do porta-malas. Ainda segurando a mala, ele foi com ela até a calçada e a beijou. Ele abraçou a cintura dela e aproveitou mais uma vez o toque de suas mãos, que o deixava excitado e o acalmava ao mesmo tempo.

Alexa se afastou primeiro.

— Não posso perder meu voo.

Ele a soltou, mas não voltou para o carro.

— Certo, está bem. Te vejo no próximo fim de semana?

O sorriso dela quase o derrubou. Ela fez que sim.

— Sim, te vejo no próximo fim de semana.

13

Alexa dirigiu do aeroporto de Oakland até sua casa, ainda com um humor que era uma mistura de euforia e confusão desde que saíra do carro de Drew no aeroporto de Los Angeles. Ele ficou fazendo pequenas referências ao futuro o fim de semana inteiro, desde falar que iriam comer donuts "da próxima vez" até perguntar sobre Theo "para lembrar no futuro". Ela passou o tempo todo com medo de acabar com o clima se perguntasse o que ele queria dizer com aquilo.

Mas aí, quando estavam chegando no aeroporto, droga, ele falou que iria para Berkeley no próximo fim de semana. O que ela deveria ter feito? Fazer um questionário antes de sair do carro? Ela não achava que esse relacionamento ia dar em alguma coisa. Drew deixara bem claro no elevador que não era esse tipo de cara.

Por isso, acabou só dizendo "tudo bem". Ela não estava pensando demais, lembra?

Mas não conseguiu dormir aquela noite. A cabeça ficou girando em torno de Drew, do chefe, do memorando e do que podia haver de errado com ele, do fim de semana e de como ela havia se divertido, de Drew, do trabalho no dia seguinte, da mensagem dele pedindo para ela avisar quando chegasse em casa e das mensagens de sacanagem que Drew passou a mandar mais, do novo diretor de políticas que ela teria que contratar, de Drew, do jeito que ele olhava para ela quando estavam na cama. Por fim, ela levantou e fez um chá de camomila, que tomou com um sonífero, o que lhe deu cerca de quatro horas de sono profundo (até demais).

Ela acordou grogue, mas com um humor muito melhor do que o da noite anterior. Ela estava indo para um trabalho que amava, havia passado o fim de semana inteiro transando com um médico sexy e, se fosse de apostar, apostaria que Theo levaria donuts aquela manhã.

Dito e feito, ela o encontrou indo para o prédio, com uma caixa rosa na mão.

— Meu herói! — disse ela, entregando-lhe o café que havia comprado para ele.

— Como sabia que eu traria donuts? — perguntou ele, olhando para o café e para o sorriso no rosto dela.

— Intuição — respondeu Alexa. Ela abriu a caixa e pegou seu donut. — Exatamente o que precisava.

Ele testou a temperatura do café, sem tomar um gole ainda.

— Todos sabemos que você se deu bem no fim de semana. Precisa esfregar na cara?

Ela apenas sorriu e deu uma grande mordida no donut enquanto seguiam para o escritório.

— Antes que eu me esqueça, ficou sabendo de alguma coisa? Normalmente, nem precisaria perguntar, mas como você viajou no fim de semana... — disse ele, com a voz se apagando; ela negou com a cabeça.

Ele se sentou em uma das cadeiras na frente da mesa dela.

— Muito bem, conversaremos sobre isso daqui a pouco. Primeiro, deixe eu adivinhar: o fim de semana foi bom? — perguntou ele, tomando um gole de café e pegando um donut para si.

— Foi bom, obrigada — agradeceu ela, espantando todo o nervosismo da noite anterior, e sorriu para ele.

Ele se recostou na cadeira; ela se sentou e ligou o computador.

— Ótimo. Vai vê-lo de novo?

Ela encolheu os ombros.

— Ele vai vir no próximo fim de semana.

Theo brindou com o copo de café.

— Bom trabalho, Lex. Estou contente por um de nós estar se divertindo com algo não relacionado ao trabalho.

Ela riu.

— Eu também. Agora, sobre o meu programa, quando acha que o chefe me dará um "sim" ou "não"? Ou um "talvez"?

Theo tomou um grande gole de café e voltou a se sentar na cadeira.

— Bem, ou ele leu o memorando no fim de semana e chegará com perguntas para você hoje... ou ele nem olhou e você terá que lembrá-lo hoje. Pelo menos, saberemos logo logo.

Porém, o prefeito não comentou nada com Alexa a manhã toda, mesmo tendo se sentado ao lado dela em duas reuniões. A terceira reunião do dia seria a quinzenal com a procuradora municipal. Depois que ela recapitulou a lista de atuais processos contra a cidade (protestos, casos de danos morais e materiais, questões trabalhistas, o caso de um palhaço) e ofertas de acordos pendentes, o prefeito tirou os olhos dos desenhos que fazia em seu bloco.

— Ótimo. Agora que terminamos todas as pendências, Alexa tem uma ideia para mostrar para você. Não é um problema jurídico, mas quero que fique absolutamente claro que não há questões de responsabilidade antes de apresentarmos ao conselho, entendeu?

Obrigada, chefe, por jogar isso para mim. Ela nem estava com suas anotações. Por sorte, sabia tudo de cor.

— Sim, senhor. Susan, aqui está minha proposta.

Ela flutuou de volta para o escritório. Ainda não tinha ganhado, e havia uma longa batalha pela frente, mas pelo menos o prefeito estava do lado dela. Entrou no escritório de Theo para gritar a notícia, mas estava vazio.

— Ele está tomando café com um repórter — avisou o assistente de Theo.

Droga. Ela precisava compartilhar essa alegria com alguém. Quando pegou o celular para escrever para Maddie, viu uma mensagem de Drew.

Como está sua segunda? Alguma notícia do chefe sobre sua ideia?

Puxa, depois da quase-briga sobre a questão no domingo, ela estava surpresa por ele tocar no assunto de novo. Estava tão animada que quis responder com uns quarenta pontos de exclamação, mas segurou o impulso.

Acabei de falar com o prefeito. Ele topou! Ótimo começo de semana.

Bom, um ponto de exclamação, e daí.

Que boa notícia! O que ele disse?

Ela prometeu se lembrar de recompensá-lo por devolver esse ponto de exclamação.

Mal disse uma palavra, jogou a notícia pra mim durante uma reunião com a procuradora municipal.

Ela se sentou na mesa, tirou os sapatos e girou a cadeira. Quando a rotação diminuiu, recebeu outra mensagem.

Ótimo trabalho, estou feliz por você.

Ela girou a cadeira novamente e fez cara de alegria para o celular.

Também estou feliz por mim!!

Desta vez, Alexa não conseguiu segurar os pontos de exclamação, porque era verdade. Ela estava feliz com o projeto, feliz por ter Drew para falar sobre essa batalha, feliz por ele estar feliz por ela. Estava tão ocupada sorrindo, girando e olhando para o celular que nem tinha notado Theo entrar no escritório.

— Você estava me procurando?

Ela se levantou de repente, quase derrubando a cadeira.

— Theo! Olha só o que acabou de acontecer.

Assim que ela terminou de contar a história, o celular vibrou de novo.

Teremos uma coisa boa para comemorar este fim de semana.

Ela fez cara de alegria para o celular de novo. Theo ergueu as sobrancelhas.

— Você contou para ele?

Ela negou com a cabeça.

— O que... eu não... como você...

Ela suspirou e desistiu.

— Sabia porque te conheço. Tá, temos que bolar um plano. Café daqui a uma hora?

Ela assentiu e fez sinal para ele sair. Talvez todo aquele nervosismo noturno – sobre tudo – tivesse sido à toa.

♥ ♥ ♥

Carlos estava tão ocupado na segunda que mal tinha cumprimentado Drew quando chegou ao jogo de basquete no último minuto. Drew estava torcendo para que isso significasse que ele tinha escapado do estilo Carlos de humor sobre Alexa.

Mas, depois do jogo, quando já estava quase no carro, ele ouviu:

— Gostei dela, sabe?

Drew se virou e viu Carlos correndo até ele, com um sorriso largo.

— Eu notei. Você parecia mesmo querer passar mais tempo com ela.

Carlos o alcançou.

— Quanto tempo você levou para traçá-la depois que fui embora?

Drew pensou em sexta à noite. Eles mal tinham parado para tirar as roupas. Ele balançou a cabeça.

— Não é da sua conta.

Carlos riu.

— Tão rápido assim? Achei que você iria me jogar pela janela se eu ficasse mais um minuto.

Drew destrancou o carro e jogou a sacola no porta-malas.

— Se você tivesse ficado mais um minuto, essa teoria seria colocada em prática.

Carlos ergueu as sobrancelhas.

— Entãããão, quando vai vê-la de novo? Você vai vê-la de novo, né?

Sim, ele iria vê-la de novo.

— Este fim de semana — respondeu. Ele tentou, mas não conseguiu segurar o sorriso. — Vou passar o feriadão todo lá.

Carlos deu tapinhas no ombro dele.

— Finalmente. Bom trabalho, cara, estou orgulhoso de você.

Drew tirou a mão de Carlos de seu ombro e abriu a porta do carro. Ah, que ótimo, agora Carlos estava todo convencido porque foi ele quem o fez mandar a mensagem para Alexa. Drew nunca teria feito isso se soubesse que era isso que ele queria.

Tudo bem, deixa pra lá, ele teria feito, sim.

— Orgulhoso por quê, seu cretino?

Carlos sorriu.

— Ah, você vai ver. Diga a Alexa que mandei um abraço.

♥ ♥ ♥

— Ele está transando com outra pessoa? — perguntou Maddie ao beber a segunda margarita.

Alexa fez uma pausa, no meio de um gole de seu próprio drinque. Ela não tinha pensado nisso. Por que não tinha pensado nisso?

— Não sei — respondeu. Porque ela não queria pensar sobre ele estar com outra pessoa, esse era o motivo. — Por que a pergunta?

— Você disse que ele não gostava de compromissos, então fiquei pensando — falou Maddie. — Você vai perguntar para ele?

Alexa tomou um gole do drinque. Não era isso que ela esperava da noite de margaritas com Maddie. A terça de tacos não era para ser estressante. Ela não queria ser interrogada sobre Drew, só queria aplausos sem complicações.

Pelo menos, tinha conseguido isso de Theo.

— Não tinha pensado nisso.

— Tudo bem. Então, se eu perguntar agora se vocês estão namorando, vou ter a mesma resposta meia-boca, né?

Alexa colocou o drinque na mesa.

— O que aconteceu com "não pense demais nas coisas, Alexa"?

Maddie deu risada.

— Pelo jeito, às vezes, você me ouve. Mas isso foi diferente! E, mesmo agora, não estou falando para você pensar *demais* nas coisas... apenas não deixe de pensar nelas.

— Ótimo, é um equilíbrio perfeito de pensamento, não parece nem um pouco difícil. Por que não passou pela minha cabeça antes? Agora podemos falar um pouco sobre você? Quem foi a cliente que te deixou furiosa esta semana?

A empresa de styling de Maddie estava indo muito bem, o que significava que ela sempre tinha ótimas histórias. Alexa riu de quando ela contou da compra de vestido de formatura para uma família inteira, com idades entre setenta e nove anos.

Infelizmente, agora que ela tinha ganhado permissão para começar a pensar mais sobre a situação com Drew, era só nisso que conseguia pensar.

— Devo perguntar para ele? — perguntou Alexa no meio do segundo drinque.

— Acho que depende do quanto quer saber a resposta — respondeu Maddie.

♥ ♥ ♥

Na quarta à tarde, o celular de Drew vibrou em seu bolso no meio de uma consulta com Jack e Abby. Ele sorriu, quase certo de quem havia enviado a mensagem. Ele e Alexa trocaram mensagens a semana inteira, de maneiras inocentes e criativas, embora ela estivesse excepcionalmente quieta hoje. Ele segurou a vontade de tirar o celular do bolso e se concentrou em Jack.

Quando Abby e Jack estavam saindo da sala, ela parou e se virou.

— Sua amiga Alexa ajudou tanto. Ela conseguiu me colocar em contato com pessoas que eu nem sabia que existiam. Agradeça-a por mim.

Alexa não tinha contado que havia ajudado Abby.

— Sei que ela ficará contente em saber — respondeu ele.

Ao irem embora, Jack lhe deu um *high-five* com seu braço bom.

Drew se enfiou no consultório no intervalo entre pacientes para mandar uma mensagem para ela, mas aí viu o que havia sido enviado durante a consulta.

Você está transando com outra pessoa?

Ei, peraí, de onde saiu isso? Ele respondeu sem pensar.

Agora não, estou no trabalho.

Por que ele nunca parava para pensar?

Entendi. E depois do trabalho, vai me dar uma resposta diferente?

Talvez outra piada fosse ajudar.

Não, hoje é noite de basquete.

Alguém bateu na porta do consultório, e ele olhou.

— Dr. Nichols? Seu paciente de uma e meia está na sala de exames.

— Já vou! — respondeu ele, olhando para o celular.

Vamos combinar assim: agora você tem o fim de semana livre, assim nem o trabalho, o basquete ou eu iremos atrapalhar.

Que porra foi isso? Como é que piorou tão rápido? E por que ela tocou nesse assunto agora, no meio do dia? Por mensagem?

Qual é, relaxa. Eu tava brincando.

Ele se sentou na beirada da mesa, ignorando as pastas que caíram no chão.

Hahahahaha que engraçado.

De alguma forma, ele não achava que eram "hahahahas" autênticos. Ele ainda estava pensando no que dizer, quando o celular voltou a vibrar.

Olha, Drew, estou ocupada demais para isso. Não acho que seja uma boa ideia.

Ele quase não conseguiu segurar os palavrões, mas felizmente lembrou que havia crianças pequenas com os pais do outro lado da porta.

— Dr. Nichols? — A batida na porta foi mais forte. Merda, ele estava mais atrasado que de costume.

— Estou indo!

Qual é, Alexa. Que é isso?

Ele jogou o celular em cima da mesa e abriu a porta do consultório com força suficiente para se chocar com a parede. Por que as mulheres tinham que fazer coisas como essa, porra?

— Está tudo bem, dr. Nichols? — perguntou a enfermeira.

— Tudo bem. Quem é o próximo?

Ele atendeu com fúria os quatro pacientes seguintes. E se obrigou a sorrir para as crianças, mas foi particularmente seco com as mães, e ele sabia que haveria consequências depois.

Carlos entrou no consultório no fim do dia quando ele estava se preparando para ir embora.

— Por que ainda está com essas roupas? — perguntou Carlos, encenando um jogo imaginário de basquete no chão do consultório. — Hoje tem basquete!

Ele relembrou a mensagem que havia mandado para Alexa e estremeceu.

— Não vou, me desculpe.

O plano era ir para casa e beber toda a cerveja que havia na geladeira.

— Por quê? Tem que ligar para sua namorada? — Carlos perguntou. — Vai realmente nos trocar por ela? Mas tenho que dizer, ela é mesmo...

Drew não queria ouvir o final daquela frase.

— Ela não é minha namorada — respondeu, colocando a sacola no ombro e saindo da sala. Carlos, é claro, foi atrás, ainda falando.

— Claro, claro que você vai falar isso. Sei como é. Mas qualquer pessoa que vir vocês juntos saberá a verdade.

— Ela. Não. É. Minha. Namorada — falou Drew, entrando no elevador, sem olhar para Carlos, mas sentindo seu julgamento.

— Está bem, o que aconteceu? — perguntou Carlos, apertando o botão do térreo, ainda o encarando.

Dentre todas as pessoas, ele não queria conversar com Carlos sobre isso. Ele aumentaria a importância daquilo, e não era importante. Eram apenas duas semanas, tinha acabado, e ele não queria pensar nisso.

— Nada.

Os dois caminharam em silêncio. Carlos o seguiu, atravessando a rua até a garagem e lá entrou com ele no elevador.

— Agora vai me contar? — indagou Carlos, saindo do elevador e indo com ele até o carro.

— Você não tem compromisso? Por que está me seguindo? Vá jogar basquete.

Carlos fez um gesto para a esquerda, e Drew viu a BMW vermelha e reluzente.

— Estacionei meu carro a duas vagas de distância, imbecil. Não estou seguindo você. — Carlos encostou no carro de Drew, muito mais castigado, e o observou. — Mas é uma boa ideia. Sabe que tenho uma chave da sua casa, né? Se você não me contar o que te deixou com esse humor, sabe que vou segui-lo até você me dizer. E sei que é por causa da Alexa, então, não me venha com papo furado.

Drew suspirou. Por mais que tentasse evitar, sabia que era inevitável.

— Está bem, vamos lá pra casa, mas é bom parar para comprar comida no caminho. E você paga.

Vinte minutos depois, Carlos entrava no apartamento carregando dois sacos com hambúrgueres. Drew os rasgou, deu uma mordida em um deles e terminou sua segunda cerveja. Depois, abriu as mensagens de Alexa e atirou o celular para Carlos.

— É melhor você ler o que aconteceu hoje, assim não preciso contar. Role para baixo.

Drew ficou observando o rosto de Carlos enquanto ele lia. Em segundos, foi de confusão a diversão, a raiva e, finalmente, irritação. Ele colocou o celular no meio da mesa, abriu uma cerveja, tomou um gole grande e recostou nas almofadas do sofá. Por fim, olhou para Drew.

— "Agora não"? Sério?

Drew colocou com força sua garrafa vazia de cerveja na mesa.

— Era uma piada!

Carlos desembrulhou um hambúrguer para comer.

— É mesmo? Você pensou que ela iria achar engraçado? Você pensou que *qualquer mulher* iria achar engraçado?

Drew se levantou e foi até a cozinha pegar outra cerveja.

— Eu não raciocinei! Não estava preparado para essa pergunta! Por que ela me escreveu isso? No meio do dia? Em uma QUARTA-FEIRA?

Carlos espremeu três saquinhos de ketchup no papel do hambúrguer e pegou um punhado de fritas. Ugh, ele sempre pegava todos os ketchups. Drew devia ter comprado sua própria comida e ter enchido a cara em casa, sozinho, em paz.

— E daí, quer dizer que na quinta teria sido melhor?

Ele quis atirar a garrafa de cerveja na cabeça de Carlos, mas acabou apenas bebendo e recostando-se em seu canto do sofá.

— Que foi? — perguntou Carlos. — Só estava brincando.

Pronto, era isso. Ele não precisava aguentar essa merda na própria casa.

— Vá se foder! Vá pra casa.

Carlos teve a audácia de rir da cara dele.

— Não, falei sério, vá se foder.

Carlos parou de rir, mas se acomodou com o hambúrguer e a cerveja com mais conforto no sofá.

— Você vai ligar para ela, né?

Drew bateu com a garrafa na mesa. A cerveja espumou e se espalhou por toda parte.

— Não, por que ligaria? Posso achar outra garota. Já fiz isso antes e farei outra vez.

Carlos não falou nada. Drew voltou para a cozinha para pegar outra cerveja e depois se sentou no sofá e tomou um gole.

— De qualquer forma, isso iria acabar em algum momento. É melhor que acabe agora antes que ela passe a me odiar *de verdade*.

Ele olhou e viu Carlos olhando para ele.

— O que está querendo dizer?

Drew ignorou a pergunta e alcançou a comida. Quando olhou, viu Carlos encarando-o.

— Que foi? O que há de errado com você? — perguntou ele.

Carlos balançou a cabeça.

— Nada, cara. Termine seu hambúrguer.

♥ ♥ ♥

Primeiro, Alexa passou o resto da tarde furiosa com Drew, depois, consigo mesma. Pelo amor de Deus, por que ela tinha resolvido mandar aquela mensagem para ele no meio do dia numa quarta-feira? Ela tinha que fazer isso quando estava prestes a entrar em três reuniões consecutivas nas quais precisava se concentrar, ser diplomática e prestar atenção? Não poderia ter esperado para conversar sobre isso pessoalmente?

Depois da última reunião, não apenas teve que dar carona para o chefe até sua casa, como também ele a fez ficar sentada no carro conversando sobre o plano de transportes por quinze minutos.

Parecia que ela iria ter um ataque de nervos. Estava furiosa por ter se entregado a um relacionamento que havia durado treze dias, furiosa porque fez de tudo por algo que nem era um relacionamento para começo de conversa, furiosa por Drew ser um cretino, furiosa por Drew ser um cara legal durante noventa e oito por cento desses treze dias, furiosa consigo mesma por estar a ponto de chorar por seis horas seguidas quando tinha orgulho de nunca chorar, furiosa com o chefe ainda falando das porras das bicicletas quando ela só queria ir para casa.

Finalmente, a mulher do prefeito o chamou para entrar em casa e disse que, se ele não fosse para dentro em dois minutos, iriam jantar sem ele.

Tudo o que Alexa queria fazer era ir para casa e lamentar, mas até isso a deixava furiosa: como ousava lamentar depois de tão pouco tempo? Ela mal o conhecia! Por que não podia ser o tipo de mulher que conseguia transar com um cara por algumas semanas e nunca mais vê-lo, sem problema algum? Ela tinha inveja dessas mulheres.

Ao chegar em casa, vestiu a legging mais confortável e enviou uma mensagem para Maddie.

O lance com Drew acabou, não quero falar sobre isso.

O celular vibrou pouco depois.

Você tá bem?

Ela jogou o sutiã preferido no chão do quarto e balançou a cabeça.

Não quero falar sobre isso.

Maddie bateu à porta meia hora depois com duas garrafas de vinho na bolsa e uma pizza grande de pepperoni nas mãos.

— Não precisamos falar, mas estou com fome, e achei que você também estaria. E está passando uma maratona do reality de noivas agora, então...

Alexa apanhou a pizza de suas mãos e foi para o sofá.

— Vou pegar as taças.

14

Alexa ficou sentada no escritório na terça seguinte com a porta fechada. Ela a tinha encostado para uma teleconferência, que já havia terminado há muito tempo. Precisava de um tempo sem ninguém entrar, tempo em que ela não precisaria sorrir e agir de um jeito profissional e interessado, um tempo para não pensar no que o feriadão poderia ter sido se ela não tivesse enviado aquelas mensagens. Ela descansou a cabeça em cima da mesa e fechou os olhos.

Queria poder se dedicar ao trabalho, mas o dia todo estava devagar por causa do feriado do dia anterior. Mesmo fazendo listas das pessoas com quem falaria depois e pesquisando mais para o programa sem parar, parecia encheção de linguiça. Normalmente, aproveitava os dias calmos no trabalho para descansar a cabeça e espairecer. Mas essa semana, precisava do caos que não havia.

O celular vibrou, mas ela ignorou. Achava que era Theo, perguntando se estava livre, ou Maddie, para saber se estava bem, ou a prima, precisando de um favor, e ela não queria falar com ninguém agora.

Mesmo assim, tirou o celular de baixo do braço e abriu um olho para ver quem era, só por via das dúvidas.

Era Theo. A onda de decepção bateu outra vez. Ela não estava esperando uma mensagem de Drew. Passou uma semana sem sinal dele e, também, não tinha entrado em contato. Então, por que a esperança?

Ela saiu do escritório sem responder à mensagem de Theo e subiu dois lances de escada até o banheiro. Havia menos chances de encontrar alguém para falar em outro andar. Jogou água fria no rosto, acertou a maquiagem e abriu um sorriso antes de descer até o escritório de Theo.

— Queria me ver? — perguntou ela, encostada na porta e torcendo para que fosse rápido. Theo tirou os olhos do computador.

— Sim, mas não é para o trabalho. Você ainda vai no meu aniversário este fim de semana, né?

Que merda, ela tinha esquecido completamente do aniversário de Theo. Ainda por cima, era uma péssima amiga.

— Claro! Não perderia!

Theo apertou os olhos e fez sinal para ela entrar.

— Você esqueceu, né?

Ela desistiu e se sentou na frente da mesa.

— É, tá, mas sei que está na minha agenda. Não é que eu não fosse. Qual é o plano mesmo?

Ela sabia que havia conversado com Theo sobre isso em algum momento, mas estava tudo misturado com a festa de noivado da prima e a inauguração na próxima semana daquele novo bar na avenida Telegraph a que o prefeito resolveu comparecer.

— Agora sei que tem algo errado com você. Vamos beber no Royal Arms, no Mission.

Ela fez uma careta.

— Detesto aquele lugar.

— Sim, eu sei, foi o que você disse da última vez que falamos disso, mas meu amigo Nate é sócio e vai nos dar um belo desconto.

— Odeio seu amigo Nate — disse ela, calmamente. Ela também tinha dito isso da última vez; estava começando a se lembrar de tudo.

— Eu sei. O Dave vai estar lá. Ele sempre foi a fim de você. Quem sabe pode te tirar dessa deprê.

Ela pensou em negar que estava deprê, mas para quê?

— Uma hora, melhoro. Só estou estressada com as coisas do meu programa, só isso — afirmou. Ela se levantou para voltar ao seu escritório e parou na porta. — Quem mais vai? Posso levar a Maddie?

— Pessoas de que você gosta, eu juro. Convidei todo o pessoal da campanha. Mas pode levar a Maddie se quiser.

♥ ♥ ♥

Drew correu dois longos trajetos na praia no feriadão. Ele ficou se lembrando que, se estivesse com Alexa em Berkeley, não poderia ter feito isso. Foi andando para casa pela praia, olhou todas as mulheres de biquínis e tentou, mas não conseguiu, se obrigar a dar em cima de uma delas.

Ele foi a um aniversário que teria ignorado com o maior prazer para estar em Berkeley. Foi embora antes que a loira de tomara que caia parecida com Amy passasse a mão na bunda dele de novo. No domingo à tarde, quase mandou uma mensagem para Vivian, a garota com quem transou por um tempo durante o outono, mas ficou assistindo golfe no sofá a tarde inteira. E ficou aliviado por ter que trabalhar no lugar de outro médico e estar de plantão na segunda.

Carlos invadiu o consultório de Drew na quarta à tarde.

— Cara, minha viagem para o Havaí foi ótima, obrigado por perguntar.

Drew tirou os olhos da pilha de fichas e se voltou para ele.

— Você estava no Havaí?

Carlos revirou os olhos e se sentou numa cadeira.

— Você é um cretino mesmo. Para o casamento do meu primo, eu era padrinho. Saí na sexta de manhã, foi por isso que você teve que ficar no meu lugar.

Ele deu de ombros.

— Claro, sinto muito se sua agenda de viagens não está entre minhas prioridades. Por favor, aceite minhas desculpas — disse ele, voltando a decifrar sua própria letra nas fichas.

— Uau, alguém ainda está com o humor cagado, hein? — falou Carlos, acomodando-se na cadeira.

Droga, ele deveria ter simplesmente sorrido e perguntado sobre a viagem, e Carlos iria embora em poucos minutos. Agora ele teria que aguentar essa babaquice.

— Só estou ocupado.

Carlos olhou para a pilha de fichas na mesa e desconfiou. Drew só fazia esse tipo de trabalho quando se obrigava ou não tinha mais nada para se ocupar, e Carlos sabia disso.

— Então, pela sua cara, você não foi para Berkeley no fim de semana? Chegou a tentar resolver?

Drew continuou com os olhos no computador e tentou manter o tom de voz.

— Deixa quieto, Carlos.

Claro que pensou em resolver, mas para quê?

Carlos se levantou, ainda bem.

— Está bem, continue remoendo, mas é melhor você estar bem quando formos para São Francisco no fim de semana.

A cabeça de Drew se ergueu. Do que é que ele estava falando? Por que iriam para São Francisco?

Carlos riu dele, e não com ele, disso tinha certeza.

— O Congresso da Associação Americana de Medicina Hospitalar Pediátrica. Planejamos isso, tipo, dois meses atrás. Somos os únicos pediatras júniores deste hospital que vão. Partimos amanhã.

Drew descansou a cabeça em cima da mesa, levantou-a e bateu-a. Por sorte, as fichas amorteceram.

— Ah, agora lembra — falou Carlos, indo para a porta. — Divirta-se fazendo as malas.

Drew soltou um suspiro quando ficou sozinho no consultório. Que beleza, justamente o lugar aonde ele não queria ir. Ele levou um susto quando Carlos enfiou a cabeça na porta.

— Você deveria ligar para ela e dizer que estará na cidade.

Drew se levantou e bateu a porta na cara de Carlos.

♥ ♥ ♥

Maddie topou ir à festa de Theo, principalmente, porque a relação de idas e vindas com Chris tinha terminado, desta vez (disse ela) para sempre. Ainda bem, pois Alexa nunca gostou desse cara. Maddie havia se candidatado a dirigir aquela noite sob a condição de Alexa vestir o que ela mandasse.

Isso significava que Alexa entrou no carro de Maddie no sábado à noite com um vestido tomara que caia preto e casaco de couro, usando maquiagem carregada e saltos altíssimos. Às vezes, dar carta branca para Maddie não era a melhor ideia.

— Tem certeza de que este look está bom? — perguntou de novo a Maddie, mesmo que não desse mais para trocar. — O decote está enorme e a maquiagem não combina comigo. Além disso, aqui é São Francisco, os caras usam jeans e moletom.

— Só porque os padrões deles são baixos não significa que devemos baixar os nossos — respondeu Maddie, estacionando em uma vaga que encontraram em uma travessa depois de circularem por dez minutos. — E por que você está se importando com o decote? O que aconteceu com "o que é bonito é para se mostrar"?

Alexa olhou para o próprio reflexo no espelho do carro uma última vez.

— Vai ter um monte de imbecis lá hoje, foi isso que aconteceu. Todos caras da área de tecnologia que o amigo do Theo, Nate, conhece. E o resto das pessoas será gente com quem já trabalhei. Não quero que pensem...

Maddie saltou do carro e fechou a porta. Alexa sabia identificar uma dica para parar de falar.

Ela sorriu quando olhou para Maddie, usando um minivestido rosa neon e botas pretas de cano alto. Felizmente, pelo menos a amiga iria se dar bem hoje. Ela precisava achar um cara legal depois daquele cretino do Chris.

— Está bem — concordou Alexa. — Vamos lá.

15

— Não aguento mais — cochichou Drew para Carlos.

Era o jantar de premiação do congresso. O salão do Palace Hotel estava repleto de médicos autocomplacentes. Drew queria se matar com uma garfada na cabeça.

— Entendi — disse Carlos. — Vou ao banheiro em dois minutos. Três minutos depois, você vai para o bar buscar mais uma bebida. Te encontro no ponto de táxi lá fora e vamos embora daqui.

Em dez minutos, os dois já estavam dentro de um táxi, rindo com seu plano bem executado. Era o primeiro momento de diversão de Drew em dois dias. O congresso fora instrutivo, e ele pôde passar mais tempo com o dr. Davis, seu mentor da faculdade, mas foram dois dias inteiros de networking, ouvindo, sorrindo e fazendo anotações, mesmo no bar do hotel à noite. E ele passou o tempo todo tentando não lembrar que

Alexa estava a uma ponte de distância. Ainda bem que Carlos estava lá. Caso contrário, teria morrido de tédio ou frustração.

— Aonde vamos? — perguntou Drew. Ele não tinha prestado atenção quando Carlos falou o endereço para o taxista.

— Falei para ir até à esquina da rua 24 com a Valencia. Achei que podíamos encontrar um lugar legal por lá e ninguém do congresso iria tão longe — respondeu Carlos. Ele pensou por um instante. — E se alguém for, queremos saber quem é para encontrarmos no congresso do ano que vem.

Entraram no primeiro bar que acharam e logo estavam tomando uísque e assistindo basquete com todos que estavam sentados lá. Na metade do primeiro uísque, já estavam sem casaco e com as gravatas frouxas. Quando terminaram as bebidas, tinham feito amizade com os barbudos sentados ao lado e com o barman tatuado, tanto que pediram uma pizza grande para ser entregue no bar, com a bênção do barman.

Depois da terceira dose, Drew se levantou para procurar o banheiro. Seus novos amigos apontaram para o fundo do bar, então, passou costurando por uma multidão para chegar lá. Na volta até o balcão, ouviu a risada. Ele virou a cabeça e a viu.

Ela estava no canto, e um cara negro de óculos estava com um braço em volta dela. Sem pensar, ele foi até eles e parou fora do círculo de amigos.

— Alexa.

Ela se virou e, quando seus olhares se encontraram, o sorriso dela o deixou maravilhado mais uma vez. De início, foi hesitante; depois, aumentou, como uma luz sendo ligada por um dimmer. Ele sorriu para ela também, tentando pensar no que dizer, mas por causa do uísque, da fome e do seu sorriso, deu branco.

— Drew. O que... o que está fazendo aqui?

Ela não parecia chateada por vê-lo e ainda estava sorrindo. Eram bons sinais. Mas o braço daquele cara ainda estava envolvendo-a.

De repente, em vez de estar do outro lado do círculo de amigos, ele estava na frente dela.

— O que estou fazendo neste bar ou em São Francisco? — perguntou ele. Ele quis tocá-la, mas se segurou.

— Os dois — respondeu ela, com uma cara de espanto, e o sorriso se apagou um pouco. — Ambos.

Ele tocou sua mão, não aguentou. Será que tinha esquecido como era bom estar com ela ou tinha se forçado a apagar isso de sua memória?

— Congresso. Carlos e eu estamos aqui — respondeu Drew. Ele inclinou a cabeça na direção do bar. — Tivemos que fugir do jantar de premiação hoje à noite e acabamos vindo para cá — explicou. Ele se aproximou mais dela, seus corpos quase se tocavam. Drew conseguia sentir o calor do corpo dela através do vestido justo que estava usando. Ela não recuou. — E você?

Ela virou o rosto e olhou para o grupo que os cercava. A maioria das pessoas do círculo em volta dela havia se dissipado, exceto o cara de óculos e a mulher de rosa; ambos estavam encarando-o.

Ele ficou perto dela, torcendo para que o cara de óculos se tocasse. Ele não se tocou. Espere, Alexa estava com esse cara?

— É aniversário do Theo e... — disse ela. A mulher de rosa lhe deu uma cotovelada não muito sutil, e ela riu de novo. — Me desculpe, me desculpe. Drew, este é Theo, o aniversariante, e esta é minha amiga Maddie. Maddie, Theo: Drew.

Claro que era a porra do Theo. Maddie trocou o drinque de mão para que pudesse cumprimentar Drew.

— Maddie, prazer em conhecê-la. Ouvi falar muito de você — disse ele. — Você também, Theo.

Pelo menos, Theo teve que tirar o braço do ombro de Alexa para apertar a mão de Drew. Maddie sorriu para ele, erguendo as sobrancelhas.

— Igualmente, Drew. Agora, com licença, preciso pegar outro drinque. E acho que o aniversariante precisa de um também, né, Theo? — falou Maddie, desaparecendo na direção do bar com o drinque quase cheio e agarrada no braço de Theo.

Drew tinha quase certeza de que iria gostar de Maddie.

— Oi — disse ele quando ficaram sozinhos. Ele tocou seu braço nu e, desta vez, não soltou. — Posso, hã... podemos conversar um pouco? — perguntou. Agora que a tinha visto, ele não podia apenas voltar para o bar.

Alexa olhou na direção em que Theo e Maddie haviam desaparecido e depois para ele. Que merda, será que ela iria mandá-lo embora?

— Claro — respondeu ela.

Ele pegou a mão dela e a puxou mais para o canto.

— Olha, me desculpe pelo que disse. Quero dizer, nas mensagens. Não raciocinei direito — disse ele quando a algazarra à sua volta já tinha diminuído. Ele quis se aproximar mais, só que não queria que ela se esquivasse. Ela apertou sua mão.

— Não, Drew, eu é que peço desculpas. Não devia ter começado aquele assunto. Não foi... eu não quis...

Ele olhou para ela. Aquele vestido tomara que caia que estava usando... ele quis puxar o decote e beijá-la entre os seios.

— Eu não estava — soltou ele. — Quero dizer, não estou. Quero dizer... — continuou. Ela olhou para ele, confusa, e ele percebeu que estava sendo incoerente. — O que você me perguntou na mensagem: não estou indo pra cama com mais ninguém.

Quando ela olhou nos olhos dele e sorriu, ele se aproximou dela. Ela não recuou.

— Você está linda hoje — disse ele.

Alexa soltou sua mão e o coração dele parou por um segundo. Quando ele sentiu seus dedos passarem por sua cintura e puxá-lo para si, ele soltou um suspiro de alívio.

— Que bom que você está aqui — falou ela.

A mão dele passou do braço para a cintura dela. Ele se inclinou para beijá-la; ela passou a mão em seu rosto.

O beijo era familiar e surpreendente ao mesmo tempo. Era como voltar para casa para beijá-la, deitar-se em uma cama recém-arrumada com lençóis limpinhos, quente e sexy, tudo o que ele queria. Ele tomou seu rosto em suas mãos e a beijou com mais força. Ela mordeu seu lábio, e ele levou um susto.

— Está querendo se vingar de alguma coisa? — perguntou ele, lambendo o lábio dela.

Ela riu junto à sua boca, e ele riu com ela. Como é que tinha pensado em desistir dela?

— Só estou verificando se é mesmo você, se está mesmo aqui.

Ele sentiu uma mão em suas costas e se retraiu. Ele virou a cabeça e protegeu Alexa com o corpo. Se fosse Theo...

Ele relaxou quando viu que era Carlos.

— Quando tiver terminado, tem pizza lá no bar e... Alexa! — falou Carlos, relaxando o tom de voz e recuando. — Me desculpe. Não sabia que era você. Faça de conta que não estou aqui. Foi bom te ver, Alexa.

— Carlos! — chamou ela, saindo de trás de Drew para abraçá-lo. — Que bom te ver. É aniversário do meu amigo Theo. Deixe-me apresentá-los para algumas pessoas.

Alexa levou os dois até o grupo que estava com Theo e Maddie e fez as apresentações. Theo não pareceu muito contente em vê-lo, mas pelo menos não o expulsou do bar, nem mesmo quando Alexa foi ao banheiro.

♥ ♥ ♥

Alexa não ficou nem um pouco surpresa ao encontrar a amiga esperando por ela na saída do banheiro.

— Então aquele é o Drew? — disse Maddie com um grande sorriso.

Alexa sorriu também. Nossa, era muito bom exibi-lo no bar. Embora estivesse bonito toda vez que o via, ele estava excepcionalmente bem essa noite, usando uma camisa com a gravata afrouxada de um jeito que a fazia querer tirá-la e jogá-la no chão do seu quarto. Ou no chão de qualquer quarto.

— Esse é o Drew.

Maddie pegou seu braço enquanto ela tentava voltar para Drew e a arrastou para o bar.

— Está tudo bem? Quero dizer, entre vocês dois.

Alexa sorriu e encolheu os ombros.

— Acho que sim.

Maddie levantou uma sobrancelha. Ela odiava quando a amiga fazia isso. Ela passara horas na frente do espelho do banheiro, quando adolescente, tentando descobrir como fazer isso, sem sucesso.

O maior problema era que, sempre que Maddie fazia, funcionava com ela.

— Na semana passada... brigamos. Eu comecei... bem, nós dissemos coisas estúpidas, mas eu comecei. Mas ele certamente *piorou* a situação. De qualquer forma, fizemos as pazes. E não, ele não está dormindo com mais ninguém.

Maddie sorriu e tomou um gole de sua gim e tônica aguada.

— Excelente. Então... voltaram?

Alexa deu risada.

— Não sei se "voltaram" é a palavra certa. Que tal, voltei a tentar não pensar demais nas coisas. Só estou... contente por ele estar aqui agora, Mads. E por ele parecer contente por estar aqui comigo. Vou curtir ficar contente por enquanto, está bem?

Maddie lhe entregou um drinque, e elas brindaram.

— Eu sou cem por cento a favor de você estar contente.

Ela voltou para Drew e o encontrou conversando, concentrado, com Nate. Alexa se virou para ir perguntar a Theo se ele precisava de outro drinque, mas, antes que pudesse se afastar, o braço de Drew deslizou em volta de sua cintura e a prendeu ao seu lado. No fim das contas, ela nem se importou tanto com o imbecil do Nate quando o braço de Drew estava em volta dela e seu corpo quente estava colado junto ao dela.

Depois de alguns minutos, ela viu Maddie cochichar algo no ouvido de Theo. Era estranho ver Theo e Maddie se darem bem; antes, eles mal se suportavam.

— Ei, Nate, qual era o uísque que você queria que eu experimentasse? — perguntou Theo alguns segundos depois.

— Ah, está atrás do bar. Vou com você para lhe mostrar. Eu trouxe da minha viagem ao Kentucky. Apenas cem caixas são produzidas todo ano. Você tem sorte de eu...

Ao saírem de perto, Theo se virou para ela e deu uma piscadinha. Ela olhou para Drew para tirar sarro de Nate, mas a cabeça dele estava em outro lugar.

— Por mais que goste dos seus amigos — disse ele, passando os dedos na cintura dela —, não te vejo há duas semanas e estou com saudades. Podemos ir embora daqui a pouco?

Ela deveria se fazer de difícil, não? Não demonstrar que mal esperava para ficar sozinha com ele, nem como estava contente por ele dizer que sentia saudades, não admitir que também estava com saudades e que queria desesperadamente ficar nua em uma cama – ou fora de uma cama – com ele. Não ficar na palma da mão dele. Sim, com certeza, deveria se fazer de difícil.

— Me dê trinta segundos para pegar meu casaco e falar para Maddie que estou indo.

— Eu gostei desse casaco — disse Drew quando estavam do lado de fora, depois de chamar um Uber pelo celular.

Ela fechou o zíper para se proteger da noite fria de verão de São Francisco.

— Obrigada, Maddie me obrigou a usar hoje.

Pelo jeito que ele estava olhando, ela devia a amiga uma garrafa de vinho por obrigá-la a usar essas roupas. Ela lembrou das garrafas que Maddie tinha levado para sua casa depois que havia mandado as famigeradas mensagens. Tudo bem, talvez estivesse mesmo devendo a Maddie algumas garrafas de vinho.

— Eu iria gostar ainda mais se você estivesse nua por baixo — disse ele, brincando com o zíper, subindo e descendo enquanto os olhos seguiam os dedos. Ela tremeu.

— Gostaria muito ou pouco? — perguntou ela, olhando para os dedos se movendo pelo seu peito. Ela queria que ele parasse e ficasse, mas ele mantinha o movimento lento. Por acaso, ela achou que fosse uma noite fria? Se ficasse ali por mais tempo, ficaria com tanto calor que pegaria fogo.

— Hummm — disse ele, pegando a mão dela e deixando-a sentir como isso estava excitando-o. — Acho que esse tanto. O que acha disso?

Ela moveu seus dedos para cima e para baixo nele do jeito que ele estava fazendo nela. Ouvir a inspiração dele lhe deu prazer.

— Acho melhor irmos para o seu hotel o mais rápido possível.

♥ ♥ ♥

Tudo o que Drew queria era dar uns amassos em Alexa no banco traseiro como os adolescentes faziam. Infelizmente, o motorista era muito tagarela, e Drew acabou sendo tragado para uma conversa. No fim da corrida, seu novo amigo Miguel tinha dado o endereço de seu *food truck* de taco favorito e compartilhado suas teorias sobre gentrificação.

Alexa deu risada ao entrarem no elevador.

— Que foi? — perguntou ele, fingindo repreendê-la e empurrando-a contra o fundo do elevador. Ela não resistiu e continuou rindo.

— Você diz que sou a política, mas hoje você papeou com o motorista e teve uma longa conversa com Nate, quem diria. Acho que a história de você ser antissocial era puro fingimento.

Ele a segurou pelo braço e a prendeu na parede.

— Continue falando assim e não poderei me responsabilizar pelo que vai acontecer. Sabe, coisas interessantes acontecem com a gente nos elevadores.

Ela lambeu e mordeu seu pescoço. Ele tinha mesmo pensado em nunca mais ficar com essa garota?

— Estou começando a gostar bastante dos elevadores — disse ela enquanto as portas abriam no andar dele.

Ele revirou o bolso procurando a chave e percebeu duas coisas. Primeira: queria carregá-la e jogá-la na cama de novo. Segunda: queria muito fazer xixi. Que merda. Era melhor ser rápido.

Ele a puxou para dentro do quarto.

— Não se mexa, me dê um segundo. Já volto.

Ele foi voando para o banheiro e torceu para que ela não tivesse feito uma cara de irritação ou – Deus me livre – mudado de ideia. Talvez ela se lembrasse de que estava brava com ele? Esse pensamento o fez fechar o zíper rapidamente, para o caso de ter que convencê-la a ficar.

Quando ele abriu a porta, ela não estava na entrada onde a havia deixado. Será que tinha ido embora? Ele olhou pelo quarto e... puta merda.

Ela estava escorada nos travesseiros da cama, usando o casaco de couro, os saltos... e mais nada. Ele tirou o cinto.

— Achei que tinha falado para não se mexer — disse ele ao se aproximar da cama.

Ela assentiu, com os dedos abrindo e fechando o zíper do casaco como ele fizera antes.

— É verdade, você tinha dito. Mas também me disse que queria me ver com esse casaco e mais nada. Quer que eu vista minhas roupas?

Ele deixou a calça cair no chão e a tirou, descalçando os sapatos.

— Só por cima do meu cadáver.

Ele avançou para a cama e se jogou em cima dela, pegando suas mãos e afastando-as do zíper. Ela olhou Drew brincar com ele por um tempo, enquanto passava as mãos pelo corpo dele. Então, do nada, ela arrancou a gravata dele e a atirou no chão.

— Passei a noite querendo fazer isso.

Ele abriu todo o zíper do casaco, rolou para o lado e a puxou para ficar em cima dele. Ela suspirou e descansou em seu peito. Ele adorava o jeito como ela costumava relaxar em seus braços toda vez que ele a tocava. Mesmo no bar, quando estavam há duas semanas sem se ver e ele sabia que ela estava brava com ele, assim que ele a puxou para junto de si, o corpo dela se moldou ao dele.

— Senti falta disso — disse ela.

Ele rolou ambos para o outro lado para ficar por cima dela novamente e beijou o espaço entre os seios que tanto adorava.

— Sentiu falta disso? Ou sentiu falta... de mim?

Ela abriu os olhos e o encarou por um bom tempo.

— Os dois.

Ele sorriu.

— Era isso que queria ouvir de você.

♥ ♥ ♥

— Você está com muita roupa — falou Alexa, abrindo os botões.

Ele tirou a camisa e a camiseta que estava por baixo e as jogou para o outro lado do quarto.

— Eu estava com pressa demais para tirar tudo.

Ela o empurrou para fazê-lo deitar e aproveitar a sensação da pele quente e firme do peito sob seus dedos. Ela não tinha se esquecido de como gostava de transar com Drew: era impossível esquecer. Mas, de certa forma, tinha se esquecido de como se sentia livre com ele, de como conseguia relaxar o suficiente para deitar-se nua na cama vestindo somente um casaco de couro e salto alto e esperar por ele. Nunca tinha se sentido tão confiante com outra pessoa.

— Drew? — perguntou ela, fazendo uma pausa, enquanto sua mão se aventurava por uma parte mais baixa do corpo dele. — Você tem camisinha, né?

Ele sorriu sem abrir os olhos.

— A mesma caixa que comprei da última vez que estive em um hotel em São Francisco com você. Não tirei da mala — respondeu e abriu os olhos. — Por quê? Andou sentindo falta de mais alguma coisa?

Ela acariciou seus quadris, e ele voltou a fechar os olhos.

— Mmmmmmmmmmmm — murmurou ela.

— Vai me dizer o que é ou vou ter que adivinhar?

— Hummm... acho que você deveria adivinhar, mas logo. Eu tenho sentido... tanta falta. Tudo parece tão... — falou ela, acariciando o peito dele novamente, para cima e para baixo, e parou bem no final da barriga — ... tão sensível. Parece que vou explodir de necessidade... daquilo.

Quando ele abriu os olhos, a ânsia no rosto dele quase o fez empurrá-la de volta para a cama. Ele se levantou rápido e foi até a mala, voltando alguns segundos depois com uma cara triunfante e uma caixa de camisinhas.

— Ah, vou tentar adivinhar — disse ele, deixando a caixa na cabeceira e abrindo uma das embalagens, em pé ao lado da cama e olhando para ela. — Vou tentar adivinhar várias vezes, a noite inteira e na maior parte do dia amanhã. Temos que compensar o tempo perdido.

Na manhã seguinte, Alexa se sentou, recostada nos travesseiros fofos da cama do hotel e ficou observando ele servir café do bule do serviço de quarto na caneca dela. Ele colocou um cubo de açúcar e entregou para ela antes de se servir.

Ela ficou radiante com a caneca, não conseguia evitar. Ele lembrou de como ela gostava de café. Com as mãos envoltas na caneca, ela deixou o calor se espalhar por seu corpo. Ele se sentou ao lado dela na cama, trazendo junto a cesta de pães.

— Uma das melhores coisas dos hotéis é que podemos derramar farelos na cama sem nos preocupar. Sei que não é um donut, mas quer um bolinho? — perguntou ele.

No meio de uma das mordidas, ele se virou para ela e disse:

— Ei, como está indo o programa para adolescentes? O lance das artes?

Ela fez uma pausa enquanto se servia de mais café e sorriu para ele. Uau, era muito bom ele se interessar a ponto de perguntar.

— Estou otimista, mas com um pé atrás. O objetivo é conseguir colocá-lo na agenda da cidade para meados de julho. Vamos cruzar os dedos.

Ele partiu o muffin de mirtilo e ofereceu metade a ela.

— Legal, vou sim — respondeu ele, erguendo dois dedos cruzados e servindo mais café para ela. — Aliás, encontrei Abby e Jack um dia desses. Ela me contou que você ajudou muito. Obrigado — agradeceu ele, inclinando-se para dar um beijo nela. Os lábios dele estavam salpicados de açúcar. Perfeitos.

— Quando é que temos que sair daqui? — perguntou ela, olhando para o rádio-relógio na cabeceira ao lado dele. — São quase dez horas. Peraí, que horas é o seu voo?

— Meio-dia e meia, mas posso mudar, como fiz... — a voz dele foi sumindo enquanto ele se virava para pegar o celular. — Eu gostaria de alterar o voo para as oito da noite.

— Claro — respondeu ela, contente por ele estar olhando o celular e não poder ver o grande sorriso estampado em seu rosto.

Ele deixou a cesta de pães no pé da cama e colocou o braço em volta dela.

— Ontem à noite... *você* não disse se estava dormindo com outra pessoa.

— Ah. — Ela não esperava que ele tocasse nesse assunto de novo, e aquele lema de "não pensar demais" certamente não a deixaria fazê-lo. — Não estou.

— Que bom — disse ele, sorrindo e inclinando-se para beijá-la, mas ela recuou. Agora que ele *tinha* tocado no assunto...

— Não quero que isso seja... mas, quando você disse que não estava dormindo com outra pessoa, você quis dizer... sei que o "agora não" era uma piada, mas...

Ele deu um beijo na bochecha dela e a puxou para si.

— O que quis dizer é que você é a única pessoa com quem transei desde que a conheci no elevador e que, enquanto estivermos nesse lance, vai ser assim. Está bem?

"Enquanto estivermos nesse lance" ficou ecoando nos ouvidos dela. Ela sabia que, do jeito que estava, havia um limite de tempo para o relacionamento deles. Porém, não queria aprofundar muito a conversa; não queria brigar com ele e estragar tudo de novo, então, engoliu as apreensões.

Ela descansou a cabeça no ombro dele.

— Tudo bem.

Ele pôs a mão na bochecha dela e ali a deixou por um instante antes de virá-la para lhe dar um beijo longo e lento.

— Agora, vamos aproveitar bem nossa última hora neste quarto de hotel?

16

Quando Alexa entrou no carro de Drew no aeroporto de Los Angeles no sábado seguinte, ele a beijou por tanto tempo que o segurança do aeroporto bateu na janela e o mandou tirar o carro. Ops.

— Como foi o evento ontem à noite? — perguntou ele quando finalmente tirou o carro do meio-fio.

O prefeito havia dado um grande evento beneficente na noite anterior, por isso, Alexa só conseguiu viajar no sábado pela manhã. Drew esteve de plantão à noite, e não pôde viajar.

— Foi bem, acho. Ainda não tive chance de ver o que a imprensa falou a respeito. Capotei quando cheguei em casa e a internet do avião não estava funcionando — respondeu ela, acomodando-se e sorrindo para ele. — Um desses copos de café é para mim?

Ele pegou o café do suporte e o entregou para ela.

— Da cafeteria até o aeroporto, deve ter esfriado o bastante para sua delicada língua.

Ela levantou um pouco o copo, parou e abriu a boca. Ele deu risada.

— Adoro que você vai fazer essa piada, mas só quis dizer que você está sempre reclamando que o café está quente demais.

Ela abriu um sorrisinho e colocou a bolsa no chão antes de tomar um gole. Então, ela olhou para ele:

— Ei, Drew.

Ele lutou contra um sorriso, sabia o que estava por vir.

— Ei, Alexa.

— O que tem nessa sacola? — perguntou ela, apontando para o saco de papel que estava a seus pés. Ambos sabiam o que havia nele.

Ele não precisava mais evitar o sorriso.

— Por que não abre para ver?

— Donuts! E ainda estão quentinhos! Como consegue fazer isso? Você é meu herói!

Ela mordeu um quase antes de terminar a frase. Ele viu pura felicidade no rosto dela e sorriu. Havia somente outro momento em que ficava assim, e era depois de transar. Talvez ele precisasse se esforçar para deixar o rosto dela assim mais vezes.

Ainda bem que teve aquele congresso. Ele estava muito contente por ter essa mulher de volta em sua vida.

Ao voltar ao apartamento, passaram pelo Píer de Santa Monica.

— Não venho desde que era criança — disse ela. — Era sempre tão divertido.

Um utilitário saiu de uma vaga na frente dele, e Drew tomou uma decisão rápida.

— Temos que viver o presente — falou ele, dando ré na vaga e pegando a mão dela. — Vamos.

Quando voltaram ao apartamento dele, ambos estavam alegres, cansados e queimados de sol. Haviam aproveitado os brinquedos do parque, jogaram nas máquinas, comeram demais e riram ainda mais. Até fizeram tatuagens temporárias: ela, uma flor na bochecha; ele, uma âncora no bíceps. Antes de voltarem, ela o fez correr até o mar juntos e deu gritos quando ele jogou água nela.

Os dois se jogaram no sofá assim que entraram. Ela descansou a cabeça no ombro dele, e ele a puxou para mais junto de si. Ela retraiu as pernas em cima do sofá para que o corpo ficasse juntinho ao dele. Drew quis levá-la para o quarto para uma longa sessão de sexo ou até transar com ela no sofá de novo, mas, naquele momento, eles estavam muito confortáveis. Ele aguardaria apenas alguns minutos.

Drew acordou quando o sol da tarde atravessou as janelas da cozinha e bateu em seus olhos. Eles acabaram dormindo meio deitados no sofá, mas a cabeça dela ainda estava aconchegada em seu ombro, e seu braço ainda estava firme em volta dela. Ele poderia ficar desse jeito por mais algumas horas.

O estômago dele roncou.

Ah, sim, exceto por isso. Os cachorros-quentes e o algodão doce do píer não segurariam a fome para sempre.

Ela apertou os olhos e se remexeu, fugindo da luz. Ela beijou o peito dele, aninhando-se, e o calor de suas carícias se espalhou pelo corpo dele.

— Hummm — sussurrou ela.

— Hummm? — perguntou ele, tirando cabelo do rosto dela. Vestígios da flor ainda estavam na bochecha. Ele os esfregou com o polegar.

Ela ergueu a cabeça em alguns centímetros.

— Não acredito que você me convenceu a fazer essa flor. Sei que estou ridícula.

Ele sorriu para ela; a bochecha estava rosada e amassada contra seu peito.

— Você está linda.

Ela puxou a cabeça dele e lhe deu um beijo, com as mãos no cabelo dele.

— Estou com fome — disse ela nos lábios dele. — E você?

Drew riu e passou as mãos no cabelo dela até as costas duas vezes. Uma mulher que o entendia.

— Morrendo de fome. O que acha de hambúrguer e fritas? Acho que é melhor comermos aqui em vez de sair, pois vou estar de plantão hoje à noite...

Ela beijou o ombro dele.

— Acho ótimo hambúrguer e fritas. Comer aqui é perfeito, porque sem querer fiquei colada a este sofá.

Ele deu um beijo na orelha dela para fazê-la rir e saiu de perto para se levantar.

— Que bom que estou aqui. Vou buscar comida enquanto você tenta desesperadamente se descolar.

Eles comeram os hambúrgueres no sofá assistindo a filmes ruins na Netflix e torceram para que ele não precisasse ir ao hospital.

Talvez fosse um risco real levá-la até o quarto... mas ele estaria de sobreaviso até às seis horas. Será que não podia transar com ela hoje?

Depois, suado e ofegante, ele tateou para achar o celular e confirmar que não tinha chamadas perdidas. Foi nesse momento que o telefone tocou.

Ele a beijou com força e saiu da cama depois de atender a ligação.

— Tenho que ir. Deixe a cama quentinha para mim, está bem?

Ela se virou e olhou para ele com aquele sorriso que sempre fazia seu coração contrair.

— Estarei aqui quando voltar — respondeu ela.

— Estou contando com isso.

♥ ♥ ♥

Alexa levou um tempo para cair no sono depois que ele saiu. Não era por não estar acostumada a dormir sozinha, mas ela sentia falta dele ao seu lado.

Ela só admitia a si mesma e, ainda assim, só tarde da noite, mas, desde o primeiro fim de semana com ele, toda noite, ao deitar-se na cama, ela imaginava-o ali com ela (mesmo nas noites depois daquela briga idiota). Ela se imaginava em seus braços fortes, ouvindo sua respiração lenta e regular, sentindo o peito subindo e descendo, o corpo quente junto ao seu, e isso a embalava no sono. Parecia bobagem fazer isso na cama dele, sozinha, mas o fez mesmo assim.

Ela acordou no meio da noite sentindo-o puxá-la para junto dele. Quando os braços dele estavam em volta dela, parecia que nada mais importava, nada de ruim poderia atingi-la.

— Está tudo bem? — sussurrou ela.

Ele beijou sua testa.

— Agora está. Volte a dormir.

No dia seguinte, depois de um dia descansando na praia, saíram para comer comida mexicana no domingo à noite. Ela tomou um gole da margarita, e seus lábios ficaram enrugados com o sabor salgado e doce do drinque. Ela deu uma mordida no chips de tortilla com salsa e sorriu. Chips de tortilla e salsa empatavam com queijo e biscoitos como os petiscos perfeitos. Talvez não tão perfeitos quanto ficar preso no elevador, mas... ele interrompeu as reflexões movidas a tequila.

— Não vou estar de plantão na semana que vem, então, poderei viajar — comentou ele e fez uma pausa. — Se não for atrapalhar.

Ela lambeu o sal no canto da boca e reparou que os olhos dele seguiam o movimento de sua língua. Ela sorriu e fez isso de novo.

— Não, não atrapalha.

Ela chegou no escritório no dia seguinte sentindo-se mais alerta do que qualquer mulher que havia pego um voo às sete da manhã saindo do aeroporto de Los Angeles. Quando o despertador era Drew... bem, aquilo ia deixá-la acordada o dia inteiro.

Antes de ir para sua sala, Theo deu uma espiada na de Alexa:

— Não preciso perguntar como foi seu fim de semana, a sua cara já diz tudo.

As bochechas dela ficaram quentes, e ela tentou esconder o sorriso, mas, quando Theo se sentou na cadeira e lhe entregou um donut, voltou a sorrir.

— Vou tentar manter a compostura na reunião da equipe.

Theo deu uma mordida em seu donut e tomou um gole do café dela. Há muito tempo, eles começaram a tomar café do mesmo jeito para simplificar suas vidas.

— Vai vê-lo de novo? Ou isso é um "claro que sim"?

Ela tentou não deixar que o sorriso tomasse conta do seu rosto inteiro, mas não deve ter conseguido.

— Ele vem no fim de semana.

Ela mudou o assunto para trabalho para não se deixar levar.

— O que você acha que a imprensa vai falar sobre o meu programa? Quem estamos planejando para dar a notícia com exclusividade? Ou você acha que uma entrevista seria melhor?

Theo se levantou.

— Isso me lembrou — disse ele — que precisamos dar um nome a esse negócio. E precisa de uma ótima sigla bem feia.

Nesse momento, o prefeito deu uma espiada na sala de Alexa.

— Achei que encontraria vocês dois aqui. Só queria informar que o Richards é contra o projeto dos delinquentes. Ele discutiu comigo por causa disso no jantar no fim de semana.

Merda. Richards era o vereador de Berkeley Hills e grande amigo do prefeito. Ela abriu a boca para defender o projeto, item por item, mas o prefeito a impediu.

— Alexa, você não precisa discutir comigo. Estou do seu lado, esse programa agora é nosso. Só estou contando o que vamos enfrentar e o trabalho que precisará ser feito. Basta se reunir com Theo e bolar um plano, está bem?

Ela sorriu para ele.

— Sim, senhor.

♥ ♥ ♥

Drew havia dirigido direto para o hospital depois de deixar Alexa no aeroporto. Mesmo que isso tenha garantido bastante tempo para dar um jeito na pilha de papelada burocrática, não conseguiu fazer muita coisa.

Geralmente, quando chegava em casa no meio da noite depois de uma cirurgia estressante, ele se sentia esgotado. Porém, no sábado à noite, quando entrou no quarto e a viu ali em sua cama, se sentiu em casa como há anos não se sentia. E, quando a envolveu em seus braços e ela curvou o corpo junto ao dele, se sentiu em paz.

Ele sacudiu a cabeça para tentar voltar ao planeta Terra – ou, pelo menos, ao consultório. Por que estava se comportando como um adolescente com essa garota? Estava se comportando como se fosse a primeira garota com quem tinha transado.

Teria que terminar com ela em breve. Se não, acabaria fazendo alguma coisa para estragar tudo de novo. Não seria horrível se ela olhasse para ele com ódio em vez daquele sorriso?

Mas ainda não podia terminar. Eles tinham acabado de voltar. Quem sabe no próximo fim de semana.

Ele voltou para a papelada, mas o celular vibrou. Deu uma olhadinha, mas era só Carlos perguntando se ele queria alguma coisa do Starbucks.

Um grande com um shot de espresso.

Ele já tinha tomado café com Alexa naquela manhã, mas depois de não dormir muito e acordar cedo para ir ao aeroporto, precisava de mais cafeína que o normal. Quando Carlos entrou no consultório, o celular vibrou novamente. Desta vez, *era* ela.

Aterrissei, mas não havia donuts me esperando no aeroporto de Oakland, péssimo jeito de desembarcar.

Ele riu olhando para o celular e, ao levantar a cabeça, viu um sorrisinho malicioso no rosto de Carlos.

— Pelo jeito, o fim de semana foi bom.

Ele pegou o café e tomou um gole.

— Já pode parar de se gabar. É, é, você me disse.

Carlos sorriu.

— Contanto que você se lembre disso. Quando vai vê-la de novo?

Ele encolheu os ombros.

— Este fim de semana, vou para lá. — O sorriso de Carlos cresceu.
— Não me olhe desse jeito! Não dê tanta importância!

Carlos revirou os olhos e saiu da sala.

17

Alexa, Theo e seus representantes se reuniram e criaram um acrônimo (Programa de Reabilitação de Jovens nas Artes, ou Progreja, um nome que, ela e Theo tinham certeza, iria ser alvo de chacota para sempre), um prazo (a audiência pública da Câmara Municipal em julho) e um cronograma de reuniões com a comunidade para conseguir apoio. Isso significava que Alexa trabalhava todos os dias da semana até às oito ou nove da noite e passava mais algumas horas trabalhando em casa no sofá.

Talvez pudesse ter trabalhado menos horas naquela semana se não tivesse ficado enviando mensagens para Drew entre as reuniões, mas ela não aguentava. As mensagens dele sempre a faziam sorrir, faziam-na relaxar em momentos tensos e, às vezes, corar.

O fato de ele estar tão longe estava começando a deixá-la maluca. Por que ela não podia ir até a casa dele depois de um daqueles longos dias de trabalho e acabar com um pouco da frustração do melhor jeito possível? Por que não podia acordar com ele na cama de manhã para o abraçar, pelo menos, por cinco minutos, antes de sair do círculo quente dos braços dele, sentindo-se feliz e em paz?

As mensagens de texto eram ótimas e tal, mas... bem, ela estava contente por ele vir este fim de semana.

♥ ♥ ♥

Drew adorava sentir a vibração no bolso e saber que era ela, aquela ansiedade de ler o que ela havia escrito durante o dia, o sorriso que ela sempre estampava no rosto dele. E ele adorava de verdade as mensagens que trocavam tarde da noite... e que, às vezes, mencionavam durante o dia.

Ele havia contado sobre o bebê que fizera xixi nele, fazendo ele e o pai da criança se contorcerem de tanto rir; sobre os gêmeos de cinco anos que haviam quebrado os braços pulando do telhado "só para ver se conseguiam"; sobre a menininha que havia engolido uma moeda durante um ataque de manha e riu descontroladamente quando viu a moeda no raio X.

Um dia, ela teve uma reunião que ele sabia que a havia deixado estressada só pelo tamanho da primeira mensagem.

A boa notícia é que meu chefe está firme no apoio ao projeto, e é uma notícia boa de verdade... mas a má notícia é que umas pessoas importantes não apoiam, e vai ser dureza. Tô contente com a primeira coisa, mas a segunda está me deixando nervosa demais.

Ele colocou as fichas dos pacientes embaixo do braço para poder responder.

Quanto ao chefe, isso é ótimo. Você tava preocupada, né?

A resposta chegou alguns segundos depois.

Sim, tava. Não sabia que ele confiava tanto em mim! Mas agora sinto que preciso batalhar ainda mais.

Ele se sentou na mesa da sala de exames para pensar na resposta.

Ele não conhecia nada sobre a política municipal de Berkeley além do que ela havia contado. Não havia como dar conselhos bons ou úteis quando ela sabia de tudo e ele, quase nada. Tudo o que podia fazer era dar apoio, o que parecia não ter importância. Ele pensou em escrever "você vai conseguir", mas parecia idiota.

Ele tem sorte de ter você ao seu lado.

Foi só o que conseguiu pensar. E não parecia ser suficiente. A resposta dela levou tanto tempo que ele pensou se tinha entendido tudo errado. Andou pelo corredor até seu consultório. O celular vibrou assim que colocou as fichas em cima da mesa.

Isso significa muito para mim, obrigada. Eu agradeço muito.

A princípio, tentou se conter e não sorrir para o celular, mas Carlos não estava perto para se gabar ou tirar sarro, então, ele parou de tentar e sorriu muito, até as bochechas doerem.

♥ ♥ ♥

— Desculpe por ter tido que trabalhar o fim de semana inteiro — disse Alexa ao levá-lo para o aeroporto no domingo à noite.

— Não foi o fim de semana *inteiro* — falou ele, erguendo as sobrancelhas. Ela lhe deu uma cutucada e riu.

— Você sabe o que quis dizer! De qualquer forma, foi um fim de semana chato. Eu queria ter feito mais coisas, mas essas próximas semanas vão ser tão...

Só de pensar em tudo o que estava acontecendo no trabalho, ela ficava toda nervosa de novo.

Ele colocou a mão na coxa dela. Aquilo chamava a atenção dela de várias maneiras. A mão dele ali, tão grande, firme e suave, a fazia pensar em todos os outros lugares onde as mãos dele haviam passado naquele fim de semana. Ela corou e olhou para a mão.

— Monroe, pare de se desculpar. Foi ótimo ficar com você. Foi bom ficar no sofá. Sei que tem muita coisa acontecendo ao mesmo tempo. Já fiquei contente por você não me pedir para cancelar a viagem.

Ela colocou a mão por cima da dele e ali permaneceu. Independentemente da quantidade de trabalho, nunca passara pela cabeça dela pedir para ele cancelar.

— Só queria não ter ficado no computador nem no celular com o Theo na metade do tempo em que você esteve aqui.

Será que estava bravo com isso? Ele não parecia bravo, mas, nas poucas vezes que Theo havia ligado e ela atendeu, ele saiu da sala.

Ele virou a mão e entrelaçou os dedos com os dela.

— Não tem problema. Da próxima vez, teremos tempo. Mas vai ser ruim não poder ser no próximo fim de semana.

Ela tinha reuniões com a comunidade tanto no sábado quanto no domingo, e ele estaria de plantão, então, não poderia viajar. De qualquer modo, era melhor assim; a festa de noivado da prima Becca seria na sexta à noite, e ela não poderia levá-lo junto. Eles tinham um relacionamento só de sexo selvagem, e não do tipo de conhecer a família.

Mas ela estava mesmo triste por não poder vê-lo por duas semanas e sentiu um pouco de pânico devido ao tamanho da tristeza.

Além do mais, mesmo que ele parecesse triste também, a frase "enquanto estivermos nesse lance" continuava ecoando em sua cabeça.

Ela colocou a mão de volta no volante.

— Não sei como você vai sobreviver sem mim por duas semanas inteiras. Talvez Carlos ria da quantidade de açúcar que você põe no café e do fato de não aguentar comer pimenta só para você não deixar a peteca cair.

Ele deu risada e tirou a mão do joelho dela. Hmmm. Só porque ela tinha tirado a mão não significava que ele tinha que tirar também.

— Você e o Carlos só se viram duas vezes. Como é que conseguem ficar tão sintonizados? Ele fará isso sem ninguém pedir, não se preocupe.

Depois que ela parou o carro no meio-fio, ele deu um longo beijo nela.

— Te vejo em duas semanas? — perguntou ele, passando os dedos na bochecha dela.

Quando ele olhava nos olhos dela desse jeito, ela dizia "sim" para qualquer coisa que ele pedisse. *Quer assaltar um cassino em Las Vegas comigo, prometo que é por uma boa causa? Vamos pular de paraquedas! Conte-me todos os seus segredos mais sombrios.* Ela teria dito "sim" a tudo.

— Com certeza.

♥ ♥ ♥

Drew tirou uma foto da bandeja de queijo e biscoitos que havia comprado no aeroporto e a enviou para Alexa depois de subir no avião.

Não queria estar dividindo comigo?

Ele havia se divertido muito naquele fim de semana. Esse lance obviamente não podia durar muito tempo, mas por que estragar uma coisa boa? Desde que voltaram, estar com ela era tranquilo e divertido. Ele ficava muito à vontade. Talvez à vontade demais?

Quem sabe fosse bom ele não vê-la por duas semanas. Deixaria tudo mais fácil, mais discreto. Por isso, ela era a pessoa perfeita: morava na outra ponta do estado, tinha um trabalho que a mantinha superocupada, e eles não podiam se ver com tanta frequência. E, quando se viam, era ótimo. Está vendo? Perfeito.

Ele deu risada quando o voo aterrissou, e uma mensagem dela apareceu no celular.

Você comeu toda a minha comida este fim de semana, Nichols... e o queijo e os biscoitos.

Junto com a mensagem, havia a foto de três caixas de biscoitos abertas e vazias e uma casca de queijo.

Ele colocou o celular de volta no bolso, ainda sorrindo.

E ignorou o peso em seu peito por não poder vê-la por catorze dias. Mas provavelmente era só todo aquele queijo que havia comido.

♥ ♥ ♥

Theo apertou os olhos quando Alexa chegou na segunda de manhã.

— Café. Vamos.

Eles já estavam do lado de fora antes que ela pudesse largar a bolsa.

— O que há de errado? — perguntou ele assim que estavam longe o suficiente do prédio para que ninguém pudesse ouvi-los. — As coisas foram mal este fim de semana? Drew foi um cretino por você ter que trabalhar?

Ela suspirou. Será que não conseguiu disfarçar ou Theo a conhecia tão bem assim?

— Não, ele foi fofo. Foi legal com tudo. É que... nós dois estaremos ocupados no próximo fim de semana, então, vai demorar um pouco para nos vermos de novo, é só isso.

Havia muita gente conhecida dentro da cafeteria, por isso, depois de comprarem os cafés, ele a levou para o lado oposto à Prefeitura.

— Vocês têm se visto todos os fins de semana, certo? — perguntou Theo.

Ela encolheu os ombros.

— É, quero dizer, não planejamos que fosse assim, simplesmente aconteceu — respondeu Alexa, evitando contato visual.

Ele arrancou um pedaço de seu pão doce e entregou para ela.

— Esse negócio parece estar ficando meio sério. Vocês já conversaram sobre o que está acontecendo entre vocês?

Ela fez que não com a cabeça. Tudo o que queria era café. Por que tinha que responder ao interrogatório? Ela estava irritada com Theo por falar sobre isso, irritada consigo mesma pelas lágrimas que estavam surgindo em seus olhos. Ela soprou o café para que Theo não as visse.

— Então, é só diversão. Não vai dar em nada. Ele não gosta de coisas sérias. Além do mais, não acho que nenhum de nós dois vai conseguir manter essa agenda de viagens por muito tempo. Minhas finanças certamente não vão aguentar mais passagens. Vou curtir enquanto durar.

Theo ainda estava olhando para ela. Ela tomou um gole do café bem quente para se preparar e estremeceu. Ela olhou para ele com o que esperava ser um sorriso verdadeiro.

— Está bem — disse ele, parando na esquina, forçando-a a parar também. — Se é assim. Só fico preocupado com...

— Theo, chega.

Ela não quis dar essa patada. Nunca tinha dado uma patada em Theo, mas não aguentava mais essa conversa. Não queria pensar nisso, muito menos falar sobre isso. Ela balançou a cabeça.

—Desculpa, Teddy, me desculpa. Não posso falar disso agora, está bem?

Ele colocou o braço em volta do ombro dela e a puxou para dar um abraço.

— Tudo bem, mas, você sabe, quando quiser conversar...

Ela retribuiu o abraço.

— Eu sei. Agora, vamos fazer o Progreja decolar.

Theo resmungou; ela deu risada.

— Ah, não se preocupe, vou fazer muitas piadas nas próximas semanas, vai ser ótimo.

♥ ♥ ♥

— Você está com um péssimo humor esta semana — disse Carlos enquanto iam até seus carros depois do jogo de basquete da quarta à noite. — Mal posso esperar para você ver Alexa este fim de semana e parar de derrubar as pessoas na quadra.

Drew atirou a sacola no porta-malas do carro.

—Não derrubei aquele cara! Fui pegar a bola e, por acaso, ele estava no caminho.

Carlos riu dele e ficou encostado no carro de Drew, o que o impediu de dar a partida. Ele ainda podia fazê-lo, mas iria passar por cima do melhor amigo. Porém, do jeito que Carlos o estava irritando essa semana...

— Você vai para lá este fim de semana ou ela vai vir? Se ela vier, leve-a para a festa de Angie. Vai ser legal.

Ele tinha que passar por cima.

— Nenhum dos dois — respondeu Drew.

Ele abriu a porta do carro e esperou Carlos se mancar e ir para o carro dele. Ele não foi.

— Como assim "nenhum dos dois"? Nenhum dos dois o quê?

Drew suspirou. Agora Carlos iria fazer tempestade em copo d'água.

— Nem eu nem ela iremos viajar, é isso que estou querendo dizer. Não vamos nos ver este fim de semana. Temos compromissos.

Pronto, foi fácil, não? Ele entrou no carro, mas, antes que pudesse fechar a porta, Carlos a segurou.

— É por *isso* que você ficou tão mal-humorado durante a semana! Você não vai ver sua namorada este fim de semana.

Drew balançou a cabeça.

— Ela não...

Carlos fechou a porta na cara dele, mas conseguia ouvir Carlos berrando mesmo assim.

— E nem pense em falar que ela não é sua namorada!

♥ ♥ ♥

Naquela semana, Alexa ficou com mais saudade de Drew do que esperava. Era estranho sentir tanta falta dele em uma quarta-feira. Os dois nunca se viam nas quartas, mas, de certa forma, só de saber que ainda teria que esperar uma semana e meia para vê-lo tornava ainda mais difícil ficar sozinha no sofá naquela noite.

Ela olhou para a outra ponta do sofá, imaginando-o ali do jeito que havia sido no fim de semana anterior. Estavam muito à vontade: ela com o notebook, ele meio que assistindo a um jogo de basquete e meio que lendo uma pilha de artigos médicos que tinha no colo, sem conversar, só estando juntos. Às vezes, ela lia parte da apresentação para a Câmara Municipal e ele a ajudava a melhorar o texto ou a fazer perguntas que a faziam se dar conta de que estava usando muitos termos técnicos e que precisava simplificar. Ela não tinha percebido quão útil ele podia ser.

De vez em quando, um deles se levantava para pegar bebidas ou petiscos. Eles se davam um beijo rápido e logo voltavam a trabalhar... está bem, às vezes, os beijos não eram tão rápidos, mas só às vezes. Ela ficava preocupada se ele estava entediado, mas se estivesse, não a teria chamado para ir para lá no fim de semana do feriado de 4 de Julho, não é mesmo?

Ela pegou o celular para mandar uma mensagem, mas o largou em seguida. Ela até podia lhe escrever – afinal, vinham se falando bastante nos últimos dias –, mas, do jeito que estava sentimental, provavelmente diria "Drew, tô com saudade, queria te ver este fim de semana, estou contando os dias até te ver de novo". O que... era verdade, mas havia certas coisas que não precisava falar para ele, nem para ninguém.

♥ ♥ ♥

Na festa da irmã de Drew, Angela, no sábado à noite, ele ficou pensando sobre como seria mais divertido se Alexa estivesse lá. Tentou ignorar essa ideia. Ele não estava bebendo, pois estava de plantão; talvez por isso estivesse tão irritadiço.

Porém, a irritação passou assim que o celular vibrou no bolso. Ele sorriu para a mensagem dela: uma foto de donuts empilhados como um bolo de casamento.

Olha só o que tinha na reunião da comunidade!

Ele foi até o corredor para escrever uma resposta.

É óbvio que eles não te conhecem direito. Nenhum deles tem confeitos.

Depois de mais duas mensagens, ele desistiu da festa e sumiu pela porta dos fundos para ir até o carro. E ligou para ela.

— Oi! — disse Alexa com um tom afetuoso de risada na voz. Ela estava rindo por causa das mensagens ou estava com outras pessoas?

— Oi! Fora os donuts, como foi a reunião?

Ele ouviu ruído e conversas ao fundo. Depois que ela soltou um "já volto" abafado, o barulho diminuiu. Então, ela estava com outras pessoas. Alexa podia sair com outras pessoas quando ele não estava lá, mas achou que ela estaria em casa sentindo saudades dele.

— Acho que foi muito bem! Espero ter muitos pais e professores do nosso lado. Estou bebendo com o Theo e o pessoal do trabalho agora.

— Que ótimo. Quantas pessoas foram?

Ela contou sobre a reunião por mais alguns minutos e depois ele ouviu uma voz abafada dizendo "Alexa! Mais uma margarita?".

— Parece que você tem que ir. — Ele não quis dizer, mas disse mesmo assim.

Ela deu outra risada, claramente de bom humor.

— Acho que sim, senão vão tomar toda a tequila sem mim. Falo com você depois?

— Sim, nos falamos depois.

Por que ele não estava lá com ela e o idiota do Theo e o bom humor dela agora? Ele deveria estar lá para ver aquela risada no rosto dela, abraçá-la depois de uma noite divertida, colocar o braço em volta dela quando estivesse relaxada e alegrinha depois de algumas margaritas e da felicidade resultante de um trabalho bem feito.

Ele quase se sentiu aliviado ao receber um chamado do hospital alguns minutos depois e assim conseguir parar de pensar nela.

18

Alexa acordou com um sorriso no rosto no domingo de manhã, depois da reunião na igreja no sábado à noite e da ligação surpresa de Drew. Eles quase nunca se ligavam – geralmente, comunicavam-se por mensagens de texto ou, de vez em quando, por e-mails. Talvez, naquele fim de semana, ele também estivesse com saudades dela.

Porém, o sorriso desapareceu de seu rosto no domingo à tarde. Houve outra reunião da comunidade em Berkeley Hills sobre o programa, e todos o detestaram. Bem, todos fingiram gostar, falando sobre como seria bom se propostas como essas funcionassem e que se preocupavam muito com jovens problemáticos e que era ótimo que o prefeito tivesse pensado em um plano tão criativo.

O problema foi que todas essas frases tinham um grande MAS no meio: "mas como vamos saber se isso vai dar certo"; "mas esses jovens estariam nas ruas e estudando ao mesmo tempo"; "mas eles influenciariam outros jovens da escola e os levariam para o mundo do crime"; "mas será que não devemos investir os recursos da cidade em programas para *crianças* para que elas já comecem no caminho certo"; e assim por diante.

É claro que ela estava preparada para isso e o prefeito tinha uma lista de pontos de discussão com respostas para todas essas perguntas. Mesmo assim, ela se sentiu desanimada na saída.

Alexa desejou, e não foi pela primeira vez, que o programa não fosse tão importante para ela, que não tivesse tanto de sua própria história, identidade, absolvição, justificativas, tudo junto em um só esforço. Ela quis que fosse apenas um projeto qualquer, como os playgrounds, as ciclovias ou expansões de feiras livres, e não um projeto em que, se fracassasse, sentiria que havia decepcionado a família inteira.

Ela queria ir para casa, ligar para Drew e desabafar com ele. Quase o fez, principalmente, depois de ele ter ligado do nada na noite anterior.

Mas, embora eles tivessem se falado muito no último mês e meio, não tinham ficado tão íntimos. Ela não sabia se já tinham esse tipo de relação – ou se um dia iriam ter. E se ele desse um fora depois de ela desabafar? Será que ela aguentaria?

Provavelmente, não. E esse era o problema. Ela queria ele esperando por ela ao chegar em casa; queria conversar com ele sobre tudo o que estava sentindo; queria que ele ouvisse, fizesse perguntas, a tranquilizasse, abraçasse aconchegando a cabeça dela em seu peito. Mas sabia que nada disso iria acontecer. Ela tinha que se lembrar disso.

Alexa tentou enterrar esses desejos bem lá no fundo e acabou parando para tomar um sorvete no caminho de casa.

♥ ♥ ♥

Na terça à tarde, Drew tinha uma consulta de retorno com Jack. Desta vez, só Abby estava com o filho e, depois de cumprimentar o menino com um toque de punhos, ela voltou a atenção para ele:

— Como está sua... amiga Alexa?

Ele achava que precisava desconversar uma pergunta como essa vinda da mãe de um paciente, mas, por estar com muita vontade de falar sobre Alexa com alguém que não iria tirar sarro dele depois, não conseguiu.

— Está ótima. Com certeza ela gostaria que eu mandasse lembranças para você — falou. Ele sabia que a pergunta mesmo era se "amiga" era a palavra certa para falar de Alexa, mas ele evitou respondê-la. — Como foi a tomografia do Jack ontem? Sei que você estava preocupada.

Ela deu tapinhas na cabeça de Jack.

— Ele tirou nota dez. Obrigada por perguntar.

Drew sorriu para Jack.

— Muito bem, Jacky, por ficar direitinho dentro da máquina. A maioria das crianças da sua idade não conseguiria. Não recebi os resultados ainda, mas já deveriam ter chegado. Vou verificar.

Ele encontrou o relatório no consultório. Leu uma vez e leu de novo. Drew correu pelo hospital procurando pelo dr. Montgomery e pediu para ele dar uma olhada também. Então, se sentou no consultório com os olhos fechados por um instante antes de se obrigar a voltar para a sala de exames.

Abby tirou os olhos do livro que estava lendo com um sorriso no rosto quando o viu, mas o sorriso logo sumiu. Ainda bem que Jack estava dormindo na mesa.

— O que foi?

Ele se sentou ao lado dela e respirou fundo.

— Dr. Nichols, o que foi?

Merda, ele tinha que contar para ela. Por que essa parte do trabalho ainda era tão difícil?

— Abby, me desculpe por deixá-la esperando, mas eu quis confirmar algumas coisas com outro médico. É preciso fazer outros exames para ter certeza, mas há uma massa em um dos linfonodos do Jack. A princípio, tudo indica que é câncer.

Abby ficou imóvel. Ela fechou o livro sem marcar a página e ficou olhando para ele sem dizer uma palavra.

Ele não deveria ter falado daquele jeito; deveria ter se saído melhor se tratando de câncer. Contar más notícias para os pais era a pior parte do seu trabalho.

— Já chamei nosso melhor oncologista pediátrico para uma consulta, então, se você puder trazê-lo de novo na quinta de manhã, poderemos começar a fazer mais exames e, se necessário, elaborar um plano.

Ela ficou olhando para ele, ainda sem dizer nada. Ele queria tocá-la ou tocar Jack, ou dizer algo para tranquilizá-la, mas não podia fazer nada disso.

— Abby? Quer que eu ligue para alguém? Devo ligar para o Fred?

Ela se levantou e cambaleou um pouco. Ele logo se levantou e foi ajudá-la a se equilibrar, mas ela recusou.

— Tudo bem, você pode... pode pedir para alguém me ligar com os detalhes sobre a consulta de quinta? Preciso levar o Jack para casa. Preciso ligar para o Fred. Precisamos... — A voz dela esmaeceu, e ela pegou Jack, carregando-o para fora da sala.

Drew se sentou e colocou a cabeça entre as mãos. Talvez não existisse um jeito agradável de ter essa conversa, mas saber disso não o fazia se sentir melhor.

Quando se levantou para voltar para o consultório, reparou que Abby havia deixado o livro em cima da mesa. Ele o colocou no arquivo de Jack para devolvê-lo na quinta.

Ele passou o resto do dia distante, pois o rosto de Abby não saía de sua cabeça.

Ainda bem que tinha terminado todas as consultas cedo, estava torcendo para ir embora sem topar com ninguém. Ele não queria ver nem falar com ninguém. Bem, havia uma pessoa que queria ver e com quem queria conversar, mas era impossível. Ela estava longe demais do hospital agora.

Só que... não era tão longe assim, não é mesmo?

Ele entrou no carro sem falar com ninguém e foi direto para o aeroporto.

♥ ♥ ♥

Alexa ainda estava deprimida na terça por causa da reunião de domingo à noite. Mesmo tendo se reunido com Theo e o prefeito na segunda de manhã, ela tinha certeza de que não havia chances de vencer, pelo menos não nesse momento. As pessoas de Berkeley tinham muita influência: eram ricas e brancas; os adolescentes que ela estava tentando ajudar eram pobres e tinham a pele escura. Ela sabia a quem a Câmara daria mais atenção.

Chegou em casa às sete da noite e tirou o vestido, o sutiã e os saltos assim que entrou, cansada e desanimada demais para levá-los até o quarto. Vestiu uma legging e um casaco de moletom com capuz e ficou na frente da geladeira aberta, com uma taça de vinho na mão. Deveria preparar um jantar saudável com todos aqueles vegetais que havia comprado na feira livre no sábado de manhã.

Em vez disso, pegou o queijo que estava na gaveta e o levou, com uma faca e uma caixa de biscoitos, até a mesa de centro. Ao se sentar, o celular tocou. Ela resmungou. Provavelmente era Theo, ligando para contar sobre uma reportagem negativa que iria sair no jornal no dia seguinte ou alguém do gabinete do vereador Watson adiantando a notícia de que um dos poucos aliados dela iria pular fora. Ela tomou outro gole de vinho e pegou o celular mesmo assim.

Drew. Com a sorte dela, ele estava ligando para falar que não iria visitá-la neste fim de semana. Talvez tivesse percebido nos dias em que não se viram que era muito melhor estar com outras pessoas, ou tinha conhecido outra garota depois de terminar a ligação no sábado à noite... ou talvez antes mesmo de ligar.

Peraí, foi por isso que ele tinha ligado no sábado à noite? Para terminar com ela? Mas aí tinha desistido porque ela estava acompanhada de outras pessoas?

Ela pensou em deixar cair na caixa de mensagens, mas decidiu resolver isso logo.

— Oi — cumprimentou ela, acomodando-se no canto do sofá, pensando que poderia ter levado a garrafa de vinho inteira até a sala. — Tudo bem?

— Você está em casa? — perguntou ele, soando ofegante.

Será que estava correndo? Talvez outro motivo pelo qual ele iria terminar com ela. Ele corria depois do trabalho; ela colocava legging para se sentar no sofá com queijo, vinho e biscoitos.

— Sim, por quê? — perguntou ela.

O que ela quis dizer foi "Por que você precisa saber? Para não terminar comigo quando estou em público?", mas ela conseguiu não soltar essa fala.

— Ótimo — disse ele.

A campainha tocou dois segundos depois. Peraí. Hein?

Alexa largou a taça em cima da mesa e foi até a porta com o celular ainda na mão. Ela o viu pelo olho mágico com uma bolsa no ombro e um olhar tenso no rosto. Droga, ela nem estava de sutiã.

Abriu a porta e, antes de dizer qualquer coisa, ele entrou e a abraçou com força. Ele fechou a porta com o cotovelo e recostou-se, segurando-a, deitando a cabeça na curva do pescoço dela.

Ela afagou o cabelo e beijou sua orelha, mais contente em vê-lo do que imaginou ser possível. Quando ele se virou para ela, ela sentiu a bochecha dele molhada.

— Drew, querido, o que há de errado? O que aconteceu? — Ela quis se matar pelo "querido", mas saiu sem querer.

Ele balançou a cabeça, por isso, ficaram ali por um tempo sem falar, abraçando-se, os dedos dela percorrendo o cabelo e as costas dele; sua respiração ofegante era o único barulho do corredor.

Drew ergueu a cabeça e a beijou com força. Ele abriu o zíper do casaco dela e respirou fundo quando viu que estava nua por baixo.

— Você sempre anda assim pela casa? Preciso aparecer sem avisar mais vezes.

Ele se abaixou e beijou o espaço entre os seios e sentiu as unhas dela arranharem seu couro cabeludo.

— Eu não vim aqui só para pegar você sem blusa, mas é um bônus e tanto — disse ele.

Ela beijou a cabeça dele, a bochecha, os lábios. Ele soltou um suspiro; ela recuou.

— Por que você veio? O que há de errado? Me conte.

Drew se endireitou.

— Vamos nos sentar e relaxar primeiro.

Alexa ficou olhando para os olhos dele por um bom tempo. Quando sentiu as lágrimas começando a aparecer novamente, virou-se. Ele já estava com bastante vergonha por chorar na frente dela e não podia fazê-lo de novo. Ela pegou em sua mão. Caminharam até a sala de estar, e ela apontou para o sofá.

— Sente-se. Vou pegar vinho para você. Já comeu? Está com fome?

Ele se sentou; de repente, sentiu-se exausto.

— Não como desde... o almoço. Deveria estar com fome, mas não estou.

Ela lhe atirou o celular.

— A pizzaria está nos meus favoritos. Ligue e peça qualquer coisa enquanto pego o vinho. Você sabe do que eu gosto.

Quando ela voltou com uma taça de vinho cheia em uma mão e a garrafa na outra, ele já tinha terminado de pedir a pizza. Ela se sentou no sofá ao lado dele e lhe entregou a taça. Ele colocou o braço em volta dela e teve aquela sensação de estar em casa, enquanto ela acomodava os pés no sofá e deitava a cabeça no ombro dele. Era por *isso* que ele tinha vindo.

Ele tomou um gole de vinho e deixou a taça em cima da mesa de centro ao lado da taça dela.

— Acho que... tenho certeza, na verdade, de que Jack está com leucemia.

Ela levou um susto e tentou se sentar direito, mas o braço dele a envolveu com mais força, aproximando-a dele.

— Ah, Drew, que triste. Quando você descobriu? Já contou para eles?

Ele beijou o cabelo dela e a soltou o suficiente para ela pegar a taça de vinho. Alexa tomou um gole e segurou a mão dele.

— Hoje à tarde. Sim, contei à Abby assim que descobri. Acho que não contei do jeito certo. Ela pareceu tão... arrasada.

Alexa puxou a cabeça dele para junto de seu ombro; ele cedeu. Ela passava os dedos de um lado para o outro no cabelo dele. Ele se sentiu melhor naquele momento do que no resto do dia ou do que em mais de uma semana.

— Meu bem, não acho que haja um jeito certo de contar a uma pessoa que o filho dela está com leucemia. Sei que você fez o melhor que pôde.

Ele balançou a cabeça, mas não se deu ao trabalho de contestar mais que isso. Só queria que ela continuasse o abraçando assim, o tocando desse jeito. Ele contou a história toda, ainda com a cabeça no ombro dela.

— Foi horrível demais. Já tive pacientes com câncer antes, mas sempre soube de antemão. Não era uma criança que eu *conhecia*. Por que não sou melhor nisso? Por que não posso me distanciar e ser objetivo, como os outros médicos que conheço?

Ela não respondeu, mas levantou a cabeça e beijou a bochecha dele e depois a boca. Eles se beijaram como se estivessem se conhecendo, como se já se conhecessem há muito tempo. Passaram a meia hora seguinte assim, fazendo pausas periódicas para tomar goles de vinho tinto que subiram direto à cabeça dele e depois voltando a se abraçar, sussurrando palavras carinhosas entre beijos. Só se separaram quando a campainha tocou.

— Pizza — disse ela, com a mão ainda na bochecha dele.

Ele se levantou, surpreso por não conseguir se equilibrar direito. Talvez precisasse mesmo comer. Ele saiu tropeçando até a porta e pegou a carteira na bolsa de academia que havia pego no porta-malas, no estacionamento do aeroporto. Deu um punhado de notas para o entregador e levou a pizza até a sala, enquanto Alexa voltava da cozinha com pratos.

Ela se serviu de mais vinho; ele colocou a pizza nos pratos e fez uma cara de espanto para ela.

— Minha taça também está vazia, viu?

Ela balançou a cabeça e tomou um gole.

— Nada de vinho até comer alguma coisa. Não quero você desmaiando aqui por causa de estresse, excesso de bebida e falta de comida.

Ele ia discutir, mas a cara dela o fez perceber que era inútil. Ele comeu a pizza de pepperoni, linguiça e queijo extra e já tinha acabado com duas fatias quando voltou a pegar a taça de vinho. Desta vez, ela a encheu.

— Desculpe por ter vindo sem avisar. É que eu... eu precisava ver você. Deveria ter ligado, mas...

Ele não quis ligar, não queria ouvir ela dizer que já tinha compromissos ou que estava ocupada demais e que ele não deveria ir.

— Não tem problema — respondeu ela, largando o prato e servindo-se de mais vinho. — Eu teria bebido essa garrafa sozinha se você não tivesse vindo. Que bom que você veio à minha festinha de autopiedade — falou, erguendo a taça para ele, que brindou.

— Por que festinha de autopiedade? O que há de errado no mundo de Alexa? Achei que estava tudo indo bem depois da reunião de sábado...

♥ ♥ ♥

Alexa tomou outro gole de vinho e resistiu à vontade de deitar a cabeça no ombro dele. Em seguida, ficou pensando por que estava resistindo. Ela se aconchegou perto dele; ele colocou o braço em volta dela.

— Sim, também achei, mas, no domingo, teve outra reunião, que foi... diferente.

Ele acariciou o braço dela.

— Não parece bom. O que aconteceu?

Ela tentou não soar tão derrotista quanto se sentia ao contar tudo.

— Monroe, é só um grupo de pessoas. Você não sabe se eles representam todos da região — disse ele. — Além do mais, agora você sabe exatamente o que irá enfrentar, e isso lhe deixará mais preparada para a batalha.

Ela sorriu, animada por ele confiar nela. Talvez ela devesse ter ligado para ele no domingo à noite.

— Eu sei, é que...

Alexa tomou outro gole de vinho e deixou a taça em cima da mesa. Ela contorcia os dedos e não olhava para ele.

— O que foi? Me fale — disse ele. Ela por fim levantou o olhar. Ele sorriu com uma expressão tão aberta e carinhosa que ela tocou a bochecha dele. Ele virou a cabeça e beijou a palma da mão dela. — Me fale o que há de errado.

♥ ♥ ♥

Drew sempre soube que havia algo nesse programa que ela não contava. Ele não a pressionou, não quis pressioná-la, mas agora precisava que ela confiasse nele assim como ele confiava nela.

Ela respirou fundo e pegou a mão dele.

— Esse programa, toda a ideia em torno dele... é bem pessoal para mim — contou, olhando para ele. — Você já deve ter percebido. — Ele assentiu. — Eu... nós... — suspirou Alexa. — Não sei como começar essa história.

Ele levantou as mãos que estavam juntas e beijou o dorso da mão dela.

— Comece por onde quiser. Temos a noite toda.

Ela riu, mas meio que soou como um choro.

— Está bem — concordou. Ela se virou e não estava mais olhando para ele, que não soltou sua mão. — Minha irmã Olivia e eu temos apenas dois anos de diferença. Quando éramos crianças, ela era meu... meu ídolo, meu tudo. Eu lia livros porque ela lia, fiz balé porque ela fez, joguei futebol porque ela jogou, embora fosse péssima jogadora

— contou ela. Ele deu risada. Ela olhou para ele e riu também. — É verdade, eu era. Eu pegava flores na beira do campo durante o jogo e fazia coroinhas para mim. — Eles sorriram um para o outro, e aí o sorriso dela desapareceu. — Quando comecei o ensino médio, fiquei muito animada por estar de volta na mesma escola que Olivia e, diferente dos meus amigos, não estava preocupada com o ensino médio, pois sabia que minha irmã cuidaria de mim.

Ela ficou em silêncio. Ele aguardou um pouco e perguntou:

— O que aconteceu?

— Uma noite, num fim de semana, alguns meses depois do início do ano letivo, Olivia e os amigos dela se encrencaram. Fumaram maconha e beberam, ou beberam e fumaram maconha, invadiram a escola e roubaram algumas coisas. Alguém ouviu e chamou a polícia. Eles foram pegos ao saírem.

Ela serviu mais vinho nas duas taças e tomou um grande gole antes de prosseguir.

— E você tem que entender, eu era uma boa menina, nunca me meti em encrenca, seguia todas as regras. Fiquei muito chocada por minha irmã, que respeitava tanto, que achava ser perfeita, ter feito uma coisa dessas. E depois que todo mundo descobriu, me senti muito humilhada. Achei que todo mundo ia pensar mal dela, da minha família toda, que meus professores iriam me menosprezar, que todos iriam tirar sarro da minha cara.

Ela olhou na direção dele, mas sem fazer contato visual.

— Por que foi tão sério assim? — perguntou ele, largando a taça em cima da mesa. — Parece uma coisa típica de adolescente. Fiz coisas desse tipo quando era adolescente e nunca me meti numa encrenca séria, além de me enrolar com os meus pais.

Ela fez uma cara de espanto e soltou a mão dele. Ele sentiu mais frio sem o toque dela.

— Eu sei, mas Drew, você é branco. A vida é diferente para você. Nasceu com o benefício da dúvida que as crianças negras nunca terão.

Ele colocou a mão no joelho.

— Isso é verdade, mas... — Ele não sabia como terminar a frase.

Ela tomou outro gole de vinho e não olhou para ele.

— Qual é, Drew. O que teria acontecido com você se tivesse bebido e invadido a escola? O que aconteceu de fato quando fez coisas desse tipo? Alguém gritou com você e contou para os seus pais, talvez tenha ficado de castigo e tenham proibido você de usar o carro, mas a escola não fez nada sério. Quem sabe uma suspensão, mas talvez não, porque você era um menino de ouro, era um dos bonitos e inteligentes que todos adoravam e podiam ver que um dia chegaria à faculdade de Medicina. Porque você era branco. Eles ficavam bravos com você, mas sempre com aquele sorriso nos olhos, para que você soubesse que não era sério e que achavam até meio engraçado, que era coisa da idade. Mesmo que alguém chamasse a polícia, o que provavelmente não aconteceu, a polícia não iria te prender, iria dar um sermão e talvez contar uma história sobre a vez que eles fizeram algo errado quando eram adolescentes como você, né?

Ela estava assustadoramente certa. Ele relembrou a vez em que a sra. Mann pegou ele e o amigo Toby roubando o carro do diretor para pregar uma peça e ela só piscou para eles e fingiu não ter visto nada. Eles conseguiram levar o carro até o topo de um dos anexos da escola, e o diretor ficou furioso, mas ninguém jamais contou quem tinha feito aquilo. Será que a sra. Mann teria agido da mesma maneira se Malik, que era seu colega de Química, estivesse dirigindo o carro? Ele queria pensar que sim, mas muita coisa no mundo dizia o contrário. O que teria acontecido com ele?

Ele sentiu estar pisando em ovos. Queria fazer perguntas, queria que ela continuasse falando, mas não queria dizer ou fazer a coisa errada e não tinha a menor ideia do que era a coisa certa. Enquanto pensava, colocou outra fatia da pizza, que agora estava morna, no prato dela. Ela sorriu para agradecer, mas não pegou. E continuou sem olhar para ele.

— É — disse ele. — Você tem razão. Foi exatamente isso que aconteceu comigo. Eu deveria ter... eu deveria ter pensado nisso. O que aconteceu com sua irmã?

Para o seu alívio, ela respondeu:

— Ela foi presa e os amigos também. Foi... foi uma noite horrível. Eu... — Ela ia dizer mais alguma coisa, mas a voz desapareceu.

— Ela teve que cumprir pena?

Ela balançou a cabeça.

— Naquela época, em Oakland, havia um programa-piloto tipo o Progreja — respondeu ela, com a voz voltando ao ritmo de chefe de gabinete. — Só durou um ano, mas existiu na hora certa para Olivia. Por isso, em vez de cumprir pena ou ficar com a ficha suja, ela participou do programa. E, como sei a diferença que fez para ela, acho que ele poderia... ele *faria* diferença para os jovens de Berkeley hoje. Olivia conseguiu alcançar tudo o que queria, porque as pessoas lhe deram uma chance.

Ela continuava sem olhar para ele. Ele pegou a taça, mas a colocou de volta.

— O que você não está me contando?

Ela mudou de posição no sofá, pegou os joelhos e os abraçou até seu corpo virar uma bola.

— Ah, Drew, fui tão cruel com ela. — Sua voz embargou. Ela parou, fechou os olhos e engoliu em seco antes de continuar. — Fui cruel, chata e xinguei muito. Fiz ela se sentir muito mal pelo que aconteceu. Eu fiz de propósito! Dedurei para os nossos pais tudo o que achei que ela estava fazendo de errado. Mal nos falamos pela maior parte do ano e, mesmo depois disso, nossa relação ficou turbulenta e difícil por vários anos. Só ficamos amigas de novo quando eu estava na faculdade e, mesmo assim, levou anos para ficarmos próximas. — Ela fez uma pausa, claramente perdida nos pensamentos, e balançou a cabeça. — Sinto que... se conseguir fazer isso dar certo, seria meu jeito de compensar tudo o que fiz.

Ele se deslocou no sofá e colocou o braço em volta dela. Alexa estava tão tensa que ele não tinha certeza de como reagiria ao seu toque. Porém, ela relaxou junto a ele e soltou os joelhos.

— E se você não conseguir fazer isso dar certo? O que vai acontecer?

Ela balançou a cabeça, deitada no ombro dele. Ele se voltou e beijou seu cabelo. Ele sentiu seu suspiro.

— Aí vou decepcioná-la mais uma vez. Se não conseguir fazer uma coisa pela minha irmã, pela minha família, por todos os jovens que precisam de ajuda como ela precisou...

Ele a puxou para mais perto, tão contente por estar com ela. Parecia errado estar feliz quando ela estava a ponto de chorar, mas ele se sentia honrado por ela estar lhe contando isso. A conversa parecia um presente.

— Você sabe que isso não é verdade, né? Que, se não for aprovado, não vai ser culpa sua? Que tudo o que você pode fazer é dar tudo de si e saber disso? Você tem consciência de tudo isso?

Ela deu de ombros e se virou para o outro lado. Tudo bem. Será que significava que ela não queria mais falar sobre isso? Ele não tinha certeza se deveria continuar conversando, mas queria fazer mais uma pergunta para ela.

— Você já conversou com Olivia sobre isso? Já contou o que está tentando fazer e por quê?

Ela hesitou e fez que não.

— Não conversamos... não conversamos sobre isso de jeito nenhum. No começo, estava com vergonha de falar alguma coisa e agora parece que passou tempo demais.

A princípio, ele não respondeu, sem saber o que dizer. Ela pegou a fatia de pizza que ele havia colocado no prato e comeu metade antes de ele voltar a falar.

— Então, se o Progreja fosse aprovado, como você iria contar para ela? Você iria contar para ela, né?

Ela engoliu em seco e tomou um gole de vinho.

— Sim, pensei nisso. Eu iria mandar um e-mail com um link para um artigo falando sobre ele, dizendo uma coisa do tipo "olha o que sua irmã caçula tem feito" ou "o nome é horrível, mas o programa é excelente, né?". — Ela suspirou. — Está bem, talvez essas ideias sejam idiotas, mas você entendeu o que quis dizer.

Ele riu e apertou a mão dela. O olhar tenso relaxou, e ela apertou a mão dele também.

— Quem sabe você conversa com ela. Quero dizer, antes da audiência. Sobre o Progreja, é algo maravilhoso que você está tentando fazer e sei que ela ficaria orgulhosa. Mas também tem as outras coisas que você me contou. Eu sei que ela gostaria de saber.

Alexa balançou a cabeça novamente, mas não largou a mão dele.

— Foi tão difícil contar para você, Drew. Nem sei como contaria para ela como me senti ou o que diria.

Ele a virou para que suas pernas ficassem por cima das pernas dele e pegou o rosto dela com as duas mãos.

— Diga a ela o que me disse. Apenas pense nisso, tá? Acho que você se sentiria melhor.

Ela encostou a testa na dele e fechou os olhos. Ele a abraçou, e ali ficaram sentados por um tempo, respirando um pertinho do outro.

— Vou pensar.

Ele se aproximou um pouco mais dela, e seus lábios se tocaram lenta e suavemente. Ele quis aprofundar o beijo, mas se afastou.

— Agora, termine de comer essa fatia de pizza para não ficar de ressaca amanhã de manhã. São ordens do seu médico.

Ela riu, que era a reação que ele estava esperando.

— Quantas crianças precisam dos seus conselhos sobre ressaca, dr. Nichols?

Ele se levantou para levar a caixa de pizza e a garrafa de vinho vazia para a cozinha.

— Você ficaria surpresa. Apesar de que a maioria dos meus pacientes tem ressaca por comer doces demais.

A risada dela ecoou pela casa enquanto ele ia para a cozinha. Drew estava feliz por estar lá.

♥ ♥ ♥

Depois que ele voltou da cozinha, Alexa já tinha comido direitinho toda a pizza, menos a borda. Ele tirou sarro disso, da mesma forma que o fez quando ela esteve em Los Angeles.

— Outra semelhança que você tem com meus pacientes — disse ele, pegando as mãos dela para junto dos seus pés. — Você come pizza como um bebê.

Ela segurou suas mãos e olhou para ele. Ela se sentia emocionalmente esgotada, mas não conseguia parar de sorrir. Era tão bom tê-lo ali na sala numa terça à noite. Era um hábito que gostaria de ter.

Ela afugentou a ideia.

— Você tinha algum plano para o resto da noite? — perguntou ela.

Ele a puxou para junto de si.

— Hum, não sei. No que você estava pensando?

— Hummm — respondeu ela. Ele passou os lábios pelo seu pescoço enquanto ela pensava. — Podemos procurar um filme na Netflix. Ou, estou ouvindo um ótimo audiolivro sobre segregação em cidades americanas. Poderíamos ouvir juntos. — Ele abriu o zíper do casaco dela e mordeu seu ombro. Ela levou um susto e deu risada ao mesmo tempo.

— A não ser que você tenha uma ideia melhor...

Ele se sentou direito, seus olhos se concentraram no rosto de Alexa enquanto ele passava as mãos no seu corpo. Ela fechou os olhos por causa da sensação e gemeu.

Ela abriu os olhos e viu que ele estava em pé, encarando-a. A camisa dele estava meio desabotoada, o cabelo estava arrepiado e os olhos estavam focados nela e só nela. Parecia que ele havia sido esculpido nas suas mais loucas fantasias.

— Você me deixa louco, Alexa. Sabia disso?

Ela balançou a cabeça e lambeu os lábios que, de repente, ficaram secos.

Puta merda, como é que esse homem ainda fazia isso com ela? Esse desejo por ele, pelo corpo e pelo toque dele já não deveria ter passado? Mas não, parecia até mais forte agora. Ele apertou o mamilo dela, e ela gemeu de novo.

— Meu plano, safadinha, era passar as próximas horas ouvindo você gemer várias e várias vezes. O que você acha *desse* plano, hein? — provocou ele, puxando-a para mais perto e beijando-a naquela parte do pescoço que ela adorava. Ela suspirou.

— Não é a Netflix nem o audiolivro, mas dá para o gasto.

Ele riu e, em um piscar de olhos, levantou-a e carregou-a no ombro. Ela bateu nas costas dele enquanto ele caminhava pelo corredor até o quarto.

— O que pensa que está fazendo?

Ele ligou a luz do quarto e tirou um par de sapatos do caminho com um chute.

— Menos papo, Monroe — respondeu, largando-a em cima da cama. — Mais ação.

♥ ♥ ♥

Como era possível que o sexo com ela continuasse melhorando? Drew deitou-se, rolando-a para ficar por cima dele.

— Teve algum terremoto, bomba ou desabamento de prédio? — perguntou ele.

— Hummm, acho que não. Por quê? — respondeu ela, virando a cabeça para olhar pela janela.

— Porque estou com zumbido nos ouvidos.

Mais do que ouvir, ele sentiu a risada dela. Ela descansou a cabeça no peito dele e ficou passando as mãos em seu corpo, que ainda estava formigando. As mãos dele foram até os cabelos dela e ali permaneceram, apenas curtindo a sensação de estar com Alexa.

— Quando você tem que voltar? — perguntou ela, encostada no peito dele.

É mesmo, ele tinha que voltar.

— Meu voo é às sete da manhã — respondeu, colocando o cabelo dela para o lado para poder ver seu rosto. — Estou tão contente por ter vindo.

Ela também olhou para ele e abriu aquele sorriso que fazia todas as partes do rosto dela brilhar. Ele adorava esse sorriso.

— Eu também estou.

19

Na manhã seguinte, Alexa chegou ao trabalho grogue, mas feliz. No meio da noite, acordou com um beijo dele atrás de sua nuca e se virou para lhe dar acesso ao resto do corpo. Dessa vez, foi mais devagar, suave, calmo, mas o fervor foi o mesmo.

Ele não a deixou levá-lo até o aeroporto. Insistiu que era cedo demais e que ela tinha que dormir o sono que ele havia lhe tirado. Ela não dormiu esse sono: pulou no chuveiro assim que se despediram na porta, mas amou ele ter dito isso.

Ela se sentou à sua mesa e quase não conseguiu evitar que o café derramasse assim que se deu conta do pensamento.

Amou? Peraí, não, não foi isso que ela quis dizer. Ela não podia sentir isso por ele. Esse certamente era o caminho para um coração partido com um cara como Drew.

Mas estava claro que ele se importava com ela, né? Ele pegou um voo para vê-la por menos de doze horas; sentia alguma coisa por ela ou será que só estava tentando acreditar nisso porque, apesar de estar tentando se convencer disso, era ela quem sentia alguma coisa por ele?

Droga, não era para isso acontecer. Esse lance era para ser simples, divertido e leve. Quem sabe ela podia ignorar esses sentimentos e torcer para que desaparecessem?

Será que tinha que tentar conversar com Drew sobre seus sentimentos? Ela balançou a cabeça. A única vez que tentou conversar sobre o relacionamento com Drew tinha sido um verdadeiro desastre. Não queria passar por isso de novo. Além do mais, era quase certo que iria afugentá-lo depois de toda aquela conversa sobre raças na noite anterior. Os homens brancos odiavam quando eram lembrados de seus privilégios, ela sabia bem disso.

Porém, o que faria com todos esses sentimentos agora?

Enterrá-los em um cantinho, tomar a droga do café e parar de ter essas crises existenciais às oito da manhã, era isso que tinha que fazer.

Ela conseguiu passar a maior parte do dia se distraindo com o trabalho, mas, quando deu cinco e meia, desistiu e ligou para Maddie. Ela sabia que Maddie iria lhe dizer o que fazer.

♥ ♥ ♥

Drew foi para o hospital direto do aeroporto, contente por ter uma camisa extra dentro de sua bolsa e não precisar passar em casa. Agora que estava longe de Alexa, se sentia idiota por ter largado tudo para ir vê-la, mesmo que tivesse sido ótimo na hora. Meu Deus, ele era um adulto, médico há quatro anos e, mesmo assim, quando recebia más notícias sobre um dos pacientes, viajava oitocentos quilômetros só para abraçar uma mulher?

Estava se entregando demais, iria ficar magoado demais quando terminasse. A mágoa iria ser ainda maior porque ela o odiaria, como acontecera com Molly.

Não deveria ter ido até lá. Tudo isso... foi um exagero. Íntimo demais.

Parte dele quis fugir, nunca mais responder às mensagens dela nem vê-la, esquecer que ela existia.

No entanto, a ideia de nunca mais ver Alexa de novo fazia seu estômago revirar. Ele se despediu de manhã e já estava ansioso para vê-la no fim de semana.

Claro que a primeira pessoa que ele viu ao sair do elevador foi Carlos.

— Cara, você tá um trapo! — Foi o cumprimento amigável de Carlos. Ele fez uma pausa, e o sorriso desapareceu. — Ah, soube do Jack. Que chato, sinto muito.

Drew deu de ombros. O que deveria dizer? "Tudo bem"? Não estava bem, e Carlos sabia disso. Por isso, ele não disse nada.

— Onde você estava ontem à noite? — perguntou Carlos, seguindo-o até o consultório. — Liguei, mas seu celular estava desligado.

Ele pensou em mentir, mas sabia que Carlos iria acabar descobrindo. Ele era desse jeito.

— Fui para Berkeley.

Carlos ia se sentar, mas parou no meio. Droga, ele deveria ter mentido, sabia que o amigo iria fazer um estardalhaço desnecessário.

— Ah, é? Teve um dia difícil e precisava de um abraço da sua namorada? — disse ele, sentando-se e olhando para Drew com um ar metido.

Drew estava cansado e irritado demais para isso.

— E daí, não foi por isso. — Ele deu de ombros e abriu um sorrisinho. — Só precisava aliviar o estresse de um jeito que não conseguiria com o basquete. Sabe como é.

Carlos deu risada e, por um instante, Drew achou que ele esqueceria o assunto.

— É essa a sua explicação? Que foi só uma noite de sexo? Dá um tempo, você *gosta* dessa garota. Atravessou o estado só para vê-la! Não me leve a mal, ela é legal, e dou minha total aprovação, mas...

Drew o cortou antes que passasse dos limites.

— Está bem, sabia que você reagiria assim, calma. Foi só um voo de uma hora. Já dirigi essa distância para transar antes, foi a mesma coisa.

Carlos revirou os olhos. Por que é que eram amigos mesmo?

— Primeiramente, você nunca fez isso.

Está bem, está bem, ele tinha razão, não que Drew fosse confessar.

— Em segundo lugar, não há nada de errado em ficar com sua garota quando você está chateado. Estou contente por ela te consolar, cara — disse Carlos, tomando um gole do café.

Drew balançou a cabeça.

— Não foi assim — discordou ele. Foi exatamente assim. — Não sei por que você fica agindo como se esse lance com a Alexa fosse uma coisa importante. Provavelmente, nem vai durar muito mais tempo.

Carlos ficou encarando-o.

— Por que não duraria? O que você fez?

Drew resistiu ao impulso de jogá-lo no chão, mas só porque um enfermeiro estava passando pela sala, que estava com a porta aberta.

— Não fiz nada! É só que... essa história já tem um tempo; foi bom enquanto durou. É melhor terminar as coisas enquanto ainda estão legais.

O celular de Carlos vibrou; ele deu uma olhada e depois voltou para Drew.

— Não me leve a mal, cara, mas não seja um babaca. Já vi o jeito que olha para essa garota. Nunca vi você olhar para uma pessoa ou uma coisa do jeito que olha para ela. E você vai jogar tudo para o alto por um motivo besta? Só porque está com medo de um relacionamento de verdade?

Carlos olhou para o celular de novo e se levantou.

— Tenho que ir, mas, cara, pare de ser o idiota que você sempre foi.

♥ ♥ ♥

Maddie iria pegar o carro emprestado no fim de semana, por isso, levou Alexa até o aeroporto na sexta à noite.

— Como está se sentindo? — perguntou Maddie.

Será que conseguiria descrever a sensação de ver Drew este fim de semana? Animada por vê-lo, ansiosa pelo que poderia acontecer, relaxada só de pensar em estar com ele...

— Nervosa.

Ela precisava conversar com ele, tinha que saber o que estava acontecendo e quais eram os sentimentos dele antes que fosse tarde demais. Porém, estava com medo de ter perdido essa chance.

— Era muito mais fácil quando não estava pensando demais.

No farol, Maddie se virou para ela:

— Nós duas não sabíamos que isso iria durar apenas um fim de semana? No máximo, um feriadão.

Elas riram.

— Você quer palavras de incentivo ou quer conversar sobre outra coisa? — perguntou Maddie.

Ela ficou pensando por um momento. Palavras de incentivo iriam deixá-la empolgada demais.

— Outra coisa, por favor. Me conte sobre aquela fulana, sua nova cliente doida.

Maddie deu risada.

— Ai, meu Deus, Alexa. Já te contei o que ela queria um dia desses? Ela precisava de roupas de ginástica bonitas, porque sempre encontra gente conhecida na academia. Só que, em vez de roupas normais, queria umas roupas que ninguém tivesse, então, tive que entrar no mundo das leggings de quinhentos dólares e tops de duzentos. E vou te dizer uma coisa: é um mundo muito doido.

Elas fofocaram pelo resto do caminho até o aeroporto, e Maddie lhe deu um abraço quando ela saiu do carro.

— Boa sorte este fim de semana, Lex. Obrigada por me deixar usar seu carro. Boa viagem.

Ela também abraçou Maddie.

— Estamos aí para isso, Mads, você sabe. E obrigada.

♥ ♥ ♥

Drew saiu do hospital diretamente para o aeroporto buscar Alexa. Carlos deu um *high five* enquanto ele caminhava pelo corredor até o elevador.

— Você vai à festa do 4 de Julho da Heather no domingo, né?

Drew confirmou com a cabeça ao entrar no elevador.

— Te vejo lá.

Alexa saiu do terminal na mesma hora em que ele chegou, e ele saiu do carro para lhe dar um beijo. Está bem, talvez fosse precipitado da parte dele querer terminar tudo. Talvez Carlos tivesse razão. Ele só estava muito cansado e ainda chateado com o caso de Jack. Poderia continuar por mais um tempo.

Ele apertou a mão dela ao pegar a estrada até sua casa. Ela parecia tensa? Ela parecia tensa. Será que deveria perguntar por quê?

— Está com fome? — Foi uma pergunta mais simples.

Ela tirou o cardigã e ainda estava em ritmo de trabalho, usando um daqueles vestidos conservadores que ele adorava em segredo.

— Estou morrendo de fome. Mal tive tempo de almoçar e acabei com todos os petiscos do escritório esta semana.

— Então, quer ir direto jantar? Quem sabe naquela hamburgueria?

Ela se virou para ele e segurou seu joelho. Cara, ele adorava toda vez que ela o tocava. Sim, com certeza poderia continuar por mais um tempo.

— Podemos pedir aquela caçarola de batatinhas desta vez? Não posso prometer comer tudo, mas a cara era ótima.

Aparentemente, muita gente havia tido a mesma ideia naquela noite. Eles ficaram juntos no bar enquanto aguardavam uma mesa, bebendo cerveja e conversando sobre tudo e nada.

Ele não falou sobre Jack. Já tinha enviado uma mensagem dizendo que os resultados deram positivo e não queria acabar com o clima. Ela não tocou no assunto do programa, e ele não perguntou, apesar de estar morrendo de vontade de saber se ela iria conversar com a irmã sobre isso.

Ele acabou contando sobre o menino que ficava atirando coisas na sala de exames e rindo, e que ele teve que ir para o corredor para dar risada. Ela contou sobre os peladões que seguiam o prefeito em protesto. Ao rirem, o rosto tenso dela relaxou. Talvez fosse a cerveja, mas Drew queria que fosse por estar com ele.

Estava prestes a perguntar se ela queria outra cerveja quando ouviu chamarem seu nome. Ele se virou e viu suas amigas Robin e Lucy indo na sua direção.

— Oi!

Ele abraçou as duas e se virou para apresentar Alexa.

— Pessoal, essa é minha... essa é a Alexa. Alexa, essas são Lucy e Robin. — Ele quase a chamou de namorada sem querer. Como é que isso aconteceu?

Parecia que ninguém tinha notado o deslize. Alexa estava conversando animadamente com Lucy, então, ele se virou para Robin.

— Você vai à festa da Heather no domingo?

— Sim, e você?

Assim que ele confirmou, a *hostess* chamou seu nome; por isso, despediram-se e seguiram-na até a mesa.

♥ ♥ ♥

"Essa é minha..." o que ele ia dizer? Qual seria o final dessa frase? Alexa achou que não era importante, porque ele não tinha terminado; portanto, o que quer que fosse dizer, era da boca para fora. Mesmo assim, passou o jantar inteiro com aquela frase inacabada na cabeça.

Tudo bem, talvez não o jantar inteiro. No resto do tempo, comparou a si e o vestido azul-marinho sem graça que havia usado para trabalhar naquele dia com os lindos vestidos florais que Lucy e Robin estavam usando. Também pensou em seu corpo, que não ficava bem em vestidos florais, e em seus quadris e suas coxas. E comparou as saladas da mesa delas com a sua caçarola de batatinhas.

Jesus, ela era um desastre. Por que chegou a pensar que ele terminaria aquela frase do jeito que ela queria?

— Monroe, está tudo bem? Você parece estar preocupada com alguma coisa — disse Drew, que se esticou para alisar o franzido entre as sobrancelhas dela com o polegar. Ela não conseguiu deixar de sorrir quando ele fez isso.

Ela quase lhe fez todas as perguntas que estavam na cabeça, mas resolveu não fazê-las. Não era a hora certa. Ela passara a semana toda estressada; hoje à noite, precisava relaxar.

Além disso, o que aconteceria se todas as respostas dele fossem as erradas? Ela passaria o resto do fim de semana sofrendo e fingindo sorrir?

— Está tudo bem. Quero dizer, estou bem. Só estava tentando decidir se queria outra cerveja ou uma taça de vinho.

Eles acordaram na manhã seguinte abraçados um ao outro, sentindo a brisa fresca do mar entrando pela janela. Ela deve ter se mexido, pois a mão dele passara do quadril para o seio dela.

— Bom dia — disse ele no ouvido dela. Ele acariciou seu corpo e, em resposta, ela suspirou. — Hum, ela gosta disso. Que estranho, achei ter ouvido alguém dizer que não aguentava mais algumas horas atrás.

Alexa firmou a mão dele quando ele tentou movê-la.

— Se você ouviu isso, e não estou confirmando que ouviu, a pessoa que falou, provavelmente disse "até de manhã" no final, mas acabou abafado, talvez com a cara em um travesseiro.

Ele riu e beijou sua orelha, sua bochecha, seu pescoço enquanto movia seus dedos. Tudo bem, estava claro que ele curtia certas coisas no corpo dela, sem importar se ficavam bem em vestidos florais ou não.

— Café? — disse ela, com um travesseiro na frente um tempo depois.

Ele a virou e sorriu para ela, vasculhando-a com os olhos da cintura até o topo da cabeça. Ela puxou a cabeça dele para si e beijou a linha do queixo.

— Que tal — disse ele, virando a cabeça e voltando ao beijo —, enquanto faço café, você se apronta para sairmos para comer?

A mão dele estava no quadril dela, desenhando oitos no osso, e os olhos estavam fixos nos dela. Com tudo isso, ela não tinha forças para recusar qualquer coisa que ele pedisse.

Depois do café da manhã na lanchonete preferida de Drew, voltaram aos tropeços até o apartamento e se jogaram no sofá.

— Gente, por que você nunca me levou nesse lugar antes? — perguntou Alexa. — Nunca tinha comido panquecas tão boas.

Ele deu risada.

— Eu sabia que você iria gostar das panquecas, apesar dos brioches serem meus favoritos.

Ele desfez o rabo de cavalo dela para poder passar os dedos pelos cabelos, e ela suspirou, descansando a cabeça no ombro dele.

— Monroe?

Ela se virou e sorriu para ele, mas parecia ansiosa de novo, como na noite anterior.

Quem sabe ela tinha trabalho para fazer? Sim, deveria ser isso. Ela sempre tinha trabalho pendente.

— Eu ia correr. Tudo... tudo bem por você? Pode ficar aqui por um tempo, né?

Ela virou-se para o outro lado e sentou-se direito.

— Claro. Posso trabalhar um pouco enquanto você estiver fora.

Sim, era o que ele tinha pensado. Ele a beijou antes de se levantar para trocar de roupa. Quando voltou para a sala, ela estava com o notebook no colo e um ar de preocupação de novo. Ainda.

— Está tudo bem?

Ela levou um susto com o som da voz dele e olhou.

— Ah... sim, tudo bem. Só estou olhando meus e-mails.

Ele não acreditou: queria se sentar ao lado dela e fazer mais perguntas, descobrir o que realmente a estava chateando. Ou será que ela preferia escrever um e-mail para o amiguinho Theo em vez de conversar com ele? Mas os olhos dela estavam de volta na tela, e não nele. Drew foi dispensado.

— Tudo bem, volto em mais ou menos uma hora.
— Está bem.

Ela nem viu ele fechar a porta.

♥ ♥ ♥

Será que ele queria que ela fosse correr com ele? E mudou de ideia quando olhou para ela? Será que ele quis que os dois fossem correr depois de comer tanto, mas resolveu que isso iria magoá-la? Por que ela ficou tão cheia de esperança quando ele disse "Monroe?" daquele jeito? O que pensava que ele iria dizer?

Será que ela iria ficar louca se fazendo perguntas como essa o fim de semana inteiro? Os sinais diziam que sim.

Ela tomou um banho para clarear as ideias, vestiu regata e legging e voltou para o sofá para ver os e-mails de verdade.

Quarenta e cinco minutos depois, ele entrou pela porta com a cara rosada, a camiseta colada ao corpo e, puta merda, ela queria tirar as roupas dele imediatamente.

— Como foi a corrida?

Ele limpou o rosto com a camiseta. Agora ela não conseguia mesmo parar de encará-lo.

— Você trocou de roupa — disse ele.

O peito dele estava brilhando, e os pelos castanho-escuros estavam grudados ao corpo. E o shorts... será que havia alguma coisa por baixo? Ela colocou o notebook sobre a mesa de centro.

— Hummm, tomei um banho.

Ele tirou os tênis, chutou-os para um canto da sala e deu um passo na direção dela.

— Se continuar me olhando desse jeito, vou levar você para o banho comigo em exatos trinta segundos.

Agora que ele estava mais perto, a cabeça dela estava na altura da cintura dele.

— Dez segundos.

Ela fez ganchos com os polegares na cintura dele e puxou o shorts para baixo.

Levou cerca de quinze segundos, mas só porque ela parou para tirar a roupa antes de ele ligar o chuveiro. Ainda bem que ela havia levado o secador.

20

— Quem é que vai a essa festa? — perguntou Alexa, no domingo, enquanto tomavam café da manhã no sofá. Ela o convencera a fazer panquecas desta vez. Ele não queria se gabar, mas elas ficaram uma delícia.

— Umas pessoas de que você provavelmente já ouviu falar: os caras da minha liga de basquete, Carlos, Robin e Lucy, aquelas garotas que você conheceu ontem à noite; um monte de gente que não conheço. — Ele fez uma pausa. — Alguns caras da minha liga de basquete que vão estar lá são negros, só para você saber.

Ela sorriu e apertou a mão dele.

— Obrigada por me contar — agradeceu. Ela tomou outro gole de café. — De quem é essa festa mesmo?

— Da Heather, uma velha amiga. Ela tem uma casa linda à beira do mar.

Talvez ele devesse contar que eles já tinham namorado para que ela não descobrisse por meio de outra pessoa.

— Hã, a Heather e eu meio que namoramos, mas foi há muito tempo.

— Ah — exclamou ela, torcendo um cacho do cabelo com o dedo. — Tá. — Ela olhou para as panquecas, que estavam pela metade, para que ele não visse a cara dela. — Que horas vamos?

Ela não se importava de ele ter namorado a Heather? Ela não precisava ficar ciumenta. Está bem, talvez um pouco de ciúme seria bom.

— Eu queria ir meio cedo, pois estou de plantão hoje. Que tal lá pelas quatro ou cinco?

Ela abriu e fechou a boca, depois abraçou os joelhos.

— Quem sabe — disse ele, colocando os braços em volta dela, incluindo os joelhos — saio para correr de novo e poderia terminar como ontem?

— Hmmm. — Ela voltou o rosto para ele, que a beijou. — Você está com gosto de calda — disse ela ao terminarem de se beijar.

— Se gostou, tenho mais calda, sabe? Tem muita coisa que podemos fazer com calda que não incluem panquecas.

Ela se virou toda para ele.

— Hmmm, parece interessante. Está falando de waffles? Você tem forma de waffles?

Ele balançou a cabeça.

— Bolinhos? Minha mãe sempre coloca calda em bolinhos.

Ele passou a mão pelo decote V profundo do seu roupão de flanela que ela adorava usar. E ele adorava que ela usasse.

— Não — disse ele, com a mão no seio esquerdo dela.

— Hmmm. — Ela balançou o ombro, e o roupão caiu. — Então, não sei. Me conta.

Ele se esticou para cochichar no ouvido dela, passando as mãos em seu corpo.

Não ia dar tempo de correr antes da festa.

♥ ♥ ♥

Alexa percebeu, depois de trinta segundos na casa de Heather, que ela era um peixe fora d'água. Nem todas as mulheres da festa eram loiras, mas certamente parecia que eram. E o cabelo não era só loiro, mas aquele loiro cor de mel perfeito com luzes douradas, balançando em um rabo de cavalo ou solto em ondas esvoaçantes, desafiando a umidade do litoral.

E não era só o cabelo. Todas estavam em vestidos minúsculos, do tipo que não dava para usar um sutiã por baixo – do tipo pelo qual Alexa sempre passava reto nas lojas – e seus corpos ficavam perfeitos neles. Ela olhou para si mesma, usando um vestido rodado vermelho com bolinhas brancas que a fez se sentir bonita antes de sair do apartamento de Drew, e suspirou.

Ela viu na hora que era a única pessoa negra ali, mas pelo menos sabia que mais negros estavam para chegar. Ela apertou a mão de Drew, agradecida de novo por ele ter falado isso para ela. Ele sorriu para ela.

— Ah, ótimo, a Heather está ali — disse Drew.

Ah, ótimo, a ex.

No começo, ela tinha ficado contente por ele ter dado aquela pequena informação antes de terem chegado à festa, o que era muito melhor do que descobrir por meio de outros convidados ou, pior, por meio da própria Heather. Mas agora, quando a alta, magra e loira Heather se virou para cumprimentá-la, ela achou que era melhor não saber.

— Heather, esta é Alexa — disse Drew. Alexa reparou que ele não hesitou desta vez. Hoje ela nem era "minha...", hein? — Alexa, Heather. Trouxemos cerveja.

— Drew, que bom te ver! — falou Heather, que o abraçou primeiro e depois a Alexa. Sem outra opção, ela retribuiu o abraço. — Prazer em conhecê-la! As cervejas vão para a cozinha. Vão lá para fora e se divirtam. Tem muita cerveja e sangria, e o churrasco está a todo vapor.

Eles se juntaram às pessoas do lado de fora, Drew com uma cerveja e Alexa com um copo de sangria. Ela quase tossiu ao tomar um gole: havia mais álcool na sangria do que ela esperava. Drew a apresentou a mais pessoas, e ela tentou lidar com a festa do jeito que fazia no trabalho: sorrindo, conversando um pouco, fazendo perguntas, fazendo as pessoas falarem de si, como havia feito no casamento.

O problema era que agora ela estava ansiosa demais para ser a Alexa do trabalho. Quando participava de eventos, ficava confiante. Lá, sabia quem era e o que estava fazendo. O casamento tinha sido uma aventura com um cara que mal conhecia em que ela estava apenas representando um papel. Aqui, não era nada disso. Estava insegura, atrapalhada. Ela tomou outro gole de sangria e estampou um sorriso no rosto. Recorreu ao jeito mais antigo de fazer amizade com uma mulher desconhecida: elogios.

— Adorei suas sandálias! — disse a uma mulher chamada Emma. Pelo menos, o cabelo era loiro-avermelhado.

— Obrigada! — respondeu Emma. Como se estivesse rebatendo uma bola de Alexa em um jogo de tênis, ela devolveu o elogio. — Lindo batom! Sempre quis poder usar batom vermelho, mas com este cabelo, acho que não combina.

— Ah, não, acho que existe um batom vermelho perfeito para todo mundo; vai na base da tentativa e erro. Você precisa de bastante tempo na Sephora e uma amiga em quem confia.

Elas conversaram sobre maquiagem por mais um tempo. Ou a conversa ou o copo de sangria relaxaram Alexa o suficiente para ela parar de vasculhar a festa procurando por alguém com pele escura, um pelo de sobrancelha fora do lugar ou até uma gordurinha.

Ela foi encher novamente o copo de sangria. Um cara que Drew havia acabado de lhe apresentar a seguiu.

— Alexa, né? Está se divertindo? — perguntou ele, colocando o braço em volta dela. Tinha muita gente que gostava de abraçar nessa festa.

— Sim, está ótima — respondeu ela, dando um passo para o lado para poder servir a bebida. — Você é o Mike, né?

— Sim, que gentil da sua parte lembrar. — Mike gostava de ficar bem perto, não? — Então, Alexa, de onde você é?

Ela bebeu um gole da sangria e deu meio passo para trás.

— Berkeley. Vou ficar aqui só este fim de semana.

Olha só, ele chegou mais perto.

— Você mora em Berkeley? Que legal. Mas quis dizer, tipo, de onde você realmente é?

Agora sabia aonde essa conversa estava indo, como se ela não pudesse "realmente" ser da Califórnia? Por que as pessoas sempre tentavam perguntar sobre a etnia dela das maneiras mais desastrosas possíveis? Ouvir essa pergunta, sobretudo desse jeito, sempre a fazia se sentir como um objeto de curiosidade. Hoje isso a fez se sentir ainda mais estranha nessa festa cheia de belezas de cabelos dourados.

Agora ela estava aborrecida em dobro com o sr. Chega-Junto. Por isso, iria zoar com a cara dele.

— Ah, não muito longe daqui. Cresci em Oakland. Garota do Norte da Califórnia! — disse ela, abrindo um enorme e falso sorriso.

Ele deu uma risadinha e tomou outro gole de sua cerveja.

— Não, não, tipo de onde você *é* de verdade? De onde *seus pais* são?

Essa conversa era tão previsível, mas o diálogo dessa gente era sempre muito irritante.

— Meus pais também são da Califórnia. Meu pai cresceu em Los Angeles e minha mãe na Bay Area. E os seus?

Ela sentiu uma mão pousar em suas costas e relaxou. Ela se virou e viu Drew ao seu lado, o que já esperava.

— O Mike está te monopolizando? — Ele sorriu para Mike e fez aquele lance de tapas nas mãos que os caras fazem em vez de se abraçarem. — E aí, cara?

Os olhos de Mike focaram no braço de Drew desaparecendo atrás das costas dela, e ele deu um passo para trás.

— Bem, bem, só parei para conversar com sua amiga Alisha.

Ela rangeu os dentes, sem nem se importar mais se parecia um sorriso.

— Alexa.

Mike deu risada e ergueu seu copo de sangria a ela.

— Certo, certo, Alexa, claro. Foi bom conversar com você.

Ela foi com Drew na direção das churrasqueiras. Assim que estavam longe o suficiente, disse:

— Não gosto desse cara.

Ele parou de caminhar e se virou para ela.

— Por quê? O que ele fez?

Ela fez uma careta.

— Lembra do Bill, aquele cara do casamento? Desagradável e praticamente ofensivo?

Agora ele parou de caminhar.

— Não foi "praticamente". Mike é como aquele cara? Droga, me desculpa. Eu deveria ter vindo te buscar antes.

Ele acreditava nela, simples assim. Em geral, os caras defendiam outros homens quando as mulheres falavam que haviam passado dos limites. Isso havia acontecido com ela várias vezes.

Porém, Drew acreditara na hora. Por que uma coisa pequena como essa a tocou tanto? Ela pegou na mão dele.

— Não, está tudo bem, eu me virei. Só quero... venha se você o vir me acuando de novo?

Ele apertou a mão dela e sorriu.

— Claro que sim. Vamos conversar com umas pessoas melhores.

Ele a apresentou para seu amigo Luke, outro médico do hospital, e ao marido de Luke, Brendan, um dos caras da liga de basquete de que havia falado.

— Ah, você é o motivo das viagens misteriosas de Drew para a Bay Area ultimamente — disse Luke. — Prazer em conhecê-la.

Por acaso... Drew estava corando? Podia ser do sol, mas ela não tinha reparado que suas bochechas estavam rosadas cinco minutos atrás.

— Prazer em conhecê-los, Luke, Brendan.

Brendan apontou para a bebida dela.

— É sangria? Como está?

Ela tomou outro gole e se deu conta de que já estava na metade desse copo.

— Está ótima, só que mais forte do que o esperado. Se Drew tiver que me carregar daqui dentro de algumas horas, é porque bebi mais de dois copos desse negócio.

— Ih — disse Drew —, será que pego um pouco de comida para acompanhar todo esse álcool? Tem hambúrguer, cachorro-quente, linguiça...

— Um cachorro-quente, claro — disse Alexa. — É 4 de Julho. Nada mais americano do que comer um cachorro-quente!

Luke ergueu as sobrancelhas e abriu a boca. Brendan deu um chute nele, e ele fechou a boca.

— Eu vi isso — falou Alexa, e os quatro deram risadas.

— Ainda não te conheço o suficiente para poder fazer piadas com linguiça, então, finja que não ouviu — disse Luke, fazendo uma pausa. — Posso contar depois da sua terceira sangria.

Drew grunhiu.

— Ih, agora estou com medo de te deixar com esses dois. Vai saber o que vão fazer ou dizer.

Alexa fez um gesto mandando Drew embora.

— Pegue um cachorro-quente para mim. Estou ansiosa para ver as caras deles quando eu comer e eles tiverem que segurar as piadas. Será que vai ter picolé de sobremesa?

Depois de os quatro terem comidos cachorros-quentes – fazendo a maior parte das piadas em cima de Drew –, Alexa pediu licença para encher o copo de sangria e ir ao banheiro. Ao sair do banheiro, encontrou Heather e Emma, junto com Lucy e Robin, as garotas da noite anterior.

— Oi, Alexa! — disse Heather. — Está se divertindo? Estava levando essas meninas até a cozinha para tomar sangria branca, que ainda não servi. Quer experimentar?

Como não era de recusar uma proposta dessas, Alexa seguiu as outras mulheres até a cozinha.

— Então, Alexa — falou Heather enquanto servia a sangria —, você mora aqui em Santa Monica?

Alexa deu uma olhada no recinto para ver se as outras estavam olhando para ela. Pelo menos, ainda não. Há quanto tempo Heather e Drew tinham namorado? Ela ficou pensando se a marcação seria cerrada como havia acontecido com as madrinhas de Molly no casamento.

— Não, só vou ficar este fim de semana. Na verdade, moro em Berkeley.

Os olhos de Lucy dispararam na direção dela. O que foi que ela disse?

— Você é de lá? O que você faz? — perguntou Lucy, tomando um gole de sangria sem tirar os olhos do rosto de Alexa.

— Sim, quero dizer, sou da Bay Area. Trabalho para o prefeito de Berkeley.

As outras três mulheres caíram na gargalhada. Ela olhou para as quatro com cara de espanto.

— O que eu disse?

Por acaso, estavam no colégio, onde a pessoa era acuada e virava alvo de chacota?

Robin tomou um gole de sangria e sorriu.

— Ah, estamos rindo porque sabemos que Lucy não vai sair do seu lado pelo resto da noite.

Lucy revirou os olhos.

— Não se preocupe, estão tirando sarro da minha cara, e não da sua. Sabe, fico falando em largar meu emprego de professora e estudar Direito, e parece que a faculdade de Berkeley é ótima para a área do Direito que quero. Mas só porque você trabalha para o prefeito e mora lá, não significa que você é especialista em faculdade de Direito... né?

Alexa estendeu o copo para Heather enchê-lo novamente.

— Talvez não uma especialista, mas sou formada pela faculdade de Direito de Berkeley, então...

Lucy atravessou a cozinha tão rápido que quase bateu em Heather.

— Conte-me tudo.

♥ ♥ ♥

Depois que Alexa entrou, foi a vez de Drew virar alvo das provocações de Luke e Brendan.

— Gente, você precisa ver o jeito como olha para ela — disse Luke.

— É igual quando estou olhando para...

— Uma linguiça bem suculenta? — sugeriu Brendan.

— Ah, calem a boca, vocês dois — disse Drew, depois de Luke e Brendan se recuperarem de suas gargalhadas.

— Não, não, mas é bonitinho — disse Brendan. — Olhe só para você... fica olhando para a casa para ver se ela vai voltar e tenta fingir que só está olhando para a sua bebida.

Drew desviou o olhar para os dois. Está bem, eles o pegaram olhando para ela. Ele só estava tentando se certificar de que ela voltaria para o lado de fora sem problemas. Não, essa desculpa não funcionava nem na cabeça dele.

Mais tarde, Kat, outra médica do hospital, acabou se aproximando deles.

— Ei, Drew — disse ela. — Por acaso, vi você correndo na praia ontem? Eu gritei, mas, se era você, não respondeu.

Kat morava não muito longe e, às vezes, eles corriam juntos.

— Perto do meio-dia? Sim, era eu. Acho que estava preocupado. Desculpa não ter te cumprimentado — respondeu ele, olhando para a casa outra vez.

— Hum, com o que você podia estar preocupado este fim de semana? — perguntou Brendan, entre uma mordida e outra no cachorro-quente. — Ou será que deveria dizer "com quem"?

— Vocês dois são uns cretinos — xingou Drew. Ele não sabia se eles tinham ouvido entre os risos.

♥ ♥ ♥

— Chega de falar sobre a faculdade — ordenou Heather. A essa altura, elas estavam sentadas à mesa da cozinha. — Vamos conversar sobre algo mais interessante. Alexa, como você conheceu Drew?

Hmmm, qual história deveria contar? Eles não tinham conversado sobre isso.

— Nos conhecemos em um casamento. — Ela tomou outro gole. Azar, se Drew não queria que ela contasse a verdade, deveria ter combinado uma história de mentira antes de ela ter tomado toda aquela sangria. — Mais ou menos isso. No elevador, alguns dias antes do casamento da ex-namorada dele, na verdade. Ele precisava de uma acompanhante, e eu não tinha compromisso naquela noite, então...

A mesa inteira caiu na gargalhada, inclusive Alexa.

— Puxa, isso é a cara do Drew — falou Robin. — Conhece uma garota em um elevador, a convence a ir ao casamento com ele na mesma noite.

— Não foi naquela noite, foi...

Emma se intrometeu.

— Esse casamento foi em maio? Puxa vida, tinha que ir com ele a um casamento, mas meu pai teve que fazer uma cirurgia, então, não pude ir.

Peraí, *essa* era a Emma? Será que todas da mesa tinham namorado com Drew?

— Todo mundo aqui nessa mesa namorou o Drew? — perguntou ela. Puta merda, ela não deveria ter dito em voz alta, mas pelo menos conseguiu uma resposta.

— Eu não! — respondeu Lucy. Mas Heather, Emma e Robin ergueram as mãos. Interessante.

— Ele é um querido — disse Robin. — Foi ótimo enquanto durou.

Todas concordaram.

— Quanto tempo... por que terminaram? — perguntou Alexa a elas.

O que ela deveria fazer? *Não* perguntar isso a todas essas mulheres que namoraram com Drew, já que estava bêbada e vinha pensando nesse exato assunto por vários dias? Ela não tinha muita força de vontade.

Heather foi a única que respondeu.

— Para mim, pelo menos, foi quando tudo estava indo muito bem. Eu comecei a pensar... bem, que seja, já tinha me cansado havia um tempo, mas depois de dois meses, ele veio aqui uma noite e fez um discursinho dizendo que era melhor terminarmos enquanto ainda...

— Éramos amigos? — completou Emma. — É, ele veio com o mesmo discursinho. Mas foi bem meigo, até me mandou flores depois, para confirmar que não havia rancor entre nós.

Robin deu risada.

— Ele veio com o mesmo papo, também depois de dois meses, mas sem flores. O lance das flores deve ser novidade.

Heather intrometeu:

— A prova de que Drew é um cara legal é que todas ainda gostamos dele. E umas das outras. Obviamente, ele só namora mulheres legais — disse, levantando-se e enchendo todos os copos com sangria.

— Afinal, o que você colocou nessa sangria? — perguntou Alexa.

Mudaram o assunto para receitas de drinques. Alexa fez o máximo para falar sobre seus favoritos, pois a cabeça estava girando.

Talvez, no fim das contas, ela não quisesse ter ouvido aquelas respostas sobre Drew.

♥ ♥ ♥

Drew quase entrou na casa para procurar Alexa por três vezes, mas se segurou. Por fim, ele a viu atravessando o gramado com Lucy e Robin.

Ele e Kat caminharam até elas. Quando ele colocou a mão na cintura dela, ela levou um susto.

— Ei, sou eu — disse ele. Era provável que ela estivesse nervosa com o fato de Mike tê-la irritado antes. — Está se divertindo?

— Sim — respondeu Alexa, dando um passo para se afastar dele e olhando para o grupo em volta. — Está ótimo.

Ela estendeu a mão para Kat, novamente com aquele sorriso do casamento.

— Oi, sou a Alexa.

— Ah, me desculpe — interrompeu Drew. — Kat, esta é a Alexa. Ela está de visita este fim de semana. Alexa, esta é a Kat. Ela também é médica e, às vezes, minha companheira de corrida.

— Legal. Prazer em conhecê-la, Kat! — falou Alexa, tomando outro gole da bebida e virando-se para Lucy e Robin.

Havia alguma coisa errada? Parecia que sim.

— Por que vocês passaram tanto tempo lá dentro? — perguntou Brendan ao se aproximar do grupo.

Robin, Lucy e Alexa riram. Alexa estava olhando para elas, e não para ele. Por que ela não estava rindo junto com ele?

— Ah, estávamos apenas conversando — explicou Lucy. — Bem, bebendo e conversando — completou. Ela se virou para Alexa. — Nossa, Alexa, esqueci de lhe contar a história sobre dois alunos meus que foram presos. Aquilo testou todos os meus instintos quando fiquei sabendo, porque eu queria muito rir, mas sabia que não deveria.

Enquanto Lucy contou a longa história sobre os alunos e um cemitério, sendo perseguidos por guardas dentro de um pomar de amoras,

Drew ficou olhando para Alexa. Ela estava totalmente relaxada com as outras mulheres, sorrindo e dando risadas sem aquele sorriso falso que ele odiava no rosto. Aquele sorriso era sinal de que algo estava errado. Porém, ela ainda estava com um olhar tenso. Quando ele tocava seu braço, ela se virava para ele, mas o corpo ficava rígido.

— Está tudo bem? — perguntou ele, baixinho.

Ela abriu um sorriso, mas isso não o tranquilizou. Não tinha aquele brilho de alegria transbordando para os olhos como os sorrisos sinceros faziam com ela.

— Tudo bem — disse ela. — Pega mais sangria para mim?

Ele voltou com a sangria, trazendo também um prato de chips de tortilla e guacamole para comerem. Desta vez, quando se juntou ao grupo, ele colocou a mão na cintura dela, mas Alexa se afastou.

— Olhe, Heather está trazendo os cupcakes. Vou ver se ela precisa de ajuda.

Alexa saiu para ajudar Heather com os cupcakes, deixando-o com uma mão vazia e a outra segurando um prato cheio de chips.

— São para mim? — perguntou Carlos, chegando por trás.

— Ei, cara, quando você chegou?

Carlos pegou um punhado dos chips de tortilla.

— Agora há pouco. Por que você está tão desolado? Cadê a Alexa?

Ele fez um gesto com a mão vazia.

— Ela está ali, imbecil, ajudando a Heather a fazer alguma coisa com os cupcakes... — Drew fez uma pausa ao ver Alexa e Heather conversando com três homens que não conhecia. — Acho que a Heather a apresentou para mais pessoas.

Carlos olhou para ele por um longo momento, mas apenas assentiu com a cabeça.

— Legal, vou falar com elas. Onde estão as bebidas?

Drew apontou e voltou a mastigar os chips, ouvindo Lucy e Brendan conversarem sobre surfe. Desolado? Ele não estava desolado. Era *possível* que preferisse que Alexa estivesse ao lado dele do que do outro lado da festa conversando com três homens estranhos, mas não estava *desolado*.

Ele assistiu a Carlos se aproximar do grupo e dar um tapa no ombro dela. Alexa deu um grande abraço em Carlos, abrindo um sorriso de cem watts para ele e acolhendo-o no grupo. Drew esperou que ela olhasse em volta para procurar por ele. Talvez ela estivesse esperando ele olhar para fazer um sinal para ele se juntar a eles. Mas, ela não virou a cabeça.

21

Alexa estava contente por não ter tentado ter uma conversa séria com Drew antes da festa. Ela teria feito um discurso humilhante sobre seus sentimentos em relação a ele e que queria um relacionamento, e ele teria olhado para ela com pena.

Ela sempre soube qual era o trato, e essa era a pior parte. Desde o início, sabia quem ele era: ele tinha lhe contado. O que ela estava pensando? Que ia mudá-lo ou coisa parecida? Ela ficava tentando não pensar nisso, falando palavras de incentivo para si mesma. Porém, toda vez que via Drew ao lado de Kat, a loira gostosa que era a "companheira de corrida", precisava de mais sangria para tirar o gosto amargo da vergonha.

Ainda bem que, pelo menos, ninguém sabia. Ela não tinha contado para Drew como se sentia e tinha quase certeza de que conseguira ficar relaxada e brincalhona na cozinha com as outras mulheres. Não aguentaria a compaixão delas, além da tristeza que ela sabia estar pairando por trás de seus próprios olhos.

Seria muito mais fácil se pudesse ficar brava com Drew, mas ele não havia feito nada de errado. Ele havia sido totalmente honesto com ela o tempo inteiro. Foi culpa dela mesma criar histórias na cabeça sobre o que significava o fato de ele olhar de um jeito ou tocar de outro, ou mesmo aquele tom de voz quando falava com ela.

Faltavam vinte e quatro horas para o voo dela. Ela poderia continuar reprimindo a tristeza por mais um dia até poder soltar tudo. Inconscientemente, ficava procurando um rosto amigável pela festa, alguém conhecido, alguém com quem pudesse relaxar e não ficar tão ligada, apenas ser ela mesma; alguém para quem não precisasse sorrir nem fingir. Porém, a única pessoa assim era Drew, e olhar para ele a deixava magoada agora.

Depois de outro copo de sangria, ela sentiu uma mão em seu ombro e se virou.

— Carlos! — Por fim, alguém que ela conhecia há mais de uma hora. — Estava torcendo para que viesse. Tudo bem com você?

Ela o abraçou, sem saber direito se as lágrimas que chegaram aos olhos durante o abraço eram porque estava contente em vê-lo ou se era por causa da sangria. Talvez um pouco de cada. Pelo menos, poderia se despedir dele. Ele tinha sido tão legal com ela.

— Tudo ótimo — respondeu ele. Ela brindou seu copo de plástico com a garrafa de cerveja dele, e ele colocou o braço em volta dos ombros dela. — Eu *sabia* que você viria, Drew falou de você a semana inteira.

Ela olhou para seu copo. Claro que ele falava.

Drew chegou para se juntar ao grupo, mas, a essa altura, ela já o tinha visto, por isso, conseguiu escapar do toque dele sem dar muito na cara. Ela não iria aguentar aquele toque firme e quente nas costas ou na cintura agora. Antes, encontrava tanto conforto nesse toque, que era tão importante para ela.

Porém, agora já não significava mais nada. Em vez de tranquilizá-la, a deixava com raiva – principalmente, de si mesma.

Ela deixou Drew e Carlos e foi até Lucy para pegar mais sangria branca. No fundo, sabia que tinha que parar de beber tanto, mas seguir Lucy foi uma boa escapatória. A sangria também.

♥ ♥ ♥

Será que era imaginação dele que Alexa o estava evitando? Provavelmente. Talvez fosse sua imaginação, mas é que, há uma hora, ela vinha andando com Heather, Emma, Robin e Lucy e conversando com um grupo de caras que ela não conhecia. Toda vez que ele se aproximava, ela mudava de lugar quando ele a tocava e tinha um motivo para se afastar depois de um minuto.

Drew a deixou por um tempo e conversou com outras pessoas, mas sempre sabia onde ela estava e com quem estava conversando. Ele se convenceu de que era apenas para salvá-la de Mike, se fosse preciso. Mas, no fundo, sabia que não era verdade.

Por fim, ele a viu sozinha perto da mesa de bebidas e foi até ela, determinado a descobrir o que estava errado. Antes de chegar lá, Carlos chegou, colocou o braço em volta dela e disse uma coisa em seu ouvido que a fez rir tanto que ele conseguiu ouvir do outro lado do jardim. Quando se aproximou dos dois, eles ainda estavam dando risadas.

— Oi, pessoal, estão se divertindo? — perguntou.

Ele foi pegar a mão de Alexa, mas ela trocou a bebida da esquerda para a direita. Ela olhou na direção dele, mas se voltou para Carlos, ainda com um sorriso no rosto, mas não nos olhos.

Carlos sorriu para ele, mas será que estava se sentindo culpado? Afinal, o que o amigo estava cochichando para Alexa?

— Sim, estávamos só conversando... sobre a festa — disse Carlos, desviando o olhar de volta para Alexa.

Eles sorriram um para o outro, e isso fez Drew sentir como se estivesse segurando vela.

— Vocês dois parecem estar bem à vontade. Por acaso, estão planejando fugir para poderem ficar sozinhos? — brincou Drew. Só que aquilo não soou como uma piada.

Alexa olhou bem para ele pelo que parecia ser a primeira vez naquela tarde.

— Isso é algum tipo de acusação? Pois é o que parece.

Carlos soltou o braço que estava em volta de Alexa. Drew sentiu uma onda de raiva que já estava lá, principalmente, porque ela passou o dia sem querer que ele a tocasse.

— Parece que toquei numa ferida — respondeu ele. Por que ele disse isso? Ele não acreditava que havia algo rolando entre Carlos e Alexa... não é?

— Não sei, Drew — retrucou Alexa. — Por acaso você está planejando fugir de mim para saber qual das mulheres daqui vai ser sua nova "amiga"? Posso ir para casa agora para você não ter um sanduíche inconveniente neste bufê.

Certo. Havia algo errado.

— Que porra você está querendo dizer? — perguntou Drew.

Os lábios de Alexa se curvaram para formar algo que algumas pessoas chamam de sorriso.

— Exatamente o que disse — respondeu ela, tomando o último gole da bebida e deixando o copo na mesa. — Peraí, talvez você não se lembre... nesse caso, o sanduíche e o bufê são uma metáfora para...

— Eu sei qual é a porra da metáfora, Alexa. Eu me lembro. O que está acontecendo com você hoje?

— Boa sorte, hein — murmurou Carlos atrás dele ao se afastar.

— O que está acontecendo comigo hoje? — perguntou Alexa, que nem estava mais fingindo sorrir. — Meu *problema* é que estou cansada de conhecer suas amigas muito legais que ficam olhando para minha testa para ver a data de validade de Drew Nichols. Foi bonitinho no casamento, mas agora não é mais divertido nem engraçado, principalmente, porque tenho uma forte sensação de que minha data de validade é dia cinco de julho.

Ele agarrou a mão dela com força suficiente para ela não conseguir se soltar e levou-a para dentro da casa de Heather, no andar de cima. Ao entrarem no quarto de Heather, ele fechou a porta.

— Está bem, agora podemos conversar sobre isso sem as pessoas assistindo? — disse ele. Subir as escadas o tinha acalmado. — O que está acontecendo? Eu só estava brincando sobre o lance do Carlos. Não devia ter dito aquilo.

Ela riu. A risada não parecia a de Alexa.

— Afinal, desde quando você se preocupa se estou trepando com o Carlos? Até parece que você se importa.

Peraí, de onde saiu essa ideia?

— Que porra é essa, Alexa? Você sabe que não é verdade. Qual é, o que aconteceu? O que mudou entre agora e hoje de manhã?

Ele deu um passo na direção dela, mas ela recuou.

— Nada com que você precise se preocupar, Drew. Volte lá fora, fique com sua amiga Kat. Posso me manter ocupada.

Os ombros dele relaxaram. Ela estava com ciúmes! Ele poderia consertar isso, tudo iria ficar bem.

— Esse é o motivo? Monroe, não há nada entre mim e a Kat: somos apenas amigos — falou ele. De repente, algo lhe ocorreu. — Eu deveria ter te contado... namorei a Robin... e a Emma. Elas te contaram isso? Te trataram mal? É por isso que você está brava.

Alexa jogou as mãos para o alto.

— Não, Drew, todo mundo aqui é legal. As mulheres são legais e cordiais, todas me receberam no clube das pessoas que passaram mais ou menos um mês transando com o ótimo Drew Nichols, com uma peninha nos olhos quando olhavam para mim, pois sabem o que vai acontecer. Os homens me olham de cima a baixo como se estivessem prontos para dar o bote assim que você me der o fora, pois acham que devo ter algo de bom se mereço estar com você. Tem sido sempre assim desde o casamento, sinceramente.

Ele ainda não entendia o que estava errado. Talvez nunca fosse entender as mulheres.

— Por que você fica mencionando o casamento? Achei que estava tudo bem no casamento, mais do que bem.

Ela deu um passo na direção dele. Por fim, ela não estava mais recuando.

— Estava tudo bem no casamento porque o casamento não era para valer! Eu tinha te conhecido dois dias antes, não te conhecia direito, não sabia nada sobre você e não me importava com você na época.

Ele sorriu e estendeu a mão.

— Isso significa que agora você se importa comigo?

Ela fugiu da mão e caminhou, desviando-se dele, para chegar até a porta do quarto.

— Vá se foder, Drew.

Parece que aquilo era a coisa errada para falar.

— Não, espere, Alexa. Eu não... não entendo. Por favor, não vá.

Ele precisava consertar isso, não queria que ela ficasse brava, não queria que terminasse.

Ela soltou a maçaneta, mas ainda estava de costas. Ele tinha que falar alguma coisa para fazê-la se virar. Talvez ser sincero funcionasse.

— O que você quis dizer com "o casamento não era para valer"? Para mim, era.

E foi. Desde o momento em que ele a tocou pela primeira vez, parecia que o lugar dela era ao seu lado, sorrindo, brincando, trocando segredos, ouvindo, ficando em silêncio com ele. Tudo pareceu para valer desde o início, mesmo que ele não a conhecesse direito.

Agora que ele a conhecia, e vice-versa, parecia valer muito mais. Parecia que a vida dele finalmente fazia sentido.

Ele tentou fingir a semana toda que terminaria tudo nesse fim de semana, mas soube, assim que a viu no aeroporto, que não era verdade. Não apenas não iria terminar, mas também não conseguiria.

Ela se virou e, por um minuto, sentiu ter dito a coisa certa. Porém, isso foi só até ver a cara dela.

— Veja como sei que o casamento não era para valer, Drew: porque no casamento, você me chamava de namorada. Na vida real, não sou nada para você.

Ele balançou a cabeça. Ela estava muito longe de ser nada.

— Isso não é...

— É verdade! Desde o casamento, tenho sido apenas a Alexa ou, às vezes, "minha amiga Alexa" ou, de vez em quando, *pausa dramática*, Alexa, mas nunca sua namorada, porque, na vida real, Drew Nichols não namora. O que entendo... entendo, pelo menos você é sincero... mas não tente fingir que estou inventando isso agora.

♥ ♥ ♥

Ainda bem, ela finalmente podia ficar brava com Drew. Antes, estava se sentindo culpada por estar brava com ele: não era culpa dele ela gostar dele ou querer tanto que esse sentimento fosse correspondido até quase se convencer de que era recíproco.

Contudo, era culpa dele tentar agir agora como se a quisesse no casamento para algo mais do que um escudo. E com certeza era culpa dele soar tão arrogante quando ela tinha admitido que se importava com ele. Ele esfregou os olhos e passou os dedos no cabelo. Depois de tudo isso, ela tinha que resistir e não tocá-lo.

— Alexa, pelo amor de Deus, podemos conversar?

Ela balançou a cabeça. A conversa patenteada de fim de namoro com Drew era a última coisa que queria no momento.

— Não precisamos conversar. Conheço a praxe.

Ele se aproximou dela. Ela estava aborrecida por, mesmo no meio da briga que não tinha mais volta, simplesmente querer se jogar nos braços dele e pedir para ele dizer que tudo iria ficar bem.

— Qual é, pode se acalmar por um minuto e deixar eu dizer uma coisa?

Essa foi a solução desse problema: nada a deixava mais furiosa do que um homem dizendo para ela se acalmar.

— Entendi, meus sentimentos não valem nada para você, mas posso deixar de ficar calma o quanto quiser a esse respeito.

— Não, não, não foi isso que eu quis dizer. Eu só quero... — Ele fez uma pausa e colocou a mão no braço dela. — Eu só quero explicar.

Com o toque dele, os olhos dela se encheram de lágrimas. Ela sacudiu o braço e se virou de costas para ele.

— Não se preocupe, Drew. Você não precisa explicar. Seus sentimentos são mais do que claros — disse ela, abrindo a porta e descendo a escada antes que ele a tocasse novamente.

Ainda bem que não havia ninguém no banheiro. Lá, ela ficou por alguns minutos para respirar fundo e engolir as lágrimas que ameaçavam sair. Lavou as mãos, passou água fria sob os olhos e abriu um sorriso falso na frente do espelho, como se não tivesse acabado de sair de uma briga de término de relacionamento movida a sangria no meio de uma festa.

Ao sair do banheiro, ela se deparou com Heather saindo da cozinha com mais cupcakes.

— Ótimo, você pode me ajudar a carregar — disse Heather, entregando-lhe a bandeja de cupcakes.

Contente por ter algo para fazer, Alexa os levou para fora. Ela respirou fundo antes de sair, mas uma rápida olhada nas pessoas mostrou que não havia sinal de Drew nem de Carlos. Mas ela viu Lucy e colocou dois cupcakes de red velvet em um prato para elas.

— Você disse que este era seu sabor preferido, né? — falou Alexa, estendendo o prato para Lucy.

Logo, já estavam com as línguas vermelhas e os lábios sujos com cobertura de cream cheese. Robin se juntou a elas trazendo seu cupcake e um punhado de guardanapos. Alexa havia acabado de relaxar um pouco e de limpar a boca quando o círculo se abriu e ela ouviu a voz de Drew.

— Alexa — disse ele com a voz firme, como se a briga não o tivesse abalado —, o hospital me chamou. Tenho que estar lá em trinta minutos. — Ele tocou no ombro dela. — Lamento ter que fazer isso, pessoal, mas tenho que levar a Alexa embora: o dever me chama.

Ela pensou em falar que iria ficar, que poderia pegar uma carona mais tarde e que ele poderia ir para a puta que o pariu, mas seu treinamento em política estava bem enraizado: nem aquela quantidade de sangria permitiria toda essa gente saber de seus assuntos pessoais. Por isso, ela deu abraços em todos do grupo para se despedir com falsas promessas de sair para beber "da próxima vez que estivesse na cidade" e seguiu Drew até o carro.

♥ ♥ ♥

Drew tinha ficado no quarto de Heather por um tempo depois de Alexa sair. Ele queria ter ido atrás dela, para lhe dizer que não, que havia entendido mal, que não era esse seu sentimento, mas já tinha estragado a conversa, então, achou melhor esperar e tentar outra vez quando chegassem em casa depois da festa e pudessem conversar de verdade.

No entanto, ele foi chamado no hospital e teve que sair na pressa. Ele pensou em pedir para Carlos levá-la em casa, mas depois de praticamente acusá-lo de dar em cima dela, ele não estava na melhor das posições de lhe pedir um favor. Além do mais, não queria que Alexa pensasse que estava furioso com ela e que a tinha abandonado na festa.

Porém, pela cara dela e pelo jeito que se recusava a olhar em seus olhos quando a encontrou do lado de fora, ele achou, por um segundo, que ela lhe diria para ir sem ele. Aquilo o teria deixado furioso. Até mesmo o fato de conseguir perceber que ela havia cogitado isso o deixava furioso.

Dentro do carro, eles passaram alguns minutos sem se falar, sendo o único barulho a música pop que ela veio cantando junto na ida. Alexa quebrou o silêncio antes dele.

— Você realmente foi chamado no hospital ou foi apenas uma desculpa para ir embora?

Foi aí que ele perdeu a paciência.

— Que porra é essa, Alexa? Tá brincando? Acha mesmo que inventaria uma chamada do hospital para te tirar de lá? Você acha que sou tão infantil assim?

Ela não respondeu e, quando ele olhou, apenas deu de ombros. Isso o deixou mais furioso ainda.

— Sério mesmo? Você acha que sou tão baixo assim, só porque não apresentei você como minha namorada? Só porque não usei a palavra exata que você quer que eu use para te descrever resolveu que sou um canalha que mentiria para você e todos os meus amigos? Quando resolveu adiar nossa reserva para o jantar em uma hora porque estava no telefone com seu amiguinho *Teddy* escrevendo uma merda de frase por quarenta e cinco minutos, por acaso te chamei de puta controladora workaholic que não dá atenção aos sentimentos dos outros? Não, não chamei, mas, pode crer, poderia ter chamado.

Com o canto do olho, ele achou ter visto ela hesitar, mas, quando se virou para olhar, o rosto dela estava impassível.

— Pelo menos, finalmente sei o que pensa de mim.

Ele entrou em sua vaga, e a súbita raiva sumiu na hora.

— Não, Alexa, eu não quis...

Ela já estava fora do carro antes que ele pudesse dizer outra coisa. Ele a seguiu até o apartamento, destrancou a porta e a abriu, entrando em seguida.

— Eu não deveria ter dito isso. Não falei para valer... não é o que sinto — disse ele assim que fechou a porta.

Ela ainda estava de costas para ele, ao mesmo tempo em que andava pela sala pegando suas coisas.

— Alexa! Qual é, fala comigo. — Quando ela se virou, ele viu um monte de coisas em suas mãos. — Peraí, o que você está fazendo?

Ela colocou tudo direitinho dentro da bolsa grande que sempre usava para viajar.

— O que parece que estou fazendo? Por que você ainda está aqui? Não precisa ir ao hospital?

Ele balançou a cabeça como reação ao que ela disse, em reação a tudo.

— Não! Quero dizer, sim, preciso ir ao hospital, mas não, por favor, não faça as malas. Não vá embora agora! Você não pode ir agora, preciso conversar com você.

Ela ficou ali, parada, em silêncio, olhando para um ponto na base do pescoço dele, mas sem fazer contato visual. Ele se aproximou dela e segurou seus ombros. Ela, por fim, olhou para ele, mas ainda sem dizer nada.

— Prometa, prometa que não vai embora. Se isso... se isso algum dia significou alguma coisa para você, prometa que não irá embora enquanto estiver no hospital.

Ela fechou os olhos e baixou a cabeça, mas ele não a soltou.

— Está bem, prometo — sussurrou ela.

Ele a abraçou; ela recostou a cabeça no ombro dele por um rápido segundo antes de se afastar.

— Vá, senão vai se atrasar.

Ela tinha razão. Ao sair, ele olhou para trás, mas ela já tinha se virado para olhar pela janela.

♥ ♥ ♥

Alexa se sentou em uma cadeira e colocou as mãos na cabeça assim que ele saiu. Que puta pesadelo foram as últimas horas. No carro, ela passou o trajeto todo para casa planejando fazer as malas e pegar um táxi até o aeroporto assim que ele fosse para o hospital, mas agora nem isso poderia fazer.

Em geral, ela não era de ir embora no meio de uma briga. Gostava de terminar todas as discussões, gostava de um desfecho e sempre queria saber exatamente qual era sua posição.

Porém, desta vez, estava louca para sair de lá. Ela já sabia qual era a posição dela, não precisava que ele dissesse em voz alta. Não queria terminar essa briga, não queria que ele dissesse o que ela sabia que estava por vir, não queria ter que lidar com a dor de ouvir o discurso carinhoso do fora que ele havia aperfeiçoado com as dezenas de mulheres que vieram antes dela.

Seria ainda pior se ele não fizesse o discurso do fora hoje, se encontrasse um jeito de convencê-la a ficar. Isso apenas adiaria o inevitável e ficaria ainda mais doloroso quando ele, por fim, resolvesse seguir em frente. E a deixaria se sentindo ainda mais idiota quando o fizesse.

Por isso, tinha que ir embora, voltar para Berkeley, esconder-se dentro do apartamento, tomar sorvete e chorar um dia inteiro antes de olhar para a cara de outra pessoa. Mas agora ela tinha prometido que não iria e, por mais que quisesse quebrar essa promessa, não iria quebrá-la. E agora tinha que ficar lá, sentada e esperando, somente com a companhia de seus próprios pensamentos.

Pensou em ligar para Maddie, mas sabia que, se ligasse, desmoronaria ao telefone, e a última coisa que queria era que Drew chegasse enquanto ela estava chorando as pitangas.

Acabou trocando as roupas, terminou de fazer as malas e tentou, mas não conseguiu, se concentrar no trabalho. Por fim, deitou-se na cama de Drew e leu *Anne of Green Gables* no iPad. Anne estava certa em quebrar a telha na cabeça de Gilbert – merecia ir à merda por tê-la chamado de Cenourinha.

♥ ♥ ♥

Drew chegou em casa muito mais tarde, após uma simples, mas longa cirurgia. Ainda bem que fora simples: sua cabeça estava em Alexa quase o tempo todo. Parte dele estava furioso por ela ter começado uma briga por um motivo insignificante, mas a outra parte estava morrendo de medo que ela fosse embora e ele nunca mais voltasse a vê-la.

Algo que ela disse na festa ficou ecoando em sua cabeça: "Na vida real, não sou nada para você". Será que era assim que ela se sentia? Era assim que ele a fazia se sentir? Porque agora ele percebia que não era nem um pouco verdade. Ela tinha mais importância do que ele conseguia expressar em palavras, do que sabia como expressar.

Ao subir as escadas até o apartamento, ele rezou para que ela tivesse mantido a promessa e tivesse ficado. Foi na ponta dos pés até o quarto, torcendo para que ela estivesse lá, sem saber ao certo o que fazer se estivesse. Ele veio ensaiando o que dizer no trajeto inteiro para casa, mas agora tudo o que pensava parecia estúpido ou inadequado.

Drew parou na porta do quarto e suspirou de alívio. Todas as luzes estavam acesas, e Alexa estava dormindo de um jeito que agora era muito familiar para ele, encolhida no lado dela da cama, as cobertas puxadas até a altura do queixo e o iPad em cima da cara dela. Ele desligou as luzes e tirou as roupas no escuro. Ele colocou o iPad na cabeceira e se deitou ao lado dela.

Ele sempre adorava ir para a cama com Alexa. Era uma de suas coisas favoritas em relação a ela, o jeito como ela se moldava facilmente em seus braços toda vez que ele a envolvia. Porém, dessa vez, ela estava rígida ao toque. Isso o magoou.

Ele a abraçou com mais força e beijou seu pescoço, seu cabelo e sua bochecha. Depois de alguns segundos, ele a sentiu relaxar. Passou a mão em seus cabelos.

— Alexa, por favor, podemos conversar?

Em seus braços, ela se virou e descansou a cabeça em seu peito, mas não disse nada.

— Desculpe pelo que disse aquela hora. Fiquei frustrado e não falei sério. Por favor, me perdoe, querida?

O rosto dela estava escondido no peito dele, por isso, a princípio, ele apenas ouviu sua respiração irregular e não percebeu a causa. Mas quando ele foi acariciar o rosto e o levantou na direção dele, sentiu as lágrimas.

— Ah, não, Alexa, por favor, não chore — implorou ele, beijando sua testa e puxando-a para perto de seu peito, mas ela apenas chorou mais.

— Não aguento, Drew — respondeu ela, mas ele quase não conseguia entendê-la entre os soluços. — Isso é muito... magoa demais. Não podemos continuar com isso.

— Não! — disse ele. Ele esperava que tivesse ouvido outra coisa, mas sabia que não era verdade. — Não, não é... por favor, não faça isso. Não faça isso comigo. Com a gente. Por favor, Alexa. Quero isso mais do que tudo. Você me faz tão feliz. Nós *juntos* me deixa muito feliz.

Ela balançou a cabeça e começou a chorar mais.

— Ah, Drew, você é tão... por favor, não faça isso ficar mais...

Ele se inclinou para beijar seu rosto úmido, sem deixar que ela terminasse a frase. Ela retribuiu o beijo com força, ainda soluçando, passando as mãos pelo corpo dele. Ele acariciou os seios dela enquanto a beijava. Ele parou de beijá-la apenas para tirar a regata dela, e suas carícias desceram pelo corpo. Alexa fincou as unhas nos ombros dele, e ele grunhiu, mas ela não parou. Não queria que ela parasse.

Ele desceu mais ainda pelo corpo dela, sabendo pelas mínimas contorções, gemidos e suspiros onde deveria permanecer. Ela agarrou seu cabelo, e ele sentiu o puxão no couro cabeludo antes de ouvir seu suspiro e senti-la se contorcendo. Ele levantou a cabeça e olhou para ela, que estava de olhos fechados, mas as lágrimas voltaram a escorrer pelas bochechas. Ele as beijou até sumirem.

♥ ♥ ♥

Alexa abriu os olhos ao ouvir o barulho da embalagem de camisinha sendo aberta. Ele estava ajoelhado entre suas coxas, olhando para ela daquele jeito que fazia desde o começo, como se estivesse ansioso para tocá-la, como se estivesse ansioso para que ela o tocasse. Ela também estava ansiosa.

Ela passou as mãos por todo o seu peito quente. Ele pegou as mãos dela e as beijou. Ele as prendeu acima da cabeça, segurando os pulsos com uma das mãos. Ele se inclinou mais até sua boca quase tocar a dela, os corpos separados por alguns centímetros, mas não encostou nela. Ela se mexeu para tocá-lo, mas ele recuou esboçando um leve sorriso nos lábios.

— Você sabe o que quero — disse ele. — Me fale, me fale o que você quer.

Ela olhou para ele, todo quente, dourado e forte sobre ela. Ela falou o que estava em seu coração.

— Você, quero você.

Ele abriu bem as pernas dela e a penetrou. Os gemidos de ambos ecoaram pelo quarto. Na hora, todo o corpo dela ficou tenso, e ela explodiu, mais uma vez com lágrimas escorrendo dos olhos, palavras das quais, ela sabia, se envergonharia depois de ter dito.

Ele acelerou o ritmo e gozou, caindo por cima dela quando os tremores pelo corpo finalmente pararam.

— Você me tem — sussurrou ele, tão baixinho que ela não sabia se tinha ouvido direito.

22

Quando Drew acordou na manhã seguinte, ela já tinha ido embora. Ele se virou para tocá-la, mas o lado dela na cama estava vazio e frio. Ele se sentou e olhou pelo quarto. O canto onde ele passara o fim de semana tropeçando na mala dela estava vazio.

— Que droga!

Ele saiu da cama e olhou pelo apartamento, mas todos os sinais de Alexa não estavam mais lá. Ele procurou o celular e o encontrou no meio da mesa de centro. Aguardando-o.

Desculpe pelo jeito como agi na festa. Nós dois sabemos que está tudo terminado. Foi muito legal o tempo que passamos juntos, Drew.

Só isso? Só essa porra? "Foi muito legal o tempo que passamos juntos"??? Ele falou para ela como se sentia na noite passada, aí ela some pela manhã como se estivesse indo embora de uma noite de sexo casual?

Ele se deitou no sofá, ainda nu.

Que ótimo que, na primeira vez em vários anos que ele gostava de uma mulher, ela fugia sem nem se despedir. Ele tinha que contar isso a Molly; ela iria dar muita risada.

Ele se sentou e pegou o celular, ia mandar uma mensagem respondendo a Alexa, dizendo para ela voltar, que queria conversar com ela, que era mais do que só passar um tempo juntos, perguntando por que ela foi embora sem conversar sobre tudo. Ele digitou a mensagem freneticamente.

Pouco antes de tocar em "enviar", largou o celular. Ele o enfiou entre as almofadas do sofá e sentou-se em cima para garantir.

Voltou a se deitar e tapou a cabeça com uma almofada. Por que estava sendo tão sentimental? Ele tinha terminado com várias garotas antes. Será que era assim que elas se sentiram?

Ele esperava que não, senão se sentiria um canalha.

Sentiu a bunda vibrar, sentou-se e pegou o celular, que estava embaixo. Talvez ela estivesse no aeroporto, pensou melhor e estava mandando uma mensagem para dizer que estava voltando. Talvez estivesse lá fora e estava mandando uma mensagem para dizer que iria bater à porta.

Era Carlos, e não Alexa.

Cara, tá tudo bem entre você e a Alexa? Você sumiu da festa da Heather ontem.

Puta merda. Ainda por cima, tinha que pedir desculpas a Carlos.

Oi. Desculpa por ter sido um babaca ontem.

Ele se levantou para ligar a cafeteira, contente por tê-la preparado na tarde anterior.

Tudo bem. Mas acho que não é comigo que você tem que se preocupar.

Ele ficou olhando para a cafeteira, que agora estava passando o dobro do café de que precisava.

Nem me fale.

Ele balançou a cabeça. Foda-se a Alexa. Ela não merece. Foda-se essa merda de sentimentalismo. Ele ia correr. Quem sabe encontraria Kat.

♥ ♥ ♥

Alexa estava no avião, no aeroporto de Los Angeles, e apertou o cinto de segurança. Estava torcendo para que a droga do avião decolasse logo para que não pegasse a mala e corresse de volta para Drew. Ela havia passado as últimas duas horas no aeroporto, sem ter tomado banho, o cabelo estava preso em um coque bagunçado, sem maquiagem. E esse tempo todo havia resistido à tentação de dar meia-volta e voltar para debaixo das cobertas dele para ficar ao lado do seu corpo quente e adormecido antes que ele se desse conta de que ela tinha ido embora.

Na noite passada, antes de dormir, ela havia planejado ter uma conversa madura com Drew. Não iria contar sobre seus sentimentos, porque ele não precisava saber. A última coisa de que precisava era que sentisse pena dela.

Ela planejara dizer que não tinha nada contra ele, mas sabia que ele não curtia relacionamentos, e não poderia continuar com isso. Colocaria a culpa na distância, que dificultava as coisas, que não poderia mais ficar atravessando o estado o tempo todo, que tinha sido divertido por alguns meses, mas que ambos sabiam que não poderia durar por muito tempo.

Tudo isso tinha a vantagem de ser a verdade, só que não era toda a verdade.

Mas aí ele se deitou na cama no meio da noite e a envolveu em seus braços, e ela desabou. Tudo o que quis naquele momento foi ficar ali nos braços dele para sempre, ignorar tudo o que, na cabeça dela, dizia que isso nunca daria certo e que eles eram muito diferentes e queriam coisas distintas e se entregar ao calor e à segurança de seus braços.

A impossibilidade de realizar isso a fez desabar em lágrimas. Logo ela, Alexa Monroe, que nunca chorava.

Depois, quando ele disse coisas queridas sobre se esforçar para dar certo, ela se descontrolou completamente e chorou tanto que estava soluçando. Sabia como era a versão dele de "se esforçar para dar certo": eles ficariam juntos por mais um tempo, por mais algumas semanas, talvez um mês, até ela ouvir o discursinho de fora e ele sumir.

Contudo, ela quis muito que fosse verdade, que ele quisesse se esforçar mesmo. Queria que ele a amasse e que eles enfrentassem todos os problemas juntos, pois se amavam o bastante para fazê-lo.

Por isso, chorou pelo que poderia ter acontecido, quão bom era sentir os braços dele envolvendo-a e o rosto dela encostado no peito dele e o fato de ela nunca mais poder sentir aquilo outra vez. As lágrimas revelaram os sentimentos dela por ele mais do que qualquer palavra poderia ter expressado.

Que humilhante. Ela havia cultivado uma fachada durona por muito tempo e, no momento mais importante que havia vivido em vários anos, essa expressão a traiu da pior maneira possível.

Alexa acordou pela manhã com os braços dele ainda em volta dela. Estava assustada e envergonhada demais para encará-lo e ter que ver o olhar de pena no rosto dele ou ouvir as baboseiras de que o problema não era ela, era ele, e que ele esperava que continuassem sendo amigos. Por isso, acabou saindo de fininho do apartamento de manhã cedo e levou a mala por vários quarteirões para pegar um táxi até o aeroporto.

Será que foi covarde da parte dela? Talvez, mas preferia ser covarde do que desabar na frente dele de novo – e, desta vez, em plena luz do dia, em que ele poderia ver como ela ficava feia chorando.

Quando chegou ao aeroporto, pagou um preço altíssimo para poder alterar o voo. Ainda bem que tinha Maddie, que não fez perguntas quando ela mandou mensagem pedindo para buscá-la em São Francisco.

A amiga estava aguardando no meio-fio quando Alexa saiu do aeroporto. Maddie olhou bem para o rosto dela quando ela se sentou no banco do carona.

— Primeiro: vamos à sua casa ou à minha?

Alexa ficou pensando enquanto Maddie dirigia.

— Você ainda vai precisar do meu carro até pegar o seu amanhã? Se sim, vamos à minha casa.

— Tudo bem. — Houve silêncio; Maddie estava pegando a estrada para Berkeley. — Quer conversar?

Alexa jogou a cabeça contra o encosto do banco e fechou os olhos.

— Não sei. Só quero ir para um lugar e não precisar segurar o choro. — Ela suspirou. — Passei as últimas cinco horas juntando todas as minhas forças para não chorar. Na casa dele, no aeroporto, no avião — Ela olhou o celular para ver se ele tinha ligado. Não tinha. — Agora pelo menos posso parar de lutar contra isso.

Maddie pegou a mão dela e a apertou.

— Quer que eu passe numa hamburgueria no caminho?

Alexa deu de ombros.

— Não estou com muita fome.

Maddie balançou a cabeça.

— Agora sei que está mal mesmo. Vou comprar hambúrgueres, queira você ou não.

Quando chegaram à casa de Alexa, tudo lembrava Drew. O sofá onde ele havia chorado no ombro dela, a toalha que havia roubado do hotel para deitarem no Dolores Park, que agora estava pendurada no banheiro, o moletom com capuz que havia deixado na viagem repentina e que ela havia "esquecido" de levar de volta nesse fim de semana.

Alexa se sentou no sofá e apoiou a cabeça nas mãos.

— Lex.

Ela sentiu a mão da amiga no ombro e encostou a cabeça nela. Maddie a envolveu com os braços. Assim permaneceram sentadas no sofá por um tempo, sem conversar. No fim das contas, Alexa suspirou.

— Você tinha razão: quero batatas fritas. Você pegou ketchup, né?

— Claro — respondeu Maddie, que rasgou as embalagens e distribuiu a comida em cima de lugares americanos improvisados. — Agora, desembucha.

— Ah, Mad, estraguei tudo.

Maddie colocou a cabeça dela em seu ombro.

— O que aconteceu?

— Estava tudo indo bem. Quero dizer, não tínhamos conversado ainda, mas o fim de semana estava indo bem. Ótimo. E aí fomos a uma festa. — Ela lembrou da festa e voltou a sentir toda a humilhação. — E havia várias mulheres... elas foram tão legais... mas disseram... e ele não... tomei sangria demais, só que ...

Vejam só, ela estava chorando de novo. Maddie a pegou em seus braços e a deixou chorar em seu ombro até ela se cansar. Ela se sentou, tomou um gole da sua bebida e comeu um punhado de fritas frias.

— Acho que preciso começar de novo.

Ela contou toda a história a Maddie, menos a parte em que transaram quando ela estava chorando. Aquilo parecia íntimo e pessoal demais para contar até mesmo para a melhor amiga. Ela conseguiu contar tudo sem chorar, já devia ter secado todas as lágrimas.

— Querida — disse Maddie passando a mão em seu cabelo —, Alexa, eu te amo, faria qualquer coisa por você, sabe disso, né?

Ela suspirou e confirmou com a cabeça. Maddie já tinha lhe dito isso, por isso, estava preocupada com o que viria a seguir.

— Está bem. Por que você simplesmente não disse o que sente por ele? E não falou o que queria? Por que sumiu hoje de manhã?

Ela passou para o outro lado do sofá.

— Eu sabia o que ele iria dizer. Não precisava ouvir.

Maddie olhou para ela. Não sorriu nem levantou as sobrancelhas nem pendeu a cabeça para o lado. Ficou apenas olhando sem deixá-la desviar o olhar.

— Estava com medo! É isso que você quer ouvir? Estava com medo de conversar com ele! Estava com medo de abrir o coração e de ele me dizer que esperava que continuássemos amigos, estava com medo de me entregar toda e ele virar a cara. — Ela suspirou. — Eu estava com medo.

Maddie voltou a abraçá-la.

— Ah, querida.

Alexa descansou a cabeça no ombro de Maddie. Olhem só, no fim das contas, ela tinha mais lágrimas para derramar.

Maddie se sentou.

— Sorvete de cookies combina melhor com vinho tinto ou branco?

Alexa riu entre os soluços.

— Acho que vamos descobrir agora.

♥ ♥ ♥

Drew viu Kat durante a corrida, mas resolveu se esconder atrás de um caminhão para não topar com ela. Ele voltou para casa com o mesmo mau humor de quando saiu. Pediu uma pizza havaiana enorme e abriu uma garrafa de rum, em grande parte porque Alexa odiava os dois. Lá pelas sete da noite, já não queria mais ver nenhum abacaxi, mas terminou de comer a pizza só por ódio a ela.

Não que Alexa fosse saber disso, mas talvez, em algum lugar, ela ficaria com um gosto ruim na boca, e isso seria por causa dele.

Ele foi até o hospital na terça de manhã e conseguiu evitar conversa com todos, menos com os pacientes e seus pais até quase à uma hora. Claro que foi aí que Carlos entrou no consultório.

Foda-se. Ele estava mal-humorado e de ressaca. Não precisava aguentar Carlos.

— Não aprendeu a bater na porta? — perguntou com a cabeça enterrada entre as pilhas de fichas.

— Como foi o resto do seu fim de semana? Está tudo bem entre você e...

Drew não queria nem ouvir o nome dela.

— Me deixa em paz, Carlos.

Carlos tirou a pilha de livros que Drew havia colocado na cadeira para visitas, deixando-a no chão e sentou-se. Drew olhou feio. Ele havia deixado os livros na cadeira justamente para que ninguém se sentasse ali. Ele deveria saber que isso jamais impediria Carlos.

— Não, sério, o que aconteceu? Ela parecia furiosa na festa antes mesmo de você dizer...

Drew olhou para ele.

— Me deixa em paz, Carlos.

Isso fez ele parar? Não, claro que não.

— Qual é, cara. Vocês brigaram? Isso acabaria acontecendo. Conte para o dr. Carlos. Eu vou deixar você bom de novo.

Drew não aguentava mais. Não tinha dormido direito, por causa do rum, da pizza e da ausência do corpo macio e aconchegante de Alexa ao seu lado, seu estômago estava cheio de café forte, ele estava com o pior gosto do mundo na boca e Carlos parecia não se tocar de que ele não queria falar porra nenhuma. Ele se levantou, e a cadeira bateu na parede que ficava atrás.

— EU DISSE me deixa em paz.

Drew abriu a porta do consultório, ignorou o olhar de espanto de Carlos e saiu do hospital para pegar o carro. Ele tinha meia hora até o próximo paciente; era tempo suficiente para comer alguma coisa nojenta que iria lhe fazer mal.

♥ ♥ ♥

Alexa chegou à Prefeitura bem cedo na terça de manhã. Ela estava acordada desde às quatro; por isso, às cinco horas, já tinha desistido de continuar dormindo e se arrumou para o trabalho.

Pelo menos, não tinha sonhado com Drew, embora seus sonhos ruins trouxessem Drew nas entrelinhas. Ao acordar, ele também estava em seus pensamentos. Ela ficou pensando no que ele diria sobre sua apresentação, se estava pensando nela, na cara dele da última vez que transaram, no jeito como sempre a abraçava quando dormiam. Era muito mais fácil pensar no trabalho.

Ela levou uma garrafa térmica com café e uma caixa de donuts para o escritório, junto com um pacote de biscoitos doces. Comeu a manhã inteira enquanto verificava os e-mails e os relatórios de gastos e ficou tão concentrada nas tarefas repetitivas que levou um susto quando Sloane apareceu na porta da sala.

— Ainda bem que você trouxe donuts! — disse a ele, entrando e abrindo a caixa. — Peraí, estão todos aqui? Você ainda não comeu nenhum?

Se Alexa não tivesse comprado aquele pacote de biscoitos, teria acabado com a caixa inteira de donuts antes de qualquer pessoa chegar.

Theo entrou logo em seguida e foi direto à caixa de donuts. Ele achou uma bomba que ela tinha comprado para ele.

— Você é mais que demais, Lex.

— Ela é, não é? — concordou Sloane, pegando a caixa. — Quer que leve até minha mesa? Precisa de mais café?

Alexa fez que sim para as duas perguntas. Theo se sentou assim que Sloane saiu.

— Recebi seu e-mail ontem. Você viu o meu?

Ele confirmou com a cabeça. Tinha visto às quatro da manhã quando acordou e olhou o celular. Eles conversaram sobre a estratégia da Câmara Municipal enquanto tomavam café e comiam os donuts e discutiram se podiam contar com o voto do vereador Goode ou não. A conversa a acalmou. Isso ela sabia fazer, era boa nisso.

Theo pegou um dos biscoitos do pacote.

— Ei, como foi seu fim de semana em Los Angeles?

Ela balançou a cabeça. Se dissesse alguma coisa para Theo, era provável que desabasse novamente, e o trabalho era o último lugar onde queria fazer isso. Bem, talvez o último lugar fosse na cama de Drew à uma da manhã com ele assistindo, mas o trabalho vinha em segundo lugar.

— Ah, não, o que aconteceu? — perguntou Theo.

Ela balançou a cabeça de novo antes de ele terminar a frase. Theo pegou a mão dela e a apertou. Ela apertou a mão dele e soltou.

— Não posso, Teddy. Quem sabe depois.

Ele assentiu.

— Tudo bem, mas você sabe que se quiser conversar...

Ela assentiu e olhou para o café. Sim, ela sabia.

Theo respirou fundo.

— Está bem, vamos falar de outro assunto que talvez também seja delicado: já conversou com a Olivia sobre o lance do Progreja?

Alexa olhou para ele. Theo era uma das únicas pessoas que conhecia a história com Olivia. Ela tinha lhe contado tudo em uma noite de bebedeira no ano passado, logo depois de um dia péssimo no trabalho e quando já estava ansiosa com a visita de Olivia naquele fim de semana.

— O quê? Não? Por quê?

Ele se recostou na cadeira, cruzou e descruzou as pernas e se sentou direito.

— Claro que você não é obrigada, mas nós conversamos um tempo atrás sobre ela poder ter algumas ideias em que não pensamos.

Alexa ia interromper, mas ele prosseguiu.

— E também... tem todas aquelas histórias das pessoas que passaram por programas parecidos e que mudaram suas vidas e achei que Olivia poderia escrever alguma coisa para nós ou...

Alexa olhou para o café de novo, encarando o líquido marrom-escuro como se fosse a Penseira de Dumbledore. Ela conhecia Theo bem demais para cair nessa. Ele estava apenas inventando motivos para ela falar com Olivia sobre o Progreja, mas quem sabe estivesse certo?

— Nunca tinha pensado nisso — respondeu ela, sem olhar para Theo.

Ele se levantou e foi até a porta do escritório.

— Claro que você não precisa, mas... talvez queira? Acho que ela ficaria contente em saber que você está fazendo isso. Aposto que ficaria emocionada.

Alexa olhou para ele, as lágrimas ameaçando cair.

— Alguém... alguém também disse isso. Acho que vou.

Theo fez uma cara de espanto.

— Você contou... — falou Theo. Ela olhou para a mesa, e a voz dele desapareceu. Depois de um minuto, ele disse: — Pense nisso. Talvez faça bem para você conversar com Olivia.

Ela pensaria. Talvez Drew tivesse razão. Droga.

Theo já estava passando pela porta quando ela o interrompeu.

— Teddy.

Ele se virou.
— Sim?
— Obrigada. Por... tudo.
— De nada.

23

Na sexta, depois do trabalho, Drew foi para casa e colocou a roupa de exercícios. Ele correu quinze quilômetros pela praia, tentando se cansar para não pensar em Alexa e no fato de que deveria estar em um avião indo vê-la naquele exato momento. Não funcionou.

O pior de tudo é que ele já tinha comprado a passagem. Tinha comprado na véspera da chegada dela para o fim de semana de 4 de Julho e ainda não havia cancelado. Ficou achando que teria notícias dela, que o celular vibraria no bolso e haveria uma mensagem dela. Alexa diria que tinha cometido um erro ao ir embora, que passara a semana sentindo muitas saudades dele do mesmo jeito que ele sentira. E aí ele iria para lá nesse fim de semana e... mas nada disso aconteceu.

Então, cancelou o voo pouco antes de sair do consultório e agora estava ainda mais mal-humorado do que durante a semana toda. Agora parecia realmente que tinha acabado.

Depois da corrida, subiu as escadas até o apartamento, suado, irritadiço e com calor, mas não estava mais com o tipo de humor que derrubaria criancinhas que estivessem no caminho. Esse humor era meio inconveniente para um pediatra.

Ele tirou a chave do bolso do short, confuso com o som da TV. Deviam ser os vizinhos, mas eles não costumam... ah, não.

— Quem falou para você vir para cá? — perguntou ele ao abrir a porta, sabendo quem iria encontrar. Sim, Carlos sentado em seu sofá com uma cerveja na mão.

— E aí, cara — falou Carlos, fazendo um gesto para mostrar a comida que estava na mesa de centro. — Trouxe hambúrgueres. E cerveja.

Drew olhou para a comida. Seu desleal estômago roncou. Está bem. Ele secou o rosto com papel-toalha e abriu a geladeira para pegar uma das cervejas de Carlos. Isso era suborno, mas ele não iria recusar cerveja. Carlos teria que aguentar o suor dele; afinal de contas, foi ele quem apareceu sem ser convidado.

Drew comeu um hambúrguer e tomou uma cerveja sem falar, exceto para grunhir por causa do jogo na TV. Carlos foi até a cozinha e abriu mais duas garrafas. Talvez tivesse vindo porque queria companhia. Talvez porque Drew vinha ignorando os amigos por causa de Alexa, e Carlos sentia falta dele e estava aproveitando a sexta-feira que Drew estava na cidade para se encontrarem, assistir a um jogo, comer hambúrgueres, beber cerveja. Talvez...

— Está bem — disse Carlos, desligando a TV e colocando uma cerveja na frente de Drew. — Quão bêbado você precisa ficar para me contar por que passou a semana assustando as enfermeiras e fazendo os pacientes chorarem?

Talvez não.

— Não sei do que está falando — respondeu Drew, bebendo metade da cerveja. — E aquele menino sempre chora... não foi culpa minha.

Carlos balançou a cabeça e pegou um punhado de fritas.

— Desta vez, *a mãe dele* também estava chorando.

Drew bateu com a cerveja na mesa, quase derramando-a.

— Então, virei o vilão só porque falei para ela que, se estivesse prestando atenção no filho, ele não teria se machucado daquele jeito? — Ele se virou para Carlos, que estava boquiaberto.

Drew terminou a cerveja e suspirou.

— Tá bom, sou o vilão. Pegue outra cerveja para mim.

Carlos lhe deu sua própria cerveja intocada e se levantou para pegar mais.

— Apenas me conte o que aconteceu — pediu ele ao voltar para o sofá. — Talvez você se sinta melhor. Pelo jeito, tem a ver com a Alexa, já que você está todo suado de uma corrida na praia na sexta à noite e não por causa de...

Drew deu um chute em Carlos, que riu.

— Que foi? Você mesmo me contou que, quando se encontram, é só...

Drew atirou uma batata frita nele.

— Quer ouvir a porra da história ou vai ficar sentado aí fazendo piadas sobre a minha namorada? — Ele suspirou. — Esqueça o que disse, ela não é minha namorada. Nunca foi.

Carlos pegou um punhado de batatas fritas.

— Você... queria que ela fosse sua namorada?

Drew bebeu a terceira cerveja.

— Não sei. Talvez. Mas não importa. Agora ela me odeia.

Carlos fez uma cara de espanto.

— Não está vendo que isso é besteira? Esqueceu que já vi vocês dois juntos. Já vi o jeito como ela olha para você. A menos que haja alguma coisa terrível que eu não esteja sabendo...

Drew balançou a cabeça. É, talvez ela olhasse para ele daquele jeito, mas isso era antes.

— Vou te contar a história toda e aí você vai ver — falou ele.

Parece que a resposta para a pergunta anterior de Carlos era "três cervejas". Ele ainda tomou mais uma para chegar à mensagem de texto da segunda de manhã. Por que magoava tanto contar a Carlos sobre o que tinha acontecido?

— Está vendo? Eu devia ter terminado há muito tempo, antes de ela me odiar.

Carlos ficou olhando para o celular por alguns segundos e depois para Drew.

— Não, você não deveria ter terminado há muito tempo. Que porra há de errado com você? Sabe, sempre achei que era meio idiota, mas não sabia que você era tão imbecil assim.

Drew se levantou e deu um chute na mesa. Voou ketchup no chão.

— Eu me abro com você, conto que uma garota me deixou dormindo pelado na cama e é assim que você me responde? Vá se foder. Por que você não passa seu tempo cuidando da sua própria vida fodida em vez de se preocupar com a minha?

Do sofá, Carlos ficou olhando pasmo para ele. Ele não se mexeu. Drew apoiou a cabeça nas mãos e balançou-a. O que havia de errado com ele? Carlos não merecia isso.

— Desculpa. Disse merda.

Carlos concordou com a cabeça.

— Disse mesmo. Sente-se.

Drew olhou para ele, para a bagunça no chão e depois para Carlos de novo. Ele voltou a se sentar no sofá.

Carlos suspirou e se recostou nas almofadas.

— Está bem, olhe. Não sei se deveria te contar, mas depois do que aconteceu, acho que tenho.

Drew se esticou na direção dele.

— Você realmente deu em cima dela? Seu bosta, nunca pensei que...

Carlos o empurrou de volta para o sofá.

— Relaxa, cara, claro que não. Qual é, você sabe que não seria capaz disso.

Drew se recostou nas almofadas e soltou um suspiro.

— Eu sei. Me desculpe. Eu sou um cretino. Que coisa horrível você vai me contar agora?

Carlos se levantou e arrastou a mesa de centro de volta para o lugar.

— É uma coisa que Emma me contou depois que vocês foram embora da festa. Ela disse que estava se sentindo meio mal, porque, quando ela, Heather, Robin e Lucy estavam na cozinha com Alexa, elas começaram a falar de você.

Drew afundou no sofá e quis pegar uma garrafa, mas estavam todas vazias. Carlos foi até a cozinha para pegar mais cerveja para ambos.

— Deve ser ruim, pois você está me trazendo mais cerveja. O que elas disseram?

Carlos abriu as duas garrafas e suspirou.

— Bem, acho que a Alexa fez algumas perguntas sobre você... e elas acabaram contando suas histórias, hã, curiosamente parecidas, acho, de como você terminou com elas.

Que merda. Drew apoiou a cabeça nas mãos. Foi por isso que Alexa ficou tão chateada de repente. Carlos continuou falando.

— Ela não me contou detalhes do que falaram e disse que a Alexa não pareceu chateada, mas...

Drew levantou a cabeça.

— Ela sabe abrir um sorriso falso perfeito que engana a maioria das pessoas.

— Mas não engana você? — perguntou Carlos, passando sua cerveja para ele. Drew recusou.

— Mas não me engana. — Ele suspirou. — Ela não contou para você o que conversaram?

Carlos pegou um punhado de fritas.

— Não, mas posso imaginar — respondeu ele. Carlos fez uma cara de espanto, mas Drew fez um gesto para que prosseguisse. Era melhor acabar logo com isso. — Quero dizer, vi seu padrão: depois de um ou dois meses, quando as coisas estão indo bem, você vem com o discurso "vamos ser amigos". Quem sabe Alexa pensou que isso iria acontecer com ela?

Drew fechou os olhos. Claro que ela pensou.

Carlos deu tapinhas em seu ombro.

— Está tudo bem, cara. Acho que pode consertar isso. — Ele fez uma pausa. — Você quer consertar?

Era o que ele mais queria no mundo.

— Claro que quero consertar, assim como quero que a dívida do financiamento da faculdade suma e todas as crianças do hospital fiquem bem e meu joelho pare de doer quando corro mais de quinze quilômetros, mas também sei que isso é impossível — respondeu ele, recostando-se nas almofadas e levando sua cerveja junto.

— Então, vai simplesmente desistir? Nem vai tentar conquistá-la de volta?

— Que bem isso vai fazer? — Ele suspirou. — Além do mais, nem sei como é estar em um relacionamento de verdade. Mesmo que desse certo, estragaria tudo de novo.

Carlos voltou a se sentar no canto do sofá. O canalha estava no lugar da Alexa.

— Você falou o que sente? Como se sente de verdade?

Ele tentou, mas... deu de ombros.

— Esqueça se ela te odeia ou não... ela não te odeia... ou se você estragaria tudo de novo... você estragaria, mas daria um jeito — falou Carlos, empurrando um hambúrguer na direção de Drew, que ignorou. — A questão é: como você *se sente* em relação à Alexa? Porque se você não conseguir responder a essa pergunta, com sinceridade e de um jeito que a satisfaça, não há nem por que tentar consertar a situação.

Drew fechou os olhos. Ele imaginou Alexa rindo dele no elevador, Alexa dançando com ele no casamento, Alexa sorrindo para ele deitada na toalha roubada no Dolores Park, Alexa comendo tacos no sofá, Alexa fazendo caras e bocas para a tela do computador sem perceber a presença dele, Alexa cochichando "café" no ouvido dele de manhã, Alexa colocando a cabeça dele no ombro dela quando ele foi até sua casa, Alexa aninhada nos braços dele na cama.

Ele abriu a boca, mas as palavras ficaram presas na garganta.

Carlos balançou a cabeça.

— Tudo bem, cara. Você não precisa me falar, mas tem que falar para ela.

Drew colocou a cabeça nas mãos.

— Não sei se consigo.

Carlos se recostou nas almofadas e colocou os pés em cima de um canto vazio na mesa de centro.

— Só há um jeito de saber.

24

Alexa acordou no sábado de manhã decidida que esse seria o dia em que ligaria para Olivia.

Na quarta, ela havia resolvido que conversaria com a irmã, mas não queria fazê-lo quando as duas estivessem no trabalho, porque não era uma conversa que queria ter dentro do escritório, onde poderia ser ouvida.

Quinta, resolveu que iria ligar quando chegasse do trabalho, já que seria umas nove ou dez horas no fuso de Nova York, e Olivia ainda estaria acordada. Porém, quando chegou em casa, já eram sete e meia, e achou que era muito tarde.

Na sexta, admitiu para si mesma que estava procrastinando, mas decidiu que o sábado era o melhor dia para uma conversa desse tipo, o que significava que hoje ela teria que fazer essa ligação.

Ou domingo? Talvez domingo fosse um dia *ainda melhor* para uma ligação como essa.

Ela tirou as cobertas e se obrigou a sair da cama para fazer café. Não, tinha que fazer isso hoje. Mal tinha conseguido se concentrar essa semana, entre essa pendência e os pensamentos em Drew, que estavam sempre com ela.

Maddie tinha razão. Ela deveria ter dito como se sentia. Pelo menos, não teria essa sensação constante e avassaladora de arrependimento. E, pelo menos, não se sentiria tão covarde.

Ela tomou uma xícara de café e dissipou os pensamentos sobre Drew. Só precisava sobreviver à semana. Se estivesse inteira na quinta, na reunião da Câmara, não importaria se ganhasse ou perdesse, passaria o próximo fim de semana na cama sofrendo com batatas fritas e sorvete.

E Theo – e Drew – tinham razão que ela precisava conversar com Olivia antes da reunião.

O café fazia um turbilhão no estômago vazio quando ela pegou o celular. Um dia, teria que trocar para chá. Ela voltou para a cama e entrou nas cobertas para procurar o nome de Olivia.

— Oi, garota! — Alexa ouviu um barulho de rua no fundo. — Como você está nesta tarde de sábado? — Olivia deu risada. — Acho que, para você, é manhã.

— Bem! — respondeu Alexa, que percebeu que sua voz estava muito aguda e tentou maneirar. — Hã, onde você está? Está ocupada?

Talvez ela estivesse ocupada demais, e elas não poderiam conversar.

— Não, não, só estou andando, voltando de um brunch. O que você está fazendo?

Droga, ela teria que fazer isso, então.

— Só estou tomando café em casa, tentando respirar fundo depois de uma longa semana — respondeu. Bem, isso foi um eufemismo.

— É mesmo? E aí? Como está o trabalho?

Ela simplesmente precisava desembuchar. Era o único jeito de começar.

— Na verdade, foi por isso que liguei. Tenho... o prefeito está com uma nova iniciativa para um programa de artes para jovens em situação de risco e foi por isso que eu...

— É, tenho lido sobre isso! Tive a sensação de que era ideia sua. Bom trabalho, garota.

Alexa tirou o celular do ouvido e olhou para ele. Olivia já sabia?

— Eu, hã... você tem lido sobre isso?

Alexa ouviu um sinal de elevador em meio à risada de Olivia.

— Claro que tenho. Você acha que não presto atenção no que minha irmãzinha está fazendo? Estou tão orgulhosa de você. A audiência da Câmara é na semana que vem, né?

Alexa se sentou na cama. Essa conversa não estava indo conforme previsto.

— É, na quinta. Eu não sabia... — Ela parou e começou de novo. Ela perdeu a oportunidade de ser sincera com Drew, pelo menos poderia ser sincera com a própria irmã. — Estava com medo de te contar. Não sabia que você já sabia.

Alexa ouviu Olivia abrir e fechar a porta.

— Lexie, por que você estava com medo de me contar? Isso que você está fazendo é maravilhoso.

Os olhos ficaram marejados com o apelido.

— Queria contar, mas ainda não sabemos se vai passar pela Câmara. Não queria te contar nada até que fosse aprovado. Não queria te decepcionar de novo.

Alexa pegou sua caneca de café, percebeu que a mão estava tremendo e a colocou de volta na cabeceira.

— De novo? Como assim, de novo?

Alexa torceu os lençóis com os dedos para parar de tremer.

— Eu fui... fui tão má com você. Quero dizer, quando estávamos no colégio e tudo aquilo aconteceu. Fui uma péssima irmã e queria... queria compensar.

Meu Deus do céu, era mais difícil do que ela imaginava. Agora as lágrimas estavam escorrendo no rosto. Ela não tinha chorado tanto em uma semana desde a semana em que a menstruação veio pouco antes do exame de ordem.

— Você ficou preocupada com isso esse tempo todo? Não tem nada para compensar. Sei que às vezes temos alguns atritos, mas não é porque ainda estou brava com você ou guardo algum rancor do que aconteceu no passado. Sim, as coisas foram péssimas naquele ano, mas éramos jovens.

Alexa soluçou e enxugou o rosto com a barra da regata.

— Eu sei, mas isso não justifica. Queria não ter te tratado daquele jeito.

— Lexie, você fez tanta coisa por mim! Você me deu força nos momentos em que mais precisei de você. Você veio até Nova York, de última hora para me ajudar na mudança daquele apartamento horrível depois que levei um fora, lembra? E você...

Alexa interrompeu, ainda fungando.

— Mas nunca me desculpei com você! Me desculpe, Livie. Me desculpe pelo que disse e por como agi. Eu me arrependo faz anos, mas estava com muita vergonha e muito medo de me desculpar. Acho que esse programa vai ser meu pedido de desculpas, mas, passando ou não pela Câmara, precisava dizer a você também.

Ela ouviu fungadas do outro lado da linha.

— Ah, querida, aceito suas desculpas. Que bom que você disse, mas não precisava ouvir. Sempre soube disso. Que bom que minha experiência te inspirou. Os adolescentes de Berkeley têm sorte por ter você lutando por eles.

As lágrimas de Alexa continuavam caindo, mas agora eram de alegria. Ela se levantou para pegar mais café e talvez fazer uma torrada para acalmar o estômago.

— Obrigada. Você dizer isso significa muito para mim.

Ela ouviu o barulho da cafeteira de Olivia no fundo e quase riu. Essas irmãs eram farinha do mesmo saco.

— Então, me conte tudo sobre esse seu programa Progreja que não saiu no jornal. Aliás, que acrônimo horrível. Quem criou? E o que aconteceu com o cara do elevador?

Alexa pegou a geleia francesa cara que vinha guardando. Hoje ela merecia.

— Ah, Liv, tenho tanta coisa para te contar.

♥ ♥ ♥

Drew andou pelo hospital no domingo de manhã, aliviado por finalmente ter se recuperado da ressaca de sexta à noite. Uma quantidade monstruosa de junk food no dia anterior e uma longa corrida que ajudou o álcool a sair pelos poros foram as únicas coisas que o fizeram parar de xingar Carlos e aquelas cervejas malditas que ele havia comprado.

Quem dera a solução quanto a Alexa fosse fácil. Como ele iria dizer a ela como se sentia? E se ela não correspondesse? Não seria mais fácil fingir que jamais a havia conhecido?

Eram essas as perguntas que vinham percorrendo a cabeça dele há um dia e meio, sem respostas. Ele estava pronto para enviar uma mensagem para ela na sexta à noite, mas Carlos havia confiscado seu celular. Talvez fosse melhor assim; a mensagem pela metade que leu ao acordar no sábado dizia uma bobagem sobre a saudade que sentia do seu corpo nu junto ao dele – embora fosse verdade, talvez fosse o jeito errado de abordar o problema. Ainda não sabia qual era o jeito certo.

Ele foi até o quinto andar e acenou para a enfermeira que estava no balcão. Meteu a cabeça no terceiro quarto à esquerda e encontrou quem estava procurando.

— E aí, amigão! Tudo bem com você?

— Dr. Nick! — falou Jack, sorrindo para ele da cadeira e acenando. — Você veio me visitar?

Ele se aproximou e se sentou ao seu lado, trocando sorrisos com Abby.

— Vim, sim. Faz tempo que não te vejo. Queria ver como um dos meus melhores amiguinhos está.

Ele se sentou e deixou a conversa animada de Jack envolvê-lo até ele desacelerar e por fim parar.

— Ele dormiu — disse para Abby.

Ela estava fingindo ler seu livro o tempo todo em que conversaram, mas ele reparou que ela não havia virado uma página sequer.

— Sim, a quimioterapia o deixa exausto — falou Abby, fechando o livro e sorrindo para ele. — Mas obrigada por ter vindo. Ele adorou ver você.

Drew olhou para Jack, que parecia mais jovem que o normal, dormindo profundamente e com vários tubos na veia.

— Também adorei, apesar de ser dureza vê-lo assim — disse ele. Os olhos de Abby ficaram marejados, e ele se sentiu um imbecil. Se era dureza para ele ver Jack desse jeito, como achava que a mãe se sentia? — Mas conversei com a dra. Sullivan, que disse que o prognóstico é bom. Ela me pareceu esperançosa.

Abby enxugou as lágrimas e sorriu para ele.

— Ela também nos disse isso, mas é bom que não tenha dito isso só para os pais. Obrigada por me contar. Sei que os médicos falam a realidade uns aos outros.

Ele tocou a cabeça de Jack, com cuidado para não o acordar.

— Não precisa agradecer. Estava... estava bem preocupado com ele, mas fiquei muito aliviado quando conversei com a dra. Sullivan.

Abby fechou o livro e o colocou na bolsa.

— Sei que não há garantias, mas obrigada mesmo assim — disse ela, olhando para a mão dele ainda na cabeça de Jack. — Como está sua amiga Alexa?

Ele suspirou. Deveria ter previsto que Abby falaria de Alexa.

— Tão ruim assim? — perguntou Abby enquanto ele encontrava uma maneira de responder. — Posso dizer que ela é... ou era... mais do que uma amiga?

Ele fez uma careta para ela, que deu risada.

— Como se você já não soubesse disso — falou ele, suspirando. — Isso aqui não é uma conversa normal entre médico e paciente, mas... estamos enfrentando dificuldades. O tempo dirá se é um obstáculo ou o fim da linha.

Ela relaxou na cadeira e cruzou as mãos.

— Acho que, pela sua cara, você quer que seja a primeira opção.

Ele tirou a mão da cabeça de Jack e olhou nos olhos dela.

— Mais do que tudo. Só não sei como fazer isso acontecer.

Ela sorriu para ele.

— Ah, isso é fácil. O que *ela* quer mais do que tudo, mesmo que não tenha lhe falado? Faça isso por ela.

Ele soltou uma gargalhada alta, viu se não tinha acordado Jack e continuou rindo baixo.

—É tão fácil assim? Minha nossa, foi difícil para você? — perguntou ele, olhando para Jack. — Ah.

Agora foi Abby quem riu.

— Eu nem ia alegar que estou com um filho com câncer, mas você fez isso por mim. Olhe, se quer ficar com ela – e, pela sua cara, você quer –, encontre um jeito. No fim das contas, é simples assim.

Ele riu de novo.

— Bem, falando desse jeito...

Na verdade, quando ela falou desse jeito, era simples mesmo. Ele fechou os olhos e assentiu. Agora ele sabia o que fazer, o que queria fazer. Apenas torcia para que Alexa também quisesse a mesma coisa, senão ele iria ficar parecendo um verdadeiro idiota.

— Falando desse jeito, talvez você tenha razão — disse ele, levantando-se. — Obrigado, Abby. Espero que você tenha resolvido meu problema.

Ela sorriu para ele e passou a mão na cabeça de Jack.

— Também espero. Mantenha-me informada, sim?
Ele se despediu com um aceno ao sair do quarto.
— Claro.
Ele foi direto para o consultório. Tinha uma ligação a fazer.

25

No dia da audiência da Câmara, Alexa chegou ao trabalho às sete horas da manhã, ainda que ela fosse acontecer somente às seis da tarde. A essa altura, estar na Prefeitura era melhor do que estar em casa. No trabalho, sempre havia algo a fazer, ela se sentia útil, importante. Em casa, ficava sozinha com seus pensamentos e com as lembranças de Drew. Eles se conheciam há dois meses, e ele só tinha ido à casa dela algumas vezes, então, por que o via por toda parte? Em algum momento, esperava que isso fosse passar, talvez depois da audiência da Câmara e do ritual da fogueira, queimando tudo o que estivesse relacionado a Drew. O ritual era apenas brincadeira. Bem, mais ou menos.

Ela estava no escritório, fazendo a terceira revisão da apresentação para a Câmara, quando Sloane entrou carregando duas caixas grandes.

— Entrega para você. Mas, se for o que estou pensando, é melhor você dividir.

Alexa se apoiou no canto da mesa e abriu as duas caixas. Estavam repletas de donuts de todos os tipos. Quatro donuts com cobertura rosa e granulados estavam no meio de cada caixa.

— De onde veio isso? Eu ia trazer donuts hoje de manhã, mas tinha muita coisa para carregar. Foi Theo quem comprou?

Sloane fechou uma das caixas e apontou para o bilhete em cima, que Alexa não tinha visto.

— Veja.

Ela pegou o envelope branco no topo da caixa e o abriu.

Alexa, boa sorte hoje! Drew

Ela não tinha notícias dele desde que saíra de sua cama no meio da madrugada quase duas semanas antes, e ele mandou donuts? E lembrou quando era a audiência da Câmara? Essa era a versão da Alexa para as flores de término de Emma?

Ela colocou o cartão de volta no envelope e o enfiou na bolsa.

— Poderia colocá-los na cozinha, Sloane? E mande um e-mail para todo mundo dizendo que tem donuts? Espere um pouco — falou, pegando dois com cobertura rosa de uma das caixas. — Está bem, agora pode levar.

Sloane pegou as duas caixas e disse antes de sair:

— Você vai arrasar hoje, chefe.

Alexa colocou os donuts sobre um guardanapo.

— Obrigada, Sloane. Espero que sim. Já te falei para pedir pizza para o almoço de todos, né?

— Já — respondeu ela.

O dia se arrastou, como acontece com todos os dias que têm algo importante no final, mas, por fim, o relógio chegou às cinco, o sinal para fechar a porta do escritório e colocar o terninho e os saltos da sorte. Ela abriu a porta depois de pronta e encontrou Theo do outro lado.

— Já está com a armadura? — perguntou ele. — Estamos prontos?

Ela sorriu, subitamente cheia de adrenalina.

— Certo que sim. Vamos botar essa Câmara abaixo.

♥ ♥ ♥

Drew passou de fininho pela entrada da Câmara às seis da tarde em ponto. Ele queria chegar cedo, mas não queria que Alexa o visse antes da audiência começar. Ela não tinha falado nada sobre os donuts, mas ele sabia que havia recebido; ele seguiu o entregador até o escritório para se certificar.

E encontrou o único lugar vago no fundo da Câmara, ao lado de uma mulher negra com cabelo cacheado bem cheio que parecia vagamente familiar. Ela olhou e sorriu para ele por um segundo antes de voltar a olhar para o celular, com os polegares tocando a tela com agilidade.

Ele viu Alexa na frente da sala, sentada ao lado de Theo e atrás de um homem de cabelo branco que, pelo jeito, era o prefeito. Puxa, era tão bom vê-la de novo, mesmo que fosse de tão longe. Ela estava sentada, atenta aos trâmites, com um daqueles terninhos que ele adorava, parecendo estar à vontade. Ela *estava* à vontade. Talvez estivesse aliviada por ele não estar mais ocupando seu tempo. Talvez Theo já tivesse grudado nela – vejam, ele colocou a mão em seu ombro –, e estavam mais do que felizes juntos. Será que ele tinha ido até lá para nada?

Drew respirou fundo, não podia dar para trás agora: Abby e Carlos o matariam, entre outras coisas. Que se dane, ele não queria dar para trás agora, precisava ter certeza.

Ele viu na programação que havia alguns assuntos para serem tratados antes, por isso, pegou o celular para passar o tempo.

— Por que você veio aqui? — A mulher ao lado cochichou.

— Ah, o lance das artes para adolescentes — disse ele, sorrindo e apontando para a frente da sala. — Minha... uma amiga minha trabalha para o prefeito, vim torcer por ela.

Ela apertou os olhos.

— É mesmo? Quem é sua amiga?

Ele hesitou na resposta, mas ela estava olhando tão fixamente para ele que foi obrigado a responder.

— Alexa Monroe, ela é chefe de gabinete do prefeito.

Ele não conseguia deixar de sorrir ao dizer o nome dela. A mulher deixou o celular na bolsa e se virou para ele com um grande sorriso. Por que isso lhe trouxe a lembrança de um lobo?

— Você deve ser o Drew — disse ela.

Com isso, tudo fez sentido. Cara, ele se sentia muito idiota por não ter pensado nisso antes. Ele se sentou direito.

— E você deve ser a Olivia?

Por isso, ela parecia familiar; ele já tinha visto fotos dela na casa de Alexa.

Ela assentiu e estendeu a mão. Ele nunca estivera tão nervoso por causa de um aperto de mão desde as entrevistas na época da faculdade.

— Tinha a impressão de que você e minha irmã não eram mais... amigos? — perguntou ela, ainda com aquele sorriso no rosto.

Ele assentiu, mas depois balançou a cabeça. Palavras, Drew, é horas de usar palavras.

— Espero que... tivemos alguns problemas, mas espero que ainda sejamos amigos — respondeu ele, rindo baixinho. — Não, não é isso que quero. Quero ser muito mais do que amigo da sua irmã.

O sorriso de Olivia perdeu um pouco da animosidade.

— Que bom, porque, se você respondesse essa pergunta de outro jeito, iria falar para você sair desta sala agora e vazar para Los Angeles.

Ele riu de novo, desta vez mais alto, fazendo com que as pessoas da frente se virassem fazendo cara feia. Ele murmurou um pedido de desculpas.

Depois, voltou para a irmã de Alexa:

— Ela não sabe que estou aqui, por isso, se você pudesse...

Ela deu tapinhas no ombro dele.

— Não se preocupe, não vou estragar sua surpresa. De qualquer maneira, eu não iria, porque ela não sabe que estou aqui, então, estragaria minha própria surpresa também.

De repente, Drew se deu conta: se Olivia estava lá, Alexa devia ter seguido seu conselho e lhe contado sobre o programa. Ele não conseguia acreditar que ela havia confiado nele. Ele se virou para Olivia para dizer outra coisa, mas ela o silenciou e apontou para a frente da sala.

— Eles estão falando agora.

♥ ♥ ♥

Alexa esperava estar inquieta, mas sentiu uma estranha sensação de calma tomar conta dela assim que entrou na câmara. Ela fez o que pôde e, ganhando ou perdendo, sabia que, aos olhos da irmã, havia vencido de qualquer jeito.

Mas ainda *queria* vencer.

Ela passara a primeira metade da reunião passando recados para o prefeito e para Theo e também recebendo recados deles. Eles haviam aprendido na marra a trocar bilhetes durante as reuniões do conselho em vez de usar e-mail ou mensagens de texto, desde a vez em que um jornal local tuitou uma foto do prefeito olhando o celular durante uma audiência da Câmara e ele fora totalmente ridicularizado.

Quando chegou a vez de sua apresentação, ela subiu ao púlpito, e todo o nervosismo da semana sumiu. A Câmara já havia recebido seu relatório; por isso, essa parte era puro teatro.

— Senhor prefeito, vereadoras e vereadores, todos os senhores viram a proposta do Programa de Reabilitação de Jovens nas Artes, também conhecido como Progreja. Agora, vou apenas apontar alguns detalhes do programa antes de pessoas que participaram de programas semelhantes relatarem para vocês os benefícios que receberam deles, e depois daremos oportunidades para perguntas e comentários do público.

Ela fez sua apresentação, contente por quase toda a Câmara estar assentindo e sorrindo para ela, e os únicos que não o fizeram eram os dois que haviam se oposto ao programa desde o início.

Em seguida, vieram os ex-participantes de vários programas, escolhidos a dedo por Theo: um era aluno da UC Berkeley que havia participado de um programa parecido na zona leste de Los Angeles; outra era uma escritora que havia lançado um livro recentemente e que atribuiu ao programa de artes e escrita para jovens o fato de ela estar nesse caminho. Theo passara dias treinando-os no que enfatizar, e Alexa o viu ficar nervoso e se inclinar na direção deles ao começarem a falar. Contudo, depois de alguns tropeços iniciais, os dois estavam com a Câmara na palma da mão.

O presidente da Câmara abriu a discussão para os comentários do público, e agora foi a vez de Alexa ficar nervosa. Depois daquela reunião em Berkeley Hills, ela estava com medo do que seria dito na audiência. Claro que eles haviam incentivado todas as comunidades que sabiam que aprovavam o programa a comparecer, e Alexa viu vários integrantes delas na plateia, mas também havia muitos rostos que ela não conhecia. O que será que iriam dizer?

As primeiras duas pessoas a falarem, ela sabia que estavam do seu lado, mas as duas seguintes eram pessoas que estavam visivelmente céticas na reunião de Berkeley Hills. Mesmo assim, falaram a favor do programa.

Ela olhou para Theo, que também a encarava, com os olhos dançando, e depois para Maddie, que estava em uma das primeiras fileiras. Ela não podia sorrir, ainda não.

Porém, tudo seguiu desse jeito. Claro que havia algumas pessoas que se opuseram, dizendo que os jovens precisavam de disciplina, serem punidos por suas transgressões, que isso era um castigo leve para o crime e todos aqueles motivos que ela já conhecia, mas a vasta maioria do público estava do lado deles. Ela nem acreditava.

Alexa olhou para o caderno para rabiscar algo para não ficar sorrindo que nem uma louca. Ao tirar os olhos do caderno, quase deu um pulo: em pé, ao microfone, estava Olivia.

— Senhor prefeito, senhoras vereadoras, senhores vereadores, obrigada por esta oportunidade. Como alguns de vocês devem saber, cresci aqui na Bay Area, embora more longe agora. Passei meu tempo no colégio arranjando encrencas aqui e ali. Finalmente, passei dos limites. Ainda bem que me mandaram para um programa muito parecido com este que está sendo debatido hoje. Aquele programa abriu meus olhos para tudo o que poderia fazer, tudo o que poderia conseguir na vida se superasse a fase da rebeldia adolescente e me concentrasse nas coisas importantes. Desde então, me formei em duas excelentes universidades e recentemente me tornei sócia de um escritório de advocacia em Nova York. Há muitos adolescentes por aí como eu, que precisam de alguém que os coloquem no caminho certo, mas que, ao mesmo tempo, podem ir para o caminho errado e jamais sair dele. Sou muito grata pelo fato de o programa de reabilitação em artes ter me mostrado meu caminho para o sucesso e espero que vocês abram esses caminhos para os jovens de Berkeley que mais precisam dele.

Alexa já estava com lágrimas nos olhos no meio da fala de Olivia e teve que olhar para o teto no final para que as lágrimas não caíssem. Quando ela conseguiu olhar para baixo, a irmã a encarava, e elas sorriram uma para a outra durante a salva de palmas.

Ninguém ficou surpreso quando a Câmara votou para aprovar o programa-piloto, não depois daquele discurso. Alexa ficou contente com o grande abraço que Theo deu nela, pois ela pôde esconder seu enorme sorriso atrás do ombro dele. Estava tão animada que mal conseguiu se concentrar na meia hora de debate público sobre a nova ciclovia na Oxford Street.

Por fim, a reunião terminou, e Alexa se levantou, determinada a encontrar Olivia. Ela não conseguiu sair em seguida, porque quase toda a Câmara estava indo agradecê-la. E, quando a Câmara terminou de cumprimentá-la, foi a vez do prefeito lhe dar um grande abraço.

— Você me deixou orgulhoso hoje, Alexa.

Ela enxugou os olhos ao se afastar. Desta vez, não estava com vergonha.

— Não me faça chorar, senhor. Estava apenas fazendo meu trabalho.

Ele deu risada e deu tapinhas no ombro dela.

— É bom que você apareça no escritório somente a partir do meio-dia amanhã e isso é uma ordem, entendeu?

Ela nem contestou.

— Sim, senhor.

Ele pegou o ombro de Theo e o abraçou também, entregando-lhe algumas notas de vinte.

— Sei que sua equipe provavelmente vai sair para beber. Divirtam-se. Eu vou para casa — disse o prefeito, piscando o olho. — Não façam nada que eu não faria.

Eles se despediram do prefeito, e Alexa pegou sua bolsa cheiíssima. Está bem, AGORA ela poderia procurar a irmã.

Ela desceu até as cadeiras da plateia procurando com os olhos o cabelo de Olivia – era mais fácil de encontrá-la assim.

— Olivia! — gritou ela, sem se preocupar mais em manter uma voz baixa.

Quando Olivia se virou, o homem ao lado dela também se virou. Alexa deu um passo para trás.

— Drew?

Em um instante, ele já estava na frente dela, com Olivia atrás.

— Oi. Você foi muito bem — disse ele.

Ela não acreditava que ele estava lá.

— Drew? — Ela precisava achar outra coisa para dizer além do nome dele. Ela queria pegá-lo, abraçá-lo, enterrar a cara em seu peito quente e deixá-lo abraçá-la por vários dias, levá-lo para casa e nunca mais deixá-lo sair. — Você tem... o que está fazendo aqui?

Ele cruzou e descruzou os braços.

— Vim assistir à sua noite de triunfo. Você está, hã, feliz em me ver?

Ela sorriu. Depois da noite que teve, qualquer tipo de exagero era impossível.

— Não poderia estar mais feliz, mas — ela olhou para Olivia — também estou muito feliz por ver minha irmã.

Drew e Olivia se olharam e deram risadas.

— Não planejamos isso! Juramos! — disse Olivia, puxando-a para dar um forte abraço. — Vou seguir o Theo e o resto do seu grupinho. Pelo jeito, todos vão sair para beber umas ou todas?

Alexa assentiu. Talvez fosse uma das noites mais estranhas de sua vida.

— É, no Blue Lounge, mas espere...

Olivia balançou a cabeça e apontou para Drew.

— Você tem outras coisas para resolver agora. Não se preocupe, conversamos depois.

Olivia e Drew falaram sobre ela? Onde tinham se conhecido? O que ele estava fazendo ali? Alexa pegou a mão de Olivia antes de ela ir.

— Peraí, Livie... obrigada.

Olivia apertou a mão dela.

— De nada, garota. Foi um prazer.

Quando Olivia saiu com Theo e Maddie, a Câmara já estava deserta. Só sobraram Alexa e Drew.

— Obrigada pelos donuts — agradeceu ela. — Foi muito fofo da sua parte.

— Não há de quê — respondeu ele, tocando o braço dela. Ela teve que resistir à vontade de se aproximar dele. — Achei que fariam você começar o dia de um jeito positivo.

Ela sorriu, pensando na primeira mordida no donut ainda morninho.

— E fizeram — disse ela, parando de resistir e se aproximando mais da mão dele por um momento. — Drew, o que você está fazendo aqui?

Ele soltou a mão. Talvez fosse melhor assim, mas ela ainda sentia falta do toque dele.

— Estou aqui... puta merda, tinha ensaiado o começo disso e agora esqueci tudo — disse ele, respirando fundo. — Deu tudo errado naquele fim de semana.

Agora ela pegou a mão dele. Não conseguiu evitar.

— Drew, foi tudo culpa minha. Não devia ter começado aquela briga na festa e não deveria ter ido embora sem me despedir. Me desculpe. Eu devia ter conversado com você como adulta.

Quando ela foi puxar a mão, ele a apertou.

— Também peço desculpas. Eu devia ter sido sincero quanto aos meus sentimentos.

Ela não queria ouvir o resto, não nessa noite. Talvez nunca.

— Não se preocupe com isso. Você não precisava ter vindo até aqui para falar. Sei como se sente, e não tenho problema com isso.

Droga, será que ela ia começar a chorar de novo? A essa altura, ela nem poderia sentir mais vergonha.

— Não, Alexa, você não sabe — disse ele, soltando a mão e dando um passo para trás. — Não cheguei a te contar, mas mudei meu voo para Los Angeles naquele dia para poder passar mais tempo com você.

Ela olhou para ele e apertou os olhos. Por que estava contando algo que ela já sabia?

— Eu sabia, estava com você quando mudou.

Ele balançou a cabeça.

— Não, não foi depois da conferência. Depois do casamento.

Ela deixou a bolsa escorregar do ombro até o chão. A cabeça estava confusa, ela se sentia tonta. Foram os donuts e a pizza? Ou talvez os vários cafés que tinha tomado?

— Como assim, depois do casamento? Seu voo era aquela noite, né?

Ele balançou a cabeça.

— Meu voo era ao meio-dia. Quando você estava no banheiro, de manhã, mudei o voo para poder passar o dia com você. Eu devia ter percebido que nunca enjoaria de você.

O que ele estava dizendo? Por que ele estava dizendo isso agora?

— Drew, eu...

Ele pegou a mão dela de novo.

— Não, deixe-me terminar, desabafar tudo. Você... eu... Alexa, não consigo imaginar minha vida sem você. Não tenho conseguido desde que a conheci naquele elevador. Quando acordei aquela manhã e você não estava... fiquei arrasado. Tentei viver sem você, mas não consegui. Não posso — completou ele e respirou fundo. — Alexa, eu te amo, eu te amo muito.

Ela tentou soltar a mão dele, mas ele segurava com força. Os olhos dela se encheram de lágrimas.

— Drew, eu... você tem certeza?

Ele sorriu e deu outro passo na direção dela.

— Nunca tive tanta certeza na minha vida.

♥ ♥ ♥

Dizer a Alexa que a amava não tinha sido tão difícil quanto imaginara. Aliás, ele queria ficar dizendo sem parar, mas será que ela também o amava? Ele não tinha como saber. Só sabia que a mão dela estava na dele e ela estava com ele.

Era melhor falar tudo mesmo.

— Veja — disse ele, entregando o celular para ela, que olhou confusa, mas acabou pegando-o. — Esse é o meu nível de certeza. Leia este e-mail.

Ela pigarreou e olhou para o celular. Ele ainda estava segurando a mão dela.

— Drew Nichols, o Hospital Infantil de Oakland tem o prazer de lhe oferecer a vaga de... — a voz dela foi desaparecendo. — Isso é de verdade?

Ele pegou o celular da mão dela.

— Verdade verdadeira. Liguei para o meu mentor no domingo. Ele me disse quando o vi antes do casamento que abriria uma vaga lá e me convenceu a me candidatar. Na época, disse não, mas... mudei de ideia. Era um pouco mais complicado do que ele tinha dado a entender, e só posso começar em...

Ela deu um grande abraço nele e enterrou a cabeça em seu peito. Estava chorando outra vez, mas esperava que fossem lágrimas de alegria. Ele a abraçou com força.

— Só vou aceitar se você quiser — disse ele no ouvido dela. — Por favor, me diga que quer?

Ela se virou e puxou a cabeça dele para lhe dar um grande beijo. Ao final, ele se afastou e enxugou as lágrimas do rosto dela com o polegar. Nossa, ele sentiu tanta saudade dela.

— Me fale.

Ela sorriu para ele, com os olhos brilhando através das lágrimas.

— Sim, quero que você aceite.

Ele beijou suas pálpebras, suas bochechas, seu cabelo.

— Você não tem mais nada para me falar? — indagou ele, com os lábios próximos dos dela.

— Eu te amo — disse ela, com lágrimas correndo de seus olhos. — Ah, Drew, eu te amo tanto. Passei a semana inteira tentando negar o quanto te amava.

Ele enxugou as lágrimas dela.

— Tenho tentando admitir para mim mesma o quanto te amo.

Ele segurou o rosto dela e a beijou, unindo suas lágrimas, encaixando seus corpos como se tivessem sido feitos um para o outro.

— Senhorita Monroe? — falou uma voz à porta. Alexa colocou o rosto no ombro dele, rindo da camisa manchada de rímel, antes de falar com o segurança. — Eu ia colocar as trancas. Devo, hã...

Alexa pigarreou.

— Desculpe, Stu, pode trancar. Deixe-me pegar minhas coisas.

Ela pegou a bolsa caída no chão e a mão de Drew.

— Vamos para casa.

Ele apertou a mão dela, e saíram juntos.

— Você esqueceu que precisamos encontrar o pessoal do escritório?

Ela parou e riu, enxugando o rosto com a manga do paletó.

— Não acredito, mas tinha esquecido. Vou mandar uma mensagem para o Theo, ele vai entender. Olivia poderá vir... mais tarde.

Drew balançou a cabeça. Não havia coisa que ele quisesse mais do que ir direto para casa e correr atrás do tempo perdido, mas ele sabia que depois ela se arrependeria de não ter saído com a equipe.

— Não, não, você não pode deixar de ir. Esta é a noite da sua vitória! — disse ele, pegando a bolsa pesada e carregando-a no ombro.

Ela sorriu para ele.

— Está vendo? É por isso que te amo.

Ele riu.

— É por isso? De todas as coisas, o fato de eu mandar você beber com seus colegas de trabalho em vez de trancar você no quarto comigo é o motivo pelo qual me ama?

Ela pegou a mão dele e a apertou.

— É, sim.

Ele puxou a mão dela e a beijou.

— Agora, vou levá-la ao banheiro para lavar seu rosto antes que sua equipe inteira a veja com cara de panda. Além disso, se você chegar assim, sua irmã vai me esquartejar.

Ela deu risada.

— Vamos subir até meu escritório para eu dar um jeito nisso — disse ela, puxando o rosto dele para cochichar em seu ouvido. — E você sabe que minha sala tem tranca, por isso ninguém vai nos interromper lá.

Ele gostou da proposta e fez um gesto para o corredor com a mão livre.

— Primeiro as damas, Monroe.

Epílogo

— Por que Carlos não pode nos encontrar no restaurante?

Eles entraram no Fairmont quase um ano depois de se conhecerem. Carlos estava na cidade e, por um motivo desconhecido, estava hospedado lá, em vez de ficar em um hotel mais conveniente no centro da cidade. Drew havia insistido em encontrá-lo em seu quarto, onde estava jantando. Alexa estava tentando não reclamar disso, mas era uma noite de quinta, sete da noite, o dia havia sido longo, e ela estava pronta para um drinque e um prato gigante de fritas.

— Ele precisa de sua opinião sobre uma roupa. Sei lá — explicou Drew, que passou o tempo todo aéreo no carro e não parava de olhar o celular. Ela sabia que ele tinha alguns pacientes com os quais ficava preocupado, mas isso não era normal.

Ela apertou o botão do elevador, olhou para ele e sorriu, pronta para relembrar *seu* elevador, mas ele não estava olhando para ela; estava olhando para o nada. Tudo bem. Ela tentou não levar para o lado pessoal.

No ano passado, eles tiveram altos e baixos. Também aprenderam a lidar com duas carreiras agitadas e um relacionamento; como era a outra pessoa em uma segunda de manhã e uma noite estressante de quinta em vez dos fins de semana idílicos; ela nunca arrumava a cama; Drew sempre deixava as luzes ligadas.

Eles também aprenderam a conversar sobre seus sentimentos, mesmo quando eram assustadores. E, no fim das contas, amavam-se. Essas duas coisas os ajudaram a superar os obstáculos, os grandes e os pequenos.

O elevador do canto – o elevador deles – se abriu, e ele pegou a mão dela e a conduziu. Alexa olhou para ele para fazer outra pergunta, mas viu uma coisa de relance e se virou.

Havia buquês de flores no elevador: rosas vermelhas-escuras, grandes peônias rosas, gérberas laranjas, narcisos amarelos, lilases, todos em vasos pelo chão. Em um canto, havia uma cesta de piquenique; em outro, um balde de gelo com uma garrafa de champanhe, e, no centro, havia uma caixa rosa de padaria.

— Drew? O que... isso é... estamos... — Ela não sabia nem o que perguntar.

A princípio, ela achou que havia um engano, mas aí viu o jeito como ele estava sorrindo, com um ar relaxado pela primeira vez naquele dia. Ele pegou as duas mãos, e o corpo inteiro dela se aqueceu com seu toque.

— Alexa, eu te amo, eu te amo muito. Você sabe disso, né?

Ela confirmou com a cabeça, as lágrimas caindo. Droga, esse homem estava sempre a fazendo chorar. Menos agora, quase sempre era de alegria.

— Eu também te amo muito.

O elevador parou de repente; ela deu uma olhada em volta e riu.

Ele beijou uma de suas mãos.

— Eu sei que ama. Nós nos conhecemos aqui, trezentos e sessenta e quatro dias atrás, e foi a melhor coisa que aconteceu na minha vida — disse ele, puxando-a para sentarem-se no chão, onde ficaram de pernas cruzadas, como na última vez em que ficaram presos juntos em um elevador. — Alexa Monroe, você quer se casar comigo?

Uma lágrima correu pelo rosto dela. Pelo menos, ela havia passado a usar rímel à prova d'água desde que Drew se mudara para Berkeley.

— Sim, eu quero me casar com você. Eu ADORARIA me casar com você — respondeu ela, puxando o rosto dele para si, beijando-o até se deitarem no chão com as flores ao redor.

Ele se afastou e sorriu para ela; de repente, sentou-se.

— Espere! Me esqueci de uma coisa! — falou ele, enfiando a mão no bolso e tirando uma caixinha. — Gostou? Maddie me deu algumas ideias, mas se você...

Ela estendeu a mão direita para que ele colocasse o anel no dedo. Ela olhou e viu o brilho, mas não conseguia deixar de olhar a expressão no rosto dele. Ela não se lembrava de estar tão feliz em toda a sua vida.

— O anel é perfeito, e não acredito que Maddie conseguiu guardar esse segredo de mim — disse ela, olhando para o elevador. — Como você conseguiu fazer isso? Por quanto tempo temos o elevador só para nós? Peraí. O Carlos não está lá em cima, né?

Ele entrelaçou sua mão com a dela e riu.

— Não, está são e salvo em Los Angeles. Temos o elevador por meia hora. Para isso, tive que bajular muito o gerente e dar a entender que faria o casamento aqui. Eu queria fazer isso amanhã, no dia do nosso aniversário, mas tive que abrir mão. Espero que não se importe.

— Não me importo com nada agora.

Ele sorriu para ela.

— Vou abrir aquela garrafa de champanhe assim que conseguir soltar você. Não temos muito tempo para beber.

Ele parecia não ter pressa em soltá-la, e ela não tinha pressa em soltá-lo. Ele a envolveu em seus braços mais uma vez, e ficaram sentados juntos no chão, ela com a cabeça encostada no peito dele. Depois de um minuto, ele apontou para a cesta de piquenique e falou as palavras mágicas:

— Desta vez, eu trouxe o queijo chique e os biscoitos.

Agradecimentos

Tenho muita sorte por ter tanta gente na minha vida a quem ser grata. Não tenho palavras para agradecer a todos vocês.

Holly Root, obrigada por tudo o que fez por mim e por meu livro. Tê-la ao meu lado me faz feliz todos os dias. Cindy Hwang, Kristine Swartz, Marianne Grace Aguiar e toda equipe da Berkley, foi uma alegria trabalhar com vocês. Obrigada por transformar este sonho em realidade.

Os outros escritores que me ajudaram durante esta jornada são algumas das melhores pessoas do mundo. Amy Spalding, eu jamais teria escrito uma palavra sequer sem o seu estímulo no começo e não teria continuado escrevendo se você não tivesse me ajudado em cada etapa. Obrigada por ter mudado minha vida. Obrigada a Akilah Brown, que, aparentemente, sabia que eu era escritora antes de mim mesma. Obrigada a Melissa Baumgart, que foi o motivo pelo qual comecei a escrever este livro em vez de apenas imaginá-lo. Obrigada a Sara Zarr, que me deu alguns dos meus primeiros – e melhores – conselhos de escrita. Obrigada a Tayari Jones, Robin Benway, Ruby Lang, Rainbow Rowell, Heather Cocks e Jessica Morgan, que me ajudaram, me inspiraram e responderam a milhões de dúvidas minúsculas. E a Mallory Ortberg e Nicole Cliffe, que foram duas das pessoas que mais torceram por mim na vida, meu maior agradecimento a vocês.

Cada pessoa tem o seu talento. O meu é fazer excelentes amigos. Simi Patnaik e Nicole Clouse, seu amor e apoio (e várias mensagens de texto) me deram forças. Janet Goode, você é uma das melhores amigas que uma mulher poderia ter. Melissa Sladden e Jina Kim, amo muito vocês. Jill Vizas, agradeço por sermos amigas há tanto tempo, e Katie Vizas e Sally Vizas, obrigada por me acolherem em sua família. Meus agradecimentos a Julian Davis Mortenson, Kyle Wong, Toby Rugger, Leslie Gross, Kate Leos, Lyette Mercier, Joy Alferness, Nanita Cranford, Stephanie Lucianovic e Laurie Baker. Vocês sempre me ajudaram de inúmeras maneiras. E Colleen Richards Powell, obrigada pelos sanduíches que entregou de forma inesquecível naquele dia no quarto andar do Claflin Hall.

Agradeço a todos os professores que tive, mas em especial a Elizabeth Varon, Anita Tien, Pamela Karlan, Bonnie Sussman e Brad Goodhart. Nenhum de vocês foi professor de escrita, mas me ensinaram a escrever. Obrigada à Wellesley College, que me fez ser quem sou.

Michelle Obama, obrigada por todas as palavras de estímulo, mesmo que estivessem só na minha cabeça.

E, por fim, eu não teria feito nada disso sem minha família. Agradeço a todos os meus avós, mas principalmente às minhas avós, Joyce York-Brown e Lillian Guillory. Agradeço aos meus vários primos, que sempre me apoiaram. Agradeço à minha irmã, Sasha Guillory e, acima de tudo, aos meus pais, Paul e Donna Guillory que sempre acreditaram em mim. Juntos e separados eles me ensinaram a sonhar alto e apoiaram todos os meus sonhos. Obrigada, pai e mãe. Amo vocês.

Leia também outros livros publicados pelo selo Essência

Córdoba (Argentina), 1961. Apesar de suas origens humildes, Francesca De Gecco conseguiu ter uma sólida educação. Sua carreira começou no jornal dirigido por seu rico padrinho e mentor, mas seus planos de se tornar uma jornalista de sucesso foram interrompidos por uma história de amor impossível.

Após sofrer uma terrível desilusão que só o tempo e a distância poderiam curar, seu tio consegue um emprego para a jovem em uma embaixada distante, e Francesca se muda para Genebra. No entanto, essa cidade será apenas a primeira parada de uma viagem muito mais longa. Ao redor do mundo, nos palácios mais deslumbrantes do deserto árabe, Francesca terá uma segunda chance de ser feliz.

AUTORA BEST-SELLER
DO THE NEW YORK TIMES

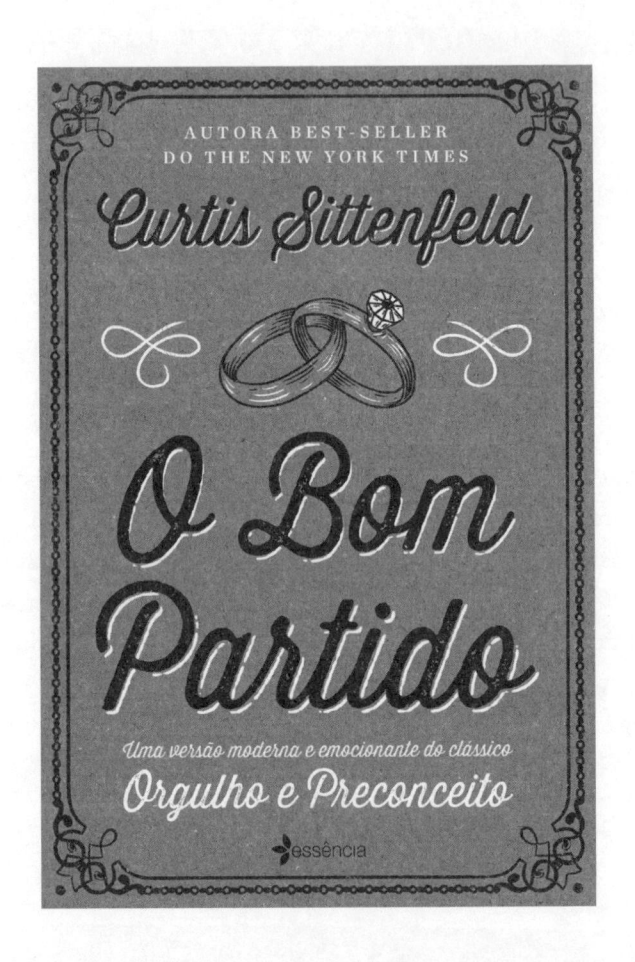

Curtis Sittenfeld

O Bom Partido

Uma versão moderna e emocionante do clássico
Orgulho e Preconceito

essência

Uma versão da família Bennet – e de Mr. Darcy – como você nunca viu antes.

Liz trabalha como escritora em uma revista e, assim como Jane, sua irmã mais velha instrutora de yoga, mora em Nova York. Preocupadas com os recentes problemas de saúde do pai, elas voltam à cidade onde nasceram para ajudar – e acabam descobrindo que tanto a bela casa em que cresceram quanto sua família estão desmoronando.

As irmãs mais novas Kitty e Lydia estão ocupadas demais com seus treinos de crossfit e dietas paleolíticas para arranjar empregos. Mary, a irmã do meio, está fazendo seu terceiro mestrado a distância e quase não sai do quarto, exceto para suas aventuras misteriosas nas noites de terça. E a Sra. Bennet só pensa em uma coisa: como casar suas filhas, especialmente com o aniversário de quarenta anos de Jane se aproximando.

Até que chega à cidade o cobiçado médico Chip Bingley, famoso por ter participado do reality show *Bom partido*. Em um churrasco de Quatro de Julho, Chip e Jane se interessam imediatamente um pelo outro, mas seu amigo neurocirurgião Fitzwilliam Darcy não tem a mesma sorte com Liz.

Primeiras impressões, porém, podem estar erradas.

erin watt
PRINCESA DE PAPEL
SÉRIE THE ROYALS – LIVRO 1

erin watt
PRÍNCIPE PARTIDO
SÉRIE THE ROYALS – LIVRO 2

erin watt
PALÁCIO DE MENTIRAS
SÉRIE THE ROYALS – LIVRO 3

erin watt
HERDEIRO CAÍDO
SÉRIE THE ROYALS – LIVRO 4

Ella Harper é uma sobrevivente. Nunca conheceu o pai e passou a vida mudando de cidade com a mãe, uma mulher instável e problemática, acreditando que em algum momento as duas conseguiriam sair do sufoco. Mas agora a mãe morreu, e Ella está sozinha.

É quando Callum Royal, amigo do pai, aparece prometendo tirá-la da pobreza. A oferta é bastante tentadora: uma boa mesada, uma promessa de herança, uma nova vida na mansão dos Royal, onde passará a conviver com os cinco filhos de Callum.

Ao chegar ao novo lar, Ella descobre que cada garoto Royal é mais atraente que o outro – e que todos a odeiam com todas as forças. Especialmente Reed, o mais sedutor, e também aquele capaz de baixar na escola o "decreto Royal" – basta uma palavra dele e a vida social da garota estará estilhaçada pelos próximos anos.

Reed não a quer ali. Ele diz que ela não pertence ao mundo dos Royal.

E ele pode estar certo.

**Acreditamos
nos livros**

Este livro foi composto em Dante MT Std
e impresso pela Gráfica Santa Marta para a
Editora Planeta do Brasil em maio de 2019.